LA MUSE ROUGE

Véronique de Haas

La Muse rouge

Roman

Fayard

P. 226 : La citation de Louise Michel est tirée de ses *Mémoires* publiées en 1886 aux éditions Roy et rééditées à plusieurs reprises.
P. 435 : *Le Livre de la jungle*, Rudyard Kipling, Gallimard, « Folio », 1999.

Couverture : Le Petit Atelier
Motif : © Collection KHARBINE TAPABOR

ISBN : 978-2-213-72132-3

Composition et mise en pages
Nord Compo à Villeneuve-d'Ascq

Le Prix du Quai des Orfèvres a été décerné sur manuscrit anonyme par un jury présidé par monsieur Christian SAINTE, Directeur de la Police judiciaire, au 36, rue du Bastion. Il est proclamé par M. le préfet de Police.

Novembre 2021

PRIX DU QUAI DES ORFÈVRES

Le Prix du Quai des Orfèvres, fondé en 1946 par Jacques Catineau, est destiné à couronner chaque année le meilleur manuscrit d'un roman policier inédit, œuvre présentée par un écrivain de langue française.

• Le montant du prix est de 777 euros, remis à l'auteur le jour de la proclamation du résultat par M. le Préfet de police. Le manuscrit retenu est publié, dans l'année, par les Éditions Fayard, le contrat d'auteur garantissant un tirage minimal de 50 000 exemplaires.

• Le jury du Prix du Quai des Orfèvres, placé sous la présidence effective du Directeur de la Police judiciaire, est composé de personnalités remplissant des fonctions ou ayant eu une activité leur permettant de porter un jugement qualifié sur les œuvres soumises à leur appréciation.

• Toute personne désirant participer au Prix du Quai des Orfèvres peut en demander le règlement au :

Secrétariat général du Prix du Quai des Orfèvres
36, rue du Bastion
75017 Paris

Site : www.prixduquaidesorfèvres.fr

E-mail : prixduquaidesorfevres@gmail.com

La date de réception des manuscrits est fixée au plus tard au 15 mars de chaque année.

Prologue à trois voix

Lundi 11 novembre 1918

Paris – Rue de la Roquette

Paris est en liesse ; chaque quartier, chaque rue, hurle de joie. Dans les squares, sur les places, des orchestres s'improvisent, fifres, trompettes, mandolines, pianos mécaniques, accordéons, bandonéons, violes et violons, tout peine à couvrir la folle envolée des cloches des églises qui font vibrer la ville jusque dans ses pavés. Les drapeaux flottent aux fenêtres et, malgré le froid qui s'engouffre avec insolence, les balcons rugissent de cris de joie qui montent au ciel comme pour dissoudre la grisaille qui engonce la ville.

Rue de la Roquette, le fichu de travers, le châle de guingois et le bas de la robe remonté dans la ceinture du tablier de couturière, Marie saute, virevolte, passe de bras en bras sans égard pour ses cavaliers, qui se piquent subrepticement à l'impertinente pelote d'épingles accrochée à son chemisier, juste au-dessus du sein gauche, comme un cœur hérissé et jaloux. Marie rit à gorge déployée, les yeux pleins de larmes et le corps bondissant.

L'armistice est signé ! La guerre va cesser ! Du haut de ses vingt ans, Marie peut enfin contempler son avenir. Victor va revenir... La peur, tapie au fond de la conscience, au fond du cœur et au fond

du ventre, tyran grimaçant et sordide, la peur qui
tord les boyaux, à toute heure de la nuit ou du
jour, à chaque coup frappé à la porte, à chaque
missive déposée sur le seuil, cette peur, désormais impuissante, s'extirpe de sa personne tout
entière à chaque rire, à chaque cri de joie, et, piétinée par les sauts des danseurs, disparaît et laisse
libre cours à l'espoir, au rêve d'une vie de fête,
de lumière et d'amour. Combien de temps Marie
se laisse-t-elle aspirer par la foule en délire ? Nul
ne peut le dire. Lorsqu'elle remonte chez elle, elle
n'a plus ni souffle, ni fichu, ni pelote d'épingles
accrochée au chemisier. Échevelée, rouge et trans-
pirante, elle gravit en titubant l'escalier. C'est qu'il
a bien fallu boire un peu de vin pour encourager
les corps en allégresse. Marie se cramponne à la
rampe branlante et frôle en chantonnant le mur
lézardé et boursouflé d'humidité. Le logement exigu
de Mme Dupin mère se trouve au quatrième étage
du 31, rue de la Roquette, un immeuble décrépit
aux murs bombés de vieillesse où Éléonore Dupin
a trouvé refuge en arrivant à Paris avec sa petite
fille au printemps 1898.

Marie déboule en trombe dans l'unique pièce
de leur pauvre foyer. Éléonore, penchée sur son
ouvrage, lève la tête et, immobile et silencieuse,
pose un regard infiniment triste sur sa fille. Marie
se précipite dans l'alcôve qui sert de chambre à
coucher. Au sol, deux matelas fatigués et étroits,
posés l'un sur l'autre et que l'on glisse côte à côte
le soir au coucher. Celui qui reste toujours contre le
mur est celui de Marie, surmonté d'une étagère sur
laquelle reposent une petite statuette en plâtre de
Marie de Nazareth, bras tendus et mains ouvertes,
et trois livres dont les reliures sont si usées qu'on

peut à peine lire les titres : une bible, dont Éléonore
lit une page à voix haute chaque soir avant le sommeil, une édition ancienne des *Contes* de Perrault
dans laquelle Marie a appris à lire, et, plus fraîche
malgré les apparentes et multiples manipulations,
une édition française d'*Alice au pays des merveilles*,
l'ouvrage fétiche de Marie, dont elle connaît certains passages par cœur. Marie se met à genoux sur
le matelas et se saisit du roman de Lewis Carroll.
Au creux du livre, une lettre est nichée comme un
trésor. Marie déplie délicatement le feuillet jauni,
taché de boue et de larmes, et couvert d'une petite
écriture élégante et soignée. Toujours à genoux, elle
s'assied sur ses talons et relit en pleurant à chaudes
larmes la dernière lettre de Victor.

Marie,
Je t'écris du fond de ma tranchée, depuis l'aube
incertaine de ce nouveau jour, couvert de boue,
de crasse et de vermine ; et je te pense lumineuse
et fragile comme une fleur de printemps. Et cette
pensée m'envahit et me fait quitter provisoirement
l'opacité poisseuse, rauque et gluante dans laquelle
nous sommes embourbés. Depuis plus de trois ans,
ton image ne m'a jamais quitté, comme une lumière
intérieure et secrète que rien ne peut atteindre et qui
m'aide à tenir, à supporter et à vaincre toutes les
peurs, tous les enfers qu'il me faut traverser.
Ce matin, dans quelques heures à peine, nous
monterons au feu. L'ordre vient de tomber, sans appel
et sans fard. Les hommes sont épuisés, à bout de
nerfs. Nos munitions sont maigres et ont pris l'eau.
Aucun renfort ne nous est annoncé. Nous attaquons
pour la gloire, sans espoir de victoire. Je sais que je
ne reviendrai pas.

Lorsque nous nous sommes quittés, Marie, tu as promis que tu m'attendrais. J'ai reçu ta promesse avec la joie confiante d'un soldat plein d'arrogance, fort de sa jeunesse et de ses illusions. Aujourd'hui, il me semble que j'ai mille ans. Chaque année de guerre m'a fait traverser des siècles de cruauté, de laideur et d'absurdes violences. Je suis arrivé au bout du temps. Lorsque je regarde le jour se lever, je ne vois que la grisaille qui cajole les barbelés et caracole dans ce cloaque qu'il va falloir traverser en titubant et en hurlant pour conjurer la peur, sous la mitraille, les obus et au son des canons. Je sais que je ne reviendrai pas. Il n'y a qu'à toi que je peux le dire et je suis soulagé, car, pour la première fois depuis presque trois ans, je pars au combat avec une certitude chevillée au corps.

Je veux te relever de ta promesse, Marie. Tu ne dois pas m'attendre. Cet enfer finira un jour et tu pourras vivre la belle vie que tu mérites et où je ne serai pas. Je te rends ta liberté et je te le redis : tu es la plus belle chose qui soit arrivée dans ma vie. Rien que pour toi, cela valait le coup d'avoir vécu.

Je t'embrasse goulûment et sans retenue, mais pour la dernière fois.

Le 16 avril 1918 Victor

P.-S. Je confie cette lettre à un infirmier qui doit repartir à l'arrière. J'espère qu'elle te parviendra. C'est le seul moyen que j'ai trouvé pour échapper à la surveillance militaire.

Non ! Victor, tu ne mourras pas, et moi, je t'attendrai.

La tranchée du bois des Paons
Champagne-Ardenne

Un vent glacial souffle dans la tranchée et sèche les paquets de boue durcie par le gel qui rendent impraticable la circulation dans les étroits boyaux à ciel ouvert. Le soleil, haut dans le ciel, déverse une lumière crue qui aveugle sans pitié les hommes affaissés par petits groupes le long des parois, le dos voûté et les mâchoires crispées, accrochés à leur timbale de fer-blanc cabossée, pleine d'un jus noirâtre et malodorant censé accompagner la maigre collation du milieu du jour.

À midi, en raison de l'état totalement délabré et inutilisable du réseau télégraphique à la suite des derniers combats, le soldat sapeur-télégraphiste Maximilien Dubosc, dix-huit ans, reçoit au poste de commandement la missive qu'il doit porter au lieutenant qui commande la tranchée de 1ʳᵉ ligne. Aussitôt, le soldat Dubosc se lance dans une course effrénée et respire au rythme de ses foulées souples. Il bouscule tout sur son passage, indifférent aux invectives moqueuses que lui lancent les soldats dont les fusils épuisés sont dressés comme des pics le long des talus aux grillages échevelés. On joue aux dés pour tuer le temps qui n'en finit pas de passer. On s'interpelle d'un groupe à l'autre. On se frappe les épaules et le haut des bras pour tenter de se réchauffer. Les pieds sont gelés, comme grippés de morsures. Les mains sont percluses malgré les mitaines confectionnées à la diable avec de vieilles chaussettes trouées. Les uniformes sont raides de crasse, de sang et de givre. Et ce gamin qui court, éperonné par une allégresse tangible que personne ne comprend. Devant lui, les rats offusqués par tant d'audace cavalent et cherchent des cachettes pour enfouir leur mauvaise humeur. Les commentaires fusent :

– Qu'est-ce qu'elle a, la gazelle, c'matin ! T'as l'feu au cul, gamin !

– Foutez-lui la paix, les gars ! Y fait son boulot, c'est tout !

– La paix ??? T'es maboule ou quoi ! C'est quoi, c'mot-là ?

La pernicieuse question déclenche un gros éclat de rire, mais Max poursuit sa course avec autant de ferveur sans voir à la sortie du coude suivant la crosse d'un fusil méchamment placée en travers de son chemin. Max s'étale de tout son long et pousse un cri d'horreur lorsqu'il s'aperçoit, en tentant de se relever, qu'il a pris appui sur un cadavre à demi enfoui dans la terre et que l'on n'a pas encore enlevé, et que d'ailleurs on n'enlèvera pas. Autour de Max, les hommes s'esclaffent :

– Va falloir t'endurcir la moelle, gamin !

Mais Max se ressaisit et continue sa course sans répondre. Il regarde loin devant lui, retrouve son rythme imperturbablement. 5,6 kilomètres de boyaux et de tunnels sarcastiques et amers. Son souffle redevient régulier. Le sang bat dans ses oreilles, la lumière blanche l'éblouit, explose en éclairs aveuglants sur l'acier des baïonnettes et s'étale comme un linceul sur les visages hirsutes des poilus ; mais, tendu comme un arc vers son but, Max court et parvient enfin à destination. Il est midi et quatorze minutes. Le soldat sapeur-télégraphiste Maximilien Dubosc a mis moins d'un quart d'heure pour accomplir sa mission. Triomphant, il entre sous l'abri qui sert de cantonnement aux officiers.

Un silence glacial chargé d'effroi et d'incertitude règne désormais dans la tranchée. Le lieutenant sort de l'abri, document officiel à la main, et se saisit du porte-voix :

– Soldats, en ce jour, 11 novembre 1918, l'armistice a été signé. Soldats, je vous donne l'ordre de déposer les armes. Les combats doivent cesser. Nous sommes en marche vers la victoire et vers la paix. Vive l'armée française ! Vive la France !

Et d'entonner une *Marseillaise* qui gonfle et enfle à mesure que viennent se joindre les voix rauques et caverneuses des soldats. Max s'élance en sens inverse sur le chemin qu'il vient de parcourir, surpris par le manque d'entrain des hourras des soldats. Les fusils vont s'entasser aux portes de l'abri. Quelques calots sont lancés en l'air. Mais les hommes sont trop épuisés pour exploser de joie, trop traversés d'incertitudes et de questions sans réponses.

– Alors, c'est fini ? On s'bat plus ?

– C'est vraiment la fin ou c'est seulement une trêve ?

– C'est quoi d'abord, un armistice ?

– On va pouvoir rentrer chez nous ?

– Moi j'vous l'dis, les gars, faut pas s'emballer… c'est encore un truc pour nous piéger.

Et c'est le son des clairons sonnant le cessez-le-feu en haut des parapets sur toute la ligne de front qui finit par faire taire tout le monde. Il allait falloir retrouver l'énergie nécessaire pour redonner du sens à la vie et tout reconstruire.

Lehrerseminar de Montigny-lès-Metz – Hôpital militaire allemand pour les blessés prisonniers de guerre

– Bonjour lieutenant, comment allez-vous ce matin ?

Victor ouvre les yeux avec lenteur et met quelques secondes à distinguer dans la pénombre la haute silhouette blanche du docteur von Host qui s'empare de la plaque de suivi quotidien accrochée au bout du lit. Erik von Host met prestement ses lunettes pour examiner attentivement les informations portées sur la notice médicale. Puis son regard se pose avec acuité sur son patient. Il s'assied à son chevet. La face livide du jeune officier est zébrée de cicatrices encore violacées et légèrement boursouflées. Le bandage épais qui entoure le crâne accentue la pâleur du visage et le bleu presque gris des yeux, agrandis par de larges cernes, qui suivent les mouvements du docteur sans bouger la tête.

À son arrivée au Lehrerseminar, le lieutenant Victor Dessange était donné pour mort. Mais le docteur von Host, chirurgien et spécialiste de la hanche, avait jugé le cas intéressant et évalué immédiatement la robustesse de la constitution du blessé. Le crâne avait été fracturé sous le choc d'un éclat d'obus et la jambe gauche était dans un sale état, mais, hormis quelques blessures superficielles au visage, le reste du corps était intact. Aucun organe vital n'avait été touché. Alors le docteur von Host s'était mis au travail : il avait retiré un à un les éclats d'obus enfoncés dans la chair, il avait reconstruit la jambe et ses artères, réparé la hanche à demi broyée, il avait ponctionné le sang qui s'était répandu dans la boîte crânienne, laissant à son assistant le soin de recoudre les entailles du visage. Le lieutenant Victor Dessange était resté une quinzaine de jours dans un coma profond, puis trois mois dans un semi-coma. Il avait perdu une bonne vingtaine de kilos et traversé des crises de délire qu'aucun neuroleptique ne parvenait à calmer. Mais, depuis quelques semaines, l'état du lieutenant semblait se stabiliser : les phases de veille consciente étaient devenues régulières et de plus en plus durables. La mémoire était revenue par bribes d'abord, puis globale à long et à court terme. Le lieutenant s'exprimait désormais avec clarté et cohérence et faisait même preuve d'une lucidité impressionnante. Le docteur von Host avait pris l'habitude, à l'issue de sa tournée matinale, de venir discuter avec lui. Von Host aimait pratiquer la langue française, qu'il maîtrisait parfaitement grâce à sa mère, mais il appréciait surtout le caractère bien trempé du jeune soldat, et ces discussions constituaient, selon lui, une excellente thérapie qui ramenait, jour après jour, le blessé à la normalité.

Erik von Host mesurait avec émerveillement ses progrès réguliers et se félicitait d'avoir été convaincu, contre l'avis de tous, de pouvoir sauver ce jeune homme dans la force de l'âge et que quelques petites secondes meurtrières avaient suffi à réduire à l'état de mort-vivant. Erik von Host soulignait parfois, à qui acceptait de l'entendre, l'absurdité de sa tâche. « Il y a de l'incohérence tout de même, disait-il, à se donner tant de mal pour sauver des hommes que mes frères d'armes se sont échinés à détruire. Si j'étais en charge de blessés allemands, cela aurait un sens, mais soigner des blessés ennemis, cela a quelque chose d'absurde. Et, lorsque je parviens à les guérir, ils sont envoyés dans des camps de prisonniers infâmes et insalubres où leur vie ne tient plus qu'à un fil tant leur organisme reste fragile et propre à contracter n'importe quelle maladie. »

Ce matin du 11 novembre 1918, le docteur von Host, imperturbable et impassible, se dit, non sans une certaine amertume, qu'il n'a pas sauvé Victor Dessange en vain : ce n'est pas dans un camp de prisonniers au fin fond de l'Allemagne qu'il va devoir envoyer le jeune lieutenant, mais dans un centre hospitalier français où il pourra retrouver les siens et poursuivre sa convalescence en toute quiétude.

Les deux hommes se regardent et se jaugent sans parler. C'est Victor Dessange qui rompt le silence le premier.

– Vous êtes bien pensif, docteur, ce matin. Si je vous dis que j'ai bien dormi, sans cauchemar et sans réveil intempestif, cela vous satisfera-t-il ?

– *Umso besser, mein Junge, das ist gut !*[1]

– Auriez-vous perdu votre français pendant la nuit, docteur ?

– Non, non, Victor. Je suis seulement un peu... comment dites-vous... « basourdi » ?

– Abasourdi.

– Oui, c'est cela,... abasourdi par la nouvelle qui est tombée ce matin et les ordres qui ont suivi.

L'œil du lieutenant s'anime d'une vigueur nouvelle et, bien qu'il reste parfaitement immobile, tout son corps semble s'agiter intérieurement.

– Nouvelles du front ?

– L'armistice a été proclamé. L'armée allemande se retire. Les alliés sont victorieux. Un traité de paix

---

1. « Tant mieux mon garçon, c'est bien ! »

devrait suivre prochainement, et qui ne sera pas en notre faveur. L'Allemagne est à genoux, Victor. Mon peuple, après avoir souffert de la guerre, risque de souffrir plus encore de la paix.

Victor reste silencieux et ferme les yeux, dérobant son regard d'acier au docteur von Host, dont les épaules se sont légèrement voûtées et dont les lèvres pincées s'étirent en un pli amer qui lui donne un air infiniment triste et sombre. Soudain, il se ressaisit et se redresse avec panache.

— Je vous remercie de ne pas crier de joie, Victor, même si je perçois bien ce que vous ressentez à cet instant. En ce qui nous concerne, je crains que nous ne vivions nos derniers échanges. J'ai reçu l'ordre d'évacuer le Lehrerseminar immédiatement et de rentrer à Berlin. Vous allez être transféré à Amiens ou à Paris, je ne sais pas encore. Ce que je sais en revanche, c'est que vous allez me manquer.

— Je ne vous ferai pas l'insulte de vous mentir, docteur, cette nouvelle me comble et je ne peux que me réjouir que cet enfer cesse enfin, mais...

— Mais quoi, Victor ? Vous allez pouvoir recouvrer la santé et mener une vie pleine et passionnante. Vous avez toutes les qualités requises pour avoir une belle existence. Vous êtes à l'image de votre pays : une fois pansée les plaies de vos blessures, votre vigueur et vos belles forces d'homme intelligent et sensible vous permettront de rebondir et de prospérer.

— Ah ! l'image est belle, docteur ! Vous oubliez cependant les séquelles : je ne peux pas bouger la jambe gauche.

— Et vous ne la bougerez plus jamais comme avant, Victor. L'heure est venue de vous le dire clairement. Mais vous remarcherez. Il vous reste vos bras pour embrasser les femmes et la verticalité pour dominer le monde. Et, plus encore, il vous reste votre tête, fracturée dans ses os, mais indemne dans son esprit aussi vif, aussi alerte qu'avant et sans doute plus humain et plus généreux.

Victor encaisse le coup sans faiblir. Désormais, il sait. Il restera boiteux. La guerre a laissé sa griffe sur sa carcasse, dont il faudra, jusqu'au bout, traîner une jambe morte et inerte. L'angoisse le prend à la gorge. Il déglutit avec peine.

– Souvenez-vous de cela, *mein Junge*, vous pouvez, vous devez faire de votre handicap une force que nul ne pourra contester. Adieu, Victor. *Ich wünsche Ihnen viel Glück*. Je vous souhaite bonne chance.

Le docteur von Host se lève et quitte la chambre du patient français. La pénombre enveloppe Victor, perdu au cœur de ses inquiétudes, tandis que deux larmes perlent au bout de ses longs cils bruns et glissent avec lenteur sur ses joues pâles et amaigries.

Chapitre I

L'enfant rouge

Dans la soupente de l'hôtel des 56 Marches, à la Moujol, sur les hauteurs de Belleville, un froid humide déposait sur les murs craquelés, couverts de pustules et de lézardes, des bulles mousseuses au teint verdâtre qui se mêlaient aux moisissures et aux éclats de plâtre. Il faisait sombre en ce petit matin du 6 janvier 1920. Une unique chandelle diffusait une pâle lumière autour de la table et laissait dans l'ombre le reste de la pièce, dont le plafond pentu déclinait jusqu'au mur du fond et provoquait, malgré le froid, une sensation d'étouffement qu'aucune fenêtre ne venait atténuer. Sur une banquette aménagée contre le mur, deux filles dormaient tête-bêche. Assise à la table, sur un tabouret de fortune, Louison la Pierreuse sirotait un succédané de chicorée qu'elle eût, sans doute, préféré moins amer. Face à elle, un tas de haillons surmonté d'un méli-mélo de boucles brunes dévorait une miche de pain trempé. L'enfant se concentrait sur la nourriture qu'il avalait goulûment, la face rivée au bol de lait, les dents plantées dans le pain rassis, les doigts enfoncés dans la croûte ramollie. Ce serait assurément le seul repas de la journée. Il fallait impérativement en tirer profit.

Louison regardait l'enfant d'un air narquois.

– Eh ben, l'minot ! T'as la dalle en pente c'ma-tin !... Eh ! Pierrot ! Respire, tu vas t'en étouffer, d'ta pitance ! Tu vas m'boulotter tout l'pain !

Pour toute réponse, l'enfant émit un grognement assourdi par la mie de pain qu'il avait enfournée dans sa bouche avide. Louison poussa un soupir. Des cernes violets soulignaient ses yeux sombres, enfoncés par la fatigue, tandis que des mèches de cheveux décolorés et filasse tentaient en vain d'adoucir la dureté des traits d'une figure sans âge au nez busqué, aux joues flasques, aux lèvres tristes malgré le fard criard que les passes de la nuit avaient étalé sans égards.

Ainsi, dans le petit matin, recroquevillée sur son tabouret, cramponnée à la table pour ne pas tomber de sommeil, mais simulant l'entrain et le sarcasme face au front blême de l'enfant, Louison la Pierreuse semblait avoir mille ans. Et c'est cette apparence qui rassurait l'enfant.

– Dis donc, Pierrot, faudrait songer à décaniller, mon bonhomme. Les gars d'usine, y vont pas tarder à se radiner. Tu sais comment ça fait quand ils descendent au tramway de Belleville. Ils passent tirer leur coup avant la journée d'turbin, et l'premier tram est à cinq heures. Faut qu'tu décampes avant que j'réveille les filles.

Pierrot enfourna une dernière bouchée de pain, lampa l'ultime goutte de lait dans le fond du bol, secoua sa tignasse ébouriffée et vint se loger dans les jupes de Louison, enfouissant sa frimousse crasseuse dans les plis de son corsage. Louison frictionna le crâne de l'enfant et le repoussa avec fermeté.

– Allez ! Fiche le camp ! Et ne viens pas la nuit prochaine, le taulier doit passer. J'veux pas qu'y te voie. Laisse passer que'ques jours et ramène des p'tits cadeaux aux filles, ça les empêchera d'cafarder.

– Ouais, d'accord, Louison, mais tu sais, que'ques jours, c'est long. J'n'ai qu'toi, moi !

Louison saisit le menton de Pierrot et souffla sur son visage pour dégager les mèches rebelles. Elle planta son regard ténébreux dans le sien et ménagea un silence oppressant.

– Moi aussi, Pierrot, j'n'ai plus qu'toi. Alors file ! Et gare à tes miches !

Pierrot se dégagea avec la vivacité de ses douze ans et s'enfonça dans la nuit noire.

Pierrot frissonna sous ses guenilles : un tas de vieux vêtements récupérés ici ou là et enfilés l'un sur l'autre pour se protéger du froid. Il avait le ventre plein et comptait rejoindre son repaire pour dormir quelques heures. La faim le tenait toujours éveillé, mais, lorsque la fringale s'apaisait, le sommeil l'assaillait. Il lui arrivait de somnoler sur un banc, dans la rue ou dans un jardin public. Mais, ce matin, il faisait trop froid et la nuit était trop noire. Il lui tardait de retrouver sa paillasse. Pierrot pressa le pas et entama la descente des escaliers de la rue Asselin. Son étrange silhouette déformée par les couches de vieilles hardes se profila en haut des marches. Le lieu était lugubre et, pour se donner du courage, Pierrot entonna la chanson de Madeleine[1], celle qu'il avait apprise à la Muse rouge.

---

1. « L'oiseau chantait la vie », paroles de Madeleine Vernet, militante pacifiste, musique de L.A. Droccos, 1916 écrite à la mémoire de Maurice Doublier (un des fondateurs de la Muse rouge, société chantante révolutionnaire).

L'oiseau chantait encore sous le ciel assombri,
Sa voix claire et sonore jetait un large cri.
Il disait la souffrance des vaincus et des gueux
Et demandait vengeance pour tous les miséreux.

Pierrot reprit le refrain à tue-tête en abordant
la rue des Chaufourniers. Rasséréné par le chant,
il sautait d'un pied sur l'autre avec entrain. Son
œil saisit, sans y prêter attention, une inquiétante
silhouette qui se faufilait prestement, mais il ne
vit pas la masse à ses pieds, dans laquelle il buta
au point de perdre l'équilibre et de se retrouver
cul par terre. Tout en se frottant le derrière, qui
avait méchamment heurté les pavés disjoints de la
chaussée, il se pencha sur l'obstacle. D'une main
anxieuse, il tâta à l'aveuglette et sentit sur ses
doigts une substance poisseuse qu'il testa du bout
de la langue. C'était du sang ! Après un examen
plus précis, Pierrot dut se rendre à l'évidence : à
ses pieds s'étalait un cadavre de femme, un corps
déchiqueté, criblé de coups de couteau. Le garçon,
tremblant de peur et de dégoût, écarta les cheveux qui masquaient le visage de la malheureuse :
Gabie ! L'insoumise[1] et la rebelle. Pris d'un haut-
le-cœur, il s'écarta pour vomir dans le caniveau.
Que devait-il faire ? Remonter à la Moujol et prévenir Louison ? Appeler les secours ? Courir après
l'ombre qu'il venait de voir disparaître ? Toutes ces
hypothèses lui parurent peu satisfaisantes. Il passa
en revue les conséquences de chacune d'elles.
Louison ne serait pas disponible et serait furieuse

---

1. Insoumise : nom donné aux prostituées qui ne se décla-
raient pas aux autorités, n'avaient pas de carte et ne se sou-
mettaient pas aux visites sanitaires obligatoires.

de le voir revenir. Rodé aux déboires et aux dangers de la rue, Pierrot savait que, pour la poulaille, un témoin est d'abord un suspect. D'ailleurs, lui-même était un clandestin, un enfant de la rue sans tuteur officiel, totalement livré à lui-même. Un délit sévèrement sanctionné. Et Pierrot avait toujours été terrifié à l'idée d'être envoyé dans un bagne d'enfants. Quant à poursuivre l'assassin, il était désormais trop tard. Alors il essuya sa main pleine de sang sur sa culotte, jeta un dernier regard sur le corps sans vie et partit au pas de charge en direction de la place du Combat. Dans sa précipitation, il ne vit pas l'ombre menaçante émerger d'un obscur renfoncement, se glisser furtivement jusqu'aux marches de la rue Asselin et monter à la Moujol pour se mêler aux quelques ouvriers en passant pour un client ordinaire.

***

Ce fut un chétif riverain, locataire d'un logement exigu dans une des maisons basses et vétustes de la rue des Chaufourniers, qui découvrit le cadavre et avertit la police. Un quidam dénommé Firmin, vieil ouvrier des abattoirs de la Villette à la retraite, qui prenait son café crème tous les matins, en bas de la rue Asselin, à la Renommée du Piccolo d'Auvergne, et dépensait une partie de sa maigre pension auprès des catins de la Moujol. Désormais quasi impuissant, il aimait cependant voir, toucher et renifler. Alors, si la fille s'y prenait bien, il arrivait à la jouissance presque aussi bien qu'avant. Gabie, c'était sa préférée, parce qu'elle avait des seins fermes et pommelés, des fesses rebondies et

soyeuses, douces comme des poussins. Alors, voir
la pauvre fille dans cet état lui retournait l'estomac.

Il avait rejoint tant bien que mal le commissariat du quartier et décrit au préposé de garde
sa triste découverte. La police n'était arrivée sur
les lieux qu'en début d'après-midi. Une tapineuse
de plus ou de moins, quelle importance... Deux
agents s'étaient déplacés sans grande conviction.
Ils avaient fait mettre le corps sur une charrette
à bras.

– On va l'enterrer au cimetière de la Villette, à
la fosse commune, avait dit le plus âgé.

Puis il s'était tourné vers son collègue :

– Jules, va donc interroger l'patron d'la Renommée,
histoire d'avoir quelque chose à dire dans l'rapport,
et le locataire au rez-de-chaussée du six.

Jules s'exécuta et le brigadier se tourna vers
Firmin :

– Z'avez rien vu non plus, l'ami, 'pas ?

Firmin acquiesça d'un signe de tête.

– Alors, on va pas pouvoir faire grand-chose de
plus. On n'a que son prénom – Gabie – et encore
c'est sûrement un nom de fille. C'est une insoumise. On n'a aucun moyen de savoir d'où elle vient
ni même si elle a d'la famille. Sûr, l'affaire sera
classée dès ce soir !

Firmin dodelinait de la tête. Il comprenait bien,
mais tout de même, un tueur de filles, ça n'pouvait pas être toléré. C'était p't-êt' pas sa première,
Gabie, ni sa dernière... Et si c'était un tueur de
femmes comme le gars Landru dont le procès n'en
finissait plus et dont les journaux ne cessaient de
parler ! Bon, d'accord, il était au trou, mais après
tout il avait pu faire école !

Jules revint, le carnet à la main, sans le moindre élément qui permît d'amorcer l'ombre d'une enquête. Personne n'avait rien vu. Personne ne savait rien. Personne ne dirait rien. Le brigadier écarta les bras en signe d'impuissance et salua le vieil homme, qui semblait aussi désemparé qu'un proche parent.

***

Pierrot avait passé la matinée place du Combat. Il avait évacué la peur. Ensuite, ce fut le chagrin qui l'avait assailli. Gabie, sœur de misère et d'infortune… Gabie ne pouvait pas disparaître ainsi. Elle avait toujours un sourire, une chiquenaude, un haussement d'épaules pour lui. Elle le traitait de garnement quand il tentait de soulever ses jupes ou de tirer sur les lacets de son corsage. Ils n'avaient jamais échangé plus de trois mots. Gabie ne travaillait pas chez Louison. On disait qu'elle était « indépendante » et ça agaçait tout le monde. À Pierrot, cela plaisait bien. Elle recrutait ses clients tantôt au Bel Air, tantôt un peu plus bas, au Fort Moujol. Mais, en réalité, ce n'était pas à la Moujol que Pierrot avait rencontré Gabie, c'était à la salle Jules, boulevard Magenta, ou parfois rue Charlot, dans le quartier des Enfants-Rouges[1]. Il l'avait vue là-bas, plusieurs fois en grande conversation avec

---

1. Le quartier des Enfants-Rouges correspond aujourd'hui au 10e quartier administratif du 3e arrondissement. Il tient son nom de l'hospice des Enfants-Rouges, fondé par Marguerite de Valois en 1536. Ces enfants portaient des vêtements d'étoffe rouge, symbole de la charité chrétienne. Le marché des Enfants-Rouges existe toujours, au 39 rue de Bretagne ; c'est un des plus vieux marchés de Paris, au cœur du Marais.

des hommes sombres et austères qui ne semblaient pas intéressés par la bagatelle, mais par des sujets beaucoup plus graves. Pierrot en ignorait la teneur et ne s'en préoccupait guère. Elle était si jolie, Gabie, si gaie. Pierrot se contentait de ses sourires et sentait son cœur battre plus vite chaque fois qu'il la croisait. Cependant, sa mort horrible donnait tout à coup à ses pratiques des relents de mystère. Contrairement à ses habitudes, Pierrot n'avait rejoint sa planque que plus tard dans l'après-midi. Son repaire se trouvait à l'extrémité de la voie des Fêtes, un tunnel de métro construit avant la guerre pour relier la porte des Lilas et le Pré-Saint-Gervais. Mais l'aménagement de la ligne était resté inachevé. Pierrot avait investi les lieux. Il fallait descendre dans le métro place des Fêtes et suivre les couloirs jusqu'au quai, bifurquer dans un étroit goulot qui conduisait à une palissade sur laquelle était posé un panneau « Interdit au Public », qu'il devait escalader, puis prendre le tunnel abandonné sous la rue du Pré-Saint-Gervais jusqu'au boulevard Serurier. Là, les structures d'une station permettaient une installation spacieuse, sinon confortable, à l'abri du froid et des rondes de police. Pierrot s'y était aménagé un petit coin personnel où il venait dormir et où personne ne lui cherchait noise. La règle dans le tunnel, c'était le silence et le respect du colocataire. Pierrot en arrivant, sans prêter attention aux deux vagabonds qui se trouvaient là, s'installa sur un semblant de matelas fait de cartons recouverts de toiles crasseuses et se laissa glisser dans un sommeil profond, car cela faisait plus de vingt-quatre heures qu'il n'avait pas dormi.

***

La haute silhouette de Zelinguen se profilait sur le pont Saint-Ange, au-dessus du boulevard de la Chapelle. Il s'approcha de la rambarde métallique et contempla l'enchevêtrement des couloirs de fer qui s'enfonçait dans la grisaille. Face à lui, le sombre panorama de la gare du Nord offrait son triste paysage de ferraille. La fumée des locomotives se mêlait au brouillard de cet après-midi d'hiver, comme portée par le martèlement assourdissant des convois, les sifflements stridents, les cris des manœuvres et des cheminots, dont la masse humaine, noire de charbon, grouillait au milieu des rails comme une colonie de rats.

La deffe[1] avachie sur un crâne rasé et zébré de cicatrices, Zelinguen resserra autour de son cou épais le foulard rouge qu'il portait ostensiblement et remonta le col de son bourgeron[2], plus fripé qu'une vieille peau et trop court pour son grand corps massif et trapu. Puis, d'un geste ample et puissant, il lança par-dessus le garde-fou un couteau maculé de sang séché. Les vibrations fracassantes du métropolitain surgissant à pleine vitesse sur le viaduc au-dessus du pont étouffèrent les tintements assourdis de la lame sur les rails. Zelinguen reprit sa marche vigoureuse et rejoignit en quelques enjambées la rue de la Charbonnière pour s'engouffrer dans un des pitoyables estaminets du quartier, au 37, un établissement aux allures sordides et dont on se demandait où il avait bien pu aller chercher le nom d'hôtel du Midi, tant la grisaille, l'humidité et la crasse étaient

---

1. Deffe : casquette des apaches, bandes de malfaiteurs sévissant dans les faubourgs parisiens à la Belle Époque.
2. Bourgeron : veste des apaches, courte et cintrée.

son lot quotidien. La salle était déjà pleine d'un petit
monde aux apparences peu recommandables. On
jouait aux dés et au tric-trac en taquinant la cho-
pine, une fille sur les genoux. L'atmosphère était
enfumée et opaque. En entrant, Zelinguen laissa
pénétrer dans le caboulot[1] un courant d'air glacial
qui fit frissonner la compagnie. La fumée sembla
s'immobiliser dans l'air au-dessus des têtes soudain figées. Un silence subit s'abattit sur les tables
à jouer. Même au comptoir, les gaillards affalés
se redressèrent d'un coup, comme des chiens à
l'affût. Le pas lourd et sonore de Zelinguen reten-
tissait pesamment. Il traversa la salle au plafond
si bas qu'il lui fallut pencher la tête pour ne pas
risquer de se cogner aux ampoules qui pendaient
lamentablement. Le mastroquet[2], sans bouger de
derrière son comptoir, fit un signe du menton pour
indiquer le fond de la salle. Zelinguen poussa une
porte, qui grinça hideusement, et entra dans une
pièce obscure où l'attendaient, installés à une table
contre une fenêtre basse, deux maigres ronds-de-
cuir aux visages blêmes et aux allures guindées de
petits fonctionnaires sournois. Zelinguen s'assit et
sa voix rauque et sourde rebondit contre les murs
nus de l'arrière-salle.

– Voilà. C'est fait. J'ai chouriné[3] la fille. Personne
ne s'embarrassera plus d'elle. J'ai aussi récupéré le
talisman. Vous m'donnez mon oseille, j'me tire et
j'vous ai jamais vus.

Zelinguen déposa sur la table une amulette
en ivoire gravée de signes cabalistiques et dont

---

1. Caboulot : café mal famé.
2. Mastroquet : tenancier.
3. Chouriner : tuer au couteau.

l'extrémité avait été percée de façon à faire passer la cordelette en cuir qu'il avait arrachée du cou de Gabie. Dans un silence quasi religieux, les deux sbires acquiescèrent et le plus âgé se saisit du mystérieux objet, qu'il mit dans un sac de velours noir. L'autre extirpa de sa veste une épaisse enveloppe qu'il fit glisser sur la table. Zelinguen s'en saisit, y jeta un coup d'œil, l'empocha et se leva promptement. En sortant, il lança :

– Si vous avez encore besoin d'moi, vous savez comment m'contacter.

On ne répondit pas. La porte se referma derrière lui. Zelinguen retraversa la salle, saisit au hasard une des filles par la taille en passant devant le comptoir et monta à l'étage en lançant :

– J'prends la 8 comme d'hab'. Et tu m'enverras la Violette quand elle arrivera !

Zelinguen n'aurait pas trop de deux filles pour assouvir son appétit. En attendant, il faudrait qu'il se contente de celle-là qu'il ne connaissait pas, mais dont les rondeurs l'avaient émoustillé au premier regard.

Au rez-de-chaussée, les conversations allaient bon train. Tout, chez Zelinguen, faisait peur : son gabarit, sa voix, son regard d'acier et plus encore les histoires qui circulaient sur son passé. Dans sa jeunesse, il avait fait partie des apaches. À dix ans, il faisait déjà les poches des bourgeois. À quinze, il était passé maître dans les agressions de rue et exécutait avec brio le coup du père François[1]. Ces exploits et son physique imposant lui avaient valu

_____

1. Le coup du père François : méthode des apaches pour dépouiller les passants : un apache détournait leur attention pendant qu'un second les attrapait par-derrière. Les voyous empochaient le butin et prenaient la fuite.

d'être intronisé chef de bande. Alors il avait pris ce
nom étrange de Zelinguen, dont nul ne connaissait
l'origine. Il avait fini par être arrêté au cours de
l'attaque manquée d'un guichet de banque. Envoyé
en Afrique dans un bataillon disciplinaire, il avait
ensuite fait partie de ces légionnaires venus soutenir les poilus dans les tranchées de la Somme.
Beaucoup de ses camarades n'étaient pas revenus,
et ceux qui n'y avaient pas laissé leur peau étaient
rentrés souvent dans un piteux état.

Zelinguen ne comptait plus ses cicatrices,
certaines dues aux sanctions pour indiscipline,
d'autres aux combats livrés sans retenue et qui lui
avaient valu quelques médailles, « des breloques,
disait-il, qu'on vous donne pour faire oublier
qu'vous n'êtes rien d'aut' que d'la chair à canon ».
Mais il s'en était sorti, la rage chevillée au ventre,
plus encore que dans son adolescence.

De retour à Paris, la seule ville, selon lui, qui
méritât qu'on y vive, Zelinguen vivait d'expédients,
de délits divers et de rapines. De fil en aiguille, il
avait pris des contacts avec ce qu'il appelait « la
bureaucratie ». En ces temps obscurs où chacun,
au cours de la grande tuerie, avait fait l'apprentissage de la mort et du meurtre, le marché du crime
était au plus haut. La ville grouillait d'espions, de
comploteurs, de partisans, de conjurés, qui menaçaient l'ordre public. L'ordre public ne souhaitait
pas se salir les mains, travaillait haut et fort à
rétablir la prospérité, l'entente entre les peuples
et l'harmonie sociale, mais, en sous-main, l'ordre
public avait besoin de lui, le spadassin, le tueur
à gages, quelqu'un qui ne s'embarrassait pas de
scrupules et qui ne posait pas de questions.

Dans la chambre 8, Zelinguen labourait consciencieusement la fille dont il ne connaissait même pas
le nom. Il comptait bien la prendre deux ou trois
fois avant l'arrivée de sa gigolette[1] attitrée. Après,
il la lécherait en besognant Violette, cela entre-
tiendrait sa vigueur. Le corps massif de Zelinguen
ondulait sur celui de la fille et les muscles de
son dos qui roulaient sous sa peau animaient les
tatouages qu'il avait sous l'omoplate gauche : un
scorpion et une étoile, comme un décor d'arrière-
plan du réseau de larges cicatrices qui s'entrela-
çaient le long de sa colonne vertébrale, souvenir
indélébile des dizaines de coups de fouet reçus en
gage d'humiliation après un refus d'obéissance lors
d'une expédition dans l'enfer du désert. Agrippé
des deux mains aux seins grassouillets de la fille,
Zelinguen accéléra le mouvement de va-et-vient
qu'il infligeait à leurs deux corps et se laissa glisser
dans la jouissance avec un râle profond venu du
fond des tripes. Une journée bien remplie pour
Zelinguen : un meurtre au petit matin, une belle
somme d'argent dans la poche intérieure de sa
veste, une jouissive partie de jambes en l'air. Il
n'aurait plus qu'à s'offrir un bon dîner bien arrosé
pour dormir comme un loir et il pourrait considérer que tout allait bien dans le meilleur des
mondes.

***

Pierrot se réveilla brusquement, en nage et la
respiration coupée. Il avait dormi d'un sommeil
agité, peuplé de cauchemars dans lesquels le corps

---

1. Gigolette : prostituée protégée d'un apache.

ensanglanté de Gabie se tordait en soubresauts effrayants.

Il frictionna son crâne pour chasser les images horribles qui dansaient encore devant ses yeux et se concentra pour calmer les hoquets qui soulevaient sa poitrine. Au bout de quelques minutes, il reprit un souffle régulier. Il fallait qu'il fasse quelque chose…

Alors il décida d'aller à la Muse rouge et de tenter d'entrer en contact avec les hommes que Gabie rencontrait là-bas. Il devait les prévenir. Une séance de chants et de palabres était prévue ce soir-là rue Charlot, dans la grande salle Hénaff de la Bourse du travail que la CGT prêtait une fois par mois à la Muse rouge, dont, par ailleurs, le siège de la revue périodique était installé au rez-de-chaussée. Une soirée beuglante comme Pierrot les aimait, même s'il préférait – à tout prendre – les goguettes de Montmartre. Mais, à Charlot, il avait plus de chances de voir les deux comparses de Gabie, qui avaient plus l'air de comploteurs clandestins que d'artistes musiciens. Encore que…

Pierrot savait d'expérience, même si cela restait pour lui un mystère, que les arts et la politique allaient souvent de pair. En tout cas, c'était bien ce qu'affirmaient les anarchistes de la Muse rouge : faire la propagande de la révolution par le chant. En ces temps troublés, les mots étaient parfois plus forts que les coups. Alors Pierrot tâchait, avec patience, de se faire une petite place à la Muse rouge, dont les chants le comblaient parce qu'ils évoquaient les terribles souffrances de son père tué à Verdun, ou la lente agonie de sa mère morte de chagrin, et la misère, la solitude et la détresse de ceux qui, comme lui, s'étaient retrouvés dans un total dénuement.

Et le combat qui surgissait de ces plaintes et de ces sanglots faisait vivre l'espoir d'un monde meilleur où chacun pourrait vivre en paix. Pierrot était reconnaissant de la chaleur humaine et de la solidarité qui régnaient à la Muse rouge, un havre pour l'enfant des rues, où il pouvait venir s'abriter lorsqu'il ne supportait plus l'atmosphère sordide de la Moujol, la solitude abyssale de la station fantôme ou l'effervescence malsaine des boulevards sur lesquels il traînait ses guêtres pour gagner – ou voler – quelques sous.

La voiture du tramway s'immobilisa avec force grincements place de la République. Pierrot chassa ses pensées et s'engagea dans la rue Charlot, au seuil du quartier des Enfants-Rouges. Il dépassa le 85 et rejoignit la fontaine Boucherat. Avec conviction, il passa sa tête sous l'eau froide en guise de rapide toilette, glissa ses doigts dans ses épaisses boucles brunes pour les coiffer à la va-vite, sécha son visage et ses mains avec son foulard et traversa la petite place pour revenir sur ses pas jusqu'à l'annexe. Dans la grande salle Hénaff, la fête battait son plein. Une foule se pressait autour de l'estrade tandis qu'au fond des groupes épars discutaient avec frénésie sans porter une réelle attention au spectacle. Sur la scène, le beuglant[1] s'époumonait accompagné par un jeune pianiste à la mèche folle qui jouait à la feuille[2]. Le chant achevait son dernier couplet au

---

1. Beuglant : chanteur.
2. Jouer à la feuille : jouer d'un instrument de musique de mémoire.

rythme endiablé de la mèche rebelle de l'écraseur d'ivoire :

> *Qui nous rendra la liberté, le droit de vivre et de régner ?*
> *La gripp'rouge ! La gripp'rouge !*
> *Qui fera que tous les humains s'uniront la main dans la main ?*
> *La gripp'rouge ! La gripp rouge !*
> *Qui plantera le rouge étendard sur le trône fumant des tzars ?*
> *La gripp'rouge ! La gripp'rouge !*
> *Et enfin qui nous donnera*
> *L'avènement du Prolétariat ?*
> *La gripp'rouge ! La gripp'rouge !*[1]

Le pianiste fit vibrer les derniers accords et les applaudissements fusèrent. Pierrot se glissait de table en table, écarquillait les yeux, auxquels la fumée des cigarettes, des pipes et cigares en tous genres faisait monter les larmes, et reprenait en sourdine « La gripp'rouge, la gripp'rouge ! » ainsi que le tentait également l'assistance avec plus ou moins de bonheur. Le plus discrètement possible, Pierrot examinait les visages des convives attablés. Ce fut le Gros Jacques qui l'aperçut et l'interpella haut et fort :

– Hé ! L'minot ! Salut p'tit ! Viens donc par là... Tu t'es coiffé avec les pattes du réveil, mon p'tit gars !

Pierrot haussa les épaules en souriant et passa négligemment une main dans ses boucles.

– Assieds-toi, mon p'tit gars. Prends donc un godet ! Ça fait combien d'temps qu'tu t'es mis que'qu'chose dans l'gosier ?

---

1. « La Grippe rouge », texte de Fernand Jack, âgé alors de 17 ans, chanté sur l'air du « Cri du Poilu » (1919).

Le Gros Jacques connaissait Pierrot depuis fort longtemps. C'était un ami de son père, Lucien. Celui-ci avait opté pour le travail « en extérieur », comme il disait, et il avait été embauché sur les grands chantiers de la gare du Nord. Le Gros Jacques, en revanche, avait choisi la cordonnerie ; c'était un besogneux d'intérieur. Il aimait l'odeur du cuir, l'ambiance feutrée de l'atelier, le toucher sonnant des outils. Apprenti quelque temps chez un artisan de la rue du Faubourg-du-Temple, il avait ensuite été embauché à la fabrique de chaussures qui s'était installée sur le site désaffecté de l'ancienne usine à gaz, rue Rebeval. Mobilisé en 14, dans le même régiment que son père (5e régiment d'infanterie, 6e division), le Gros Jacques avait traversé les quatre années de guerre sans une égratignure. C'était sa femme, Léontine, qui était morte en couches, emportant avec elle son enfant mort-né. Démobilisé au printemps dernier, il avait été contacté par la veuve de son ancien patron pour reprendre l'atelier du Faubourg-du-Temple. Aujourd'hui, le Gros Jacques avait pignon sur rue : il avait épousé la veuve à l'automne. Elle gérait la boutique, il gérait l'atelier, et tous deux filaient le parfait amour.

C'était étrange, le destin. Deux hommes de trente ans, pleins de force et d'avenir, l'un broyé par la guerre, enfoui six pieds sous terre au cœur d'un magma humain méconnaissable ; l'autre, accidentellement et en quelques semaines admis à la prospérité et au bonheur familial. Pierrot n'y voyait pas d'injustice, seulement la marche aveugle du hasard. Et puis, le Gros Jacques était un brave homme. Il avait conservé et cultivé son attachement au syndicalisme d'avant-guerre et

tissait des liens étroits avec le syndicat des cor-
donniers, dont il était devenu un des délégués sur
le quartier du Temple. Avec Pierrot, il était toujours bonhomme, prêt à l'aider, mais respecteux
de son indépendance. Car si Pierrot avait souvent
besoin d'un coup de main, il ne voulait dépendre
de personne. Le Gros Jacques lui avait bien proposé une place d'apprenti dans son atelier, mais
Pierrot avait refusé : il était comme son père, il lui
fallait de grands espaces et de grands rêves aussi,
mais ceux-là, il les gardait secrets.

Pierrot accepta le verre de sirop d'orgeat que
le Gros Jacques lui avait commandé et s'apprêtait à dévorer le casse-croûte qui l'accompagnait
lorsque soudain un homme jeune et élancé entra
dans la salle. Toutes les têtes se tournèrent vers
le nouvel arrivant. Fernand Jack[1] en personne
venait d'apparaître, un auteur réputé de l'endroit,
mais surtout un activiste révolutionnaire bien
connu, un bel homme de dix-huit ans à peine,
au regard ténébreux. Il balaya la salle d'un coup
d'œil et avisa la table de Charles d'Avray, un des
fondateurs de la Muse rouge. Pierrot reconnut
immédiatement le personnage qui discutait à la
dérobée avec Gabie les soirs derniers. Il s'empressa d'avaler son casse-croûte, non sans regretter de ne pas prendre le temps de le savourer,
et se dirigea à petits pas vers la table des deux
anarchistes :

– Pardon messieurs, j'veux pas déranger, mais
j'ai un truc moche à vous dire...

---

1. Fernand Jack, de son vrai nom Fernand Jacquemotte ; né
en Belgique en 1902 et mort à Moscou en 1960. Chansonnier
révolutionnaire, puis dirigeant communiste.

Pierrot baissa la tête et garda le silence. Charles d'Avray, à qui le faciès tourmenté et la longue redingote noire donnaient des airs d'oiseau de proie, dressa l'oreille :

– Eh bien, petit, vas-y, parle ! Nous t'écoutons.

– Voilà, m'sieur, j'ai vu l'aut' soir votre ami discuter avec une fille qui s'appelait Gabie...

– Qui s'appelait... ? l'interrompit le jeune homme.

– Oui, m'sieur, elle est morte ce matin en bas d'la Moujol, à Belleville. C'était là qu'elle tapinait, m'sieur. Assassinée à coups de couteau, un vrai massacre. Et comme c'était une insoumise, personne ne s'inquiétera d'son sort, m'sieur, pouvez m'croire, personne. Alors je m'suis dit qu'il fallait que vous sachiez... ça m'fait peine, m'sieur, ça m'fait peine...

Fernand Jack paraissait bouleversé et tenta de masquer le tremblement de ses mains. Il reprit :

– Dis-moi, t'as vu le corps ?

– Oui, j'crois même que j'étais l'premier à l'voir ; j'ai même vu une ombre qui s'enfuyait quand j'suis arrivé.

– Et sur le corps, tu n'as rien vu de particulier ?

– Ben, les blessures, m'sieur, et le sang qui coulait partout, mais l'visage avait rien. J'ai repoussé ses cheveux, elle était toujours aussi belle...

– Et au cou, elle ne portait rien autour du cou ?

– J'ai rien vu, m'sieur, elle avait rien sur elle.

– Bien, merci p'tit. Tu as eu raison d'venir. C'était important. Tu es souvent à la Muse rouge ?

Pierrot, ragaillardi par ces encouragements, se détendit et se fendit d'un large sourire.

– Ouais, m'sieur, j'adore les chansons, et puis ici, les gens sont gais et posent pas d'questions, ça m'va bien.

– Comment t'appelles-tu ?

– Pierrot, m'sieur.

– D'accord Pierrot. Tu connais bien Belleville ?

– J'y suis né, m'sieur, et j'y vis, ou plutôt j'y survis. C'est affaire de débrouille !

– Ça peut m'intéresser. Tu serais d'accord pour travailler pour moi de temps à autre ?

– Prendre la place de Gabie, m'sieur ?

Fernand Jack sourit. Ce gamin avait de la présence d'esprit et il n'avait pas la langue dans sa poche. C'était tout ce qu'il lui fallait.

– En quelque sorte, oui, Pierrot, mais n'aie pas peur ; je ne te ferai rien faire de dangereux.

Pierrot leva sur son interlocuteur un regard dur et fier :

– Oh ! j'ai pas peur, m'sieur. J'vis tout seul dans la rue depuis presque deux ans, alors y a plus grand-chose qui m'fait peur. La misère, la violence, les embrouilles, ça m'connaît. Et j'suis malin, très malin.

– Je n'en doute pas, Pierrot, je n'en doute pas. Écoute, trouve-toi demain à onze heures, au 10 rue Dupetit-Thouars, tu te rappelleras ?

– Pas d'souci, m'sieur, demain onze heures, 10 rue Dupetit-Thouars, c'est bien entré dans ma calebasse, ça sortira pas.

– Et tu ne parles à personne, de rien, ni de Gabie, ni du rendez-vous, à personne, Pierrot !

– À personne, m'sieur, compris.

Pierrot fit un signe de tête et partit rejoindre le Gros Jacques qui reprenait à tue-tête avec ses

camarades la vieille chanson du père Duchesne
qu'un nouveau beuglant entonnait sur scène :

Coquins, filous peureux, nom de Dieu !
Vous m'appelez canaille
Dès que j'ouvre les yeux, nom de Dieu !
Jusqu'au soir je travaille, sang-Dieu !
Et je couche sur la paille, nom de Dieu !
Et je couche sur la paille[1].

---

1. 2e strophe de « La Chanson du père Duchesne », anonyme,
1892, chantée par Ravachol en montant à la guillotine le
11 juillet 1892, et reprise ensuite par les anarchistes.

Chapitre 2

La Fleur blanche

À la brasserie Voltaire, dans le quartier cossu des ministères, c'était l'heure du coup de feu. Les garçons de café s'affairaient : qui cherchait sa monnaie dans une des poches de son gilet noir, qui utilisait le coin de l'ample tablier blanc enroulé autour de sa taille pour essuyer une goutte de sauce malencontreusement tombée sur le bord d'une assiette, qui se concentrait sur un plateau chargé de verres pleins à ras bord et porté à bout de bras par une main arc-boutée ; et tous se croisaient, s'enroulaient autour des piliers de marbre, disparaissaient comme aspirés par les portes battantes du passe-plat, ou se tortillaient autour des tables et des sièges des clients reflétés à l'infini dans les hauts miroirs qui tapissaient les murs.

La patronne, juchée sur sa chaise haute derrière sa caisse, supervisait du regard le déroulement du service, le chignon prééminent, le dos un peu raide et l'allure martiale.

À la brasserie Voltaire, ce n'était pas tout à fait un jour comme les autres. Parce que, en ce jeudi 8 janvier, le ministre des Colonies en personne se trouvait dans la salle et déjeunait copieusement avec trois de ses collaborateurs. À la table d'honneur, la table numéro 10, légèrement isolée par deux piliers de marbre, la conversation allait bon train. Le ministre, monsieur Henry Simon, était lancé dans une apologie dithyrambique de la colonisation. Négligeant les filets de sole aux câpres qui languissaient dans son assiette, il s'en était pris aux petites pommes de terre vapeur, qu'il écrasait consciencieusement dans le beurre blanc. Soudain, il posa sa fourchette et d'un geste de la main désigna avec vigueur les deux hommes qui se trouvaient en face de lui et qui l'écoutaient attentivement :

– Vous comprenez, messieurs, administrateurs ou ingénieurs, vous êtes – et vous devez être – les agents de la mise en valeur des colonies ; vous êtes – et vous devez être – ingénieurs de génie et conducteurs d'hommes ; vous êtes – et vous devez être – le moteur tout-terrain de la légitimité coloniale. Votre action est prépondérante et votre dévouement à la patrie doit être sans faille.

Henry Simon se tut, prit une profonde respiration et attaqua les filets de sole avec la conviction d'un orateur plébiscité. Son voisin, Gabriel Angoulvant, gouverneur général de l'Afrique équatoriale française, prit la parole :

– Vous voyez, messieurs, en écoutant monsieur le ministre, vous mesurez, je pense, l'importance du projet que nous voulons mener à bien. La voie de chemin de fer reliant Brazzaville à Pointe-Noire[1] constituera un axe commercial essentiel. Ce sera, en Afrique équatoriale, le fleuron de la civilisation. Le décret autorisant la construction de la voie a été signé en juillet 1914. La guerre nous a déjà fait perdre trop de temps.

---

1. Pointe-Noire est le nom qui sera donné au petit port de pêche qui portait encore en 1920 le nom donné par les Portugais : Puenta-Negra. Loango était encore le chef-lieu du Kouilou.

– J'insiste, reprit le ministre, votre rôle est déterminant pour le projet, mais aussi pour vous-mêmes… pour votre carrière, j'entends.

Les deux colons lâchèrent aussitôt leur entre-côte beurre maître d'hôtel, pourtant en bonne voie de disparition, et dévisagèrent tour à tour le ministre et le gouverneur général. Pierre Buringer était commandant de la circonscription du Kouilou[1], entre Puenta-Negra et Loango, il faisait partie de la délégation coloniale venue discuter avec le pouvoir politique en place des conditions nécessaires pour relancer la mise en valeur du Moyen-Congo, la « Cendrillon » des colonies françaises. Désigné comme l'homme le plus proche du terrain et connaissant le mieux les difficultés et les résistances qui faisaient obstacle au projet, il était accompagné de l'ingénieur des Ponts et Chaussées, Félix Duveyrier, chargé d'étude par la commission d'enquête pour la faisabilité du projet, son coût et sa potentielle rentabilité.

Félix Duveyrier restait silencieux et embarrassé. Pierre Buringer explosa :

– Mais enfin, monsieur le ministre, l'essentiel problème qui se pose ne dépend pas de nous ! C'est un problème de moyens. Il nous faut des fonds : de l'argent pour indemniser les colons, de l'argent pour graisser la patte des auxiliaires et des chefs de village afin qu'ils nous fournissent une main-d'œuvre importante et à bas coût, de l'argent pour mettre en place les infrastructures nécessaires à un tel chantier, de l'argent…

---

1. Le Kouilou était la division administrative du Moyen-Congo qui donnait sur l'Atlantique.

Henry Simon, qui se rinçait le gosier avec une gorgée de pouilly fumé délicieusement frais, l'interrompit en levant la main :

– Il suffit, Buringer, il suffit ! Je connais tout cela par cœur et je l'entends à longueur de journée sur tous les terrains. Il faut de l'argent partout ! Nous ne vous demandons pas l'impossible. Nous exigeons de vous un travail de préparation indispensable et délicat. Sur place, vous disposez d'un pouvoir quasi sans limites. Exercez-le ! Par ailleurs, je tiens à vous rappeler deux choses importantes : notre pays sort de quatre ans d'une guerre effroyable. Il est victorieux, mais financièrement à genoux. Secundo, nous sommes à l'Assemblée en pleine campagne électorale. Il y a toutes les chances pour que le gouvernement Clemenceau tombe. Et si le gouvernement Clemenceau tombe, je tombe aussi. Je repars dans le Tarn et je m'éloigne définitivement des sphères parisiennes. Je ne sais pas encore qui me remplacera. Je pense qu'Albert Sarraut est bien placé. C'est un homme du Sud, comme moi, député radical[1], comme moi, mêmes binocles, mêmes moustaches, même barbe, un peu moins fournie peut-être ; un homme volontaire et passionné, beaucoup plus que moi. Il a toujours été très impliqué dans la gestion des colonies françaises. C'est un sujet qui lui tient à cœur. Nul doute qu'il fera l'impossible pour lancer le chantier du Congo-Océan[2]. Si je ne me trompe pas, c'est lui que vous devrez solliciter. Sur ce, messieurs, je vous quitte. Je ne prendrai pas de dessert. Angoulvant,

---

1. Henry Simon a été député radical du Tarn (1910 à 1926) ; Albert Sarrault député radical de l'Aude (1902 à 1924).
2. Le Congo-Océan : nom donné à la ligne de chemin de fer entre Brazzaville et Pointe-Noire.

vous réglerez la note et vous la transmettrez à mon secrétariat. Bon après-midi, messieurs, et bon retour en Afrique.

Henry Simon acheva son verre de pouilly d'une seule lampée, se leva et se dirigea vers la sortie tandis qu'un garçon, sur un coup d'œil de la patronne, se précipitait pour lui remettre son chapeau, sa canne et l'aider à enfiler son manteau. Il refusa une voiture et s'engagea sur le quai Voltaire pour rejoindre la rue Oudinot à pied.

Au fond de la salle qui commençait à se vider, tandis que les autres entamaient le dessert, Duveyrier se contentait d'un simple café : la discussion prenait pour lui mauvaise tournure, il en avait l'appétit coupé. Angoulvant parla entre deux cuillerées :

– Je rencontre tout à l'heure le secrétaire général du Quai d'Orsay. À ce jour, cela ne sert pas à grand-chose de voir les ministres, ils sont tous sur un siège éjectable. Mieux vaut s'adresser aux hauts fonctionnaires. Eux, ils ne valsent pas… enfin… en principe.

– D'accord, répondit Buringer, mais vous ne devez pas perdre de vue que la situation du Kouilou est particulièrement préoccupante. Les indigènes ont très mal vécu la conscription forcée pendant la guerre. De nombreux foyers d'insurrection couvent dans tout le district et nous ne sommes pas à l'abri d'une explosion de violence dans les mois qui viennent si le projet est officiellement relancé.

Duveyrier se ressaisit. Il percevait enfin une issue pour exprimer ses réticences. Il surenchérit :

– C'est vrai, monsieur, la situation est explosive. La démolition des cases des pêcheurs en bord de mer pourrait suffire à déclencher une révolte. J'ai toutes les peines du monde à recruter de la main-d'œuvre. C'est un vrai problème. En outre, il n'y a pas que les indigènes qui refusent le chemin de fer. Les colons des plantations y sont farouchement opposés.

– Mais ils devraient le soutenir ! C'est dans leur intérêt !

– C'est vrai pour les sociétés concessionnaires. Elles sont d'ailleurs partantes et prêtes à investir. Mais vous n'ignorez pas que, depuis 1910, elles ont dû céder des territoires aux exploitants privés. Ce sont eux, ces petits propriétaires, qui enragent parce que le chantier va les priver d'une main-d'œuvre indispensable aux récoltes. Et encore, ceux de la côte ne savent pas qu'il va falloir raser les palmiers *Borassus* qu'ils exploitent.

– Écoutez, messieurs ! La colère des indigènes, vous avez tout ce qu'il faut pour la mater. Celle des colons exploitants, je vous accorde que c'est plus difficile, mais, bon sang ! Il va bien falloir qu'ils s'écrasent ! Ils ont déjà obtenu des centaines d'hectares de terre à un prix incroyablement bas, ils profitent sans vergogne de l'administration en place pour régler tous leurs problèmes avec les indigènes et obtenir une main-d'œuvre qu'ils ne payent quasiment pas, alors ils peuvent faire un effort tout de même ! Au bout du compte, si le commerce se développe au Moyen-Congo, ce sera juteux aussi pour eux !

– Mais le problème, c'est que personne n'y croit !

– Personne ne croit à quoi ?

– À l'essor du commerce au Moyen-Congo, monsieur.

Angoulvant tapa sur la table et quelques gouttes de café se répandirent sur la soucoupe de porcelaine blanche.

– Mais enfin, bougres d'imbéciles, vous ne voyez pas les bénéfices culturels, économiques, politiques, que nous pouvons tirer de ces territoires s'ils sont correctement équipés ?

– Si, si, monsieur, continua Duveyrier, mais ces avantages iront en partie à l'État français et surtout aux grandes compagnies commerciales. Les indigènes et les petits exploitants blancs n'y gagneront rien. Et ils le savent. Par ailleurs, si vous permettez, sur un plan strictement technique, le chantier du Congo-Océan est une folie. Créer un port à Puenta-Negra, passe encore, mais envisager de percer un tunnel dans le massif du Mayambé, c'est du délire !

Angoulvant contenait difficilement sa colère. Ce petit freluquet d'ingénieur commençait à l'exaspérer. Il prit un air mauvais pour demander :

– Et alors, monsieur l'ingénieur, vous préconisez quoi ?

– L'abandon pur et simple du projet, monsieur le gouverneur.

– Eh bien, Duveyrier, voilà qui a le mérite d'être clair ! Au moins, on ne pourra pas vous reprocher votre mauvaise foi ! Vous êtes conscient qu'une telle prise de position va vous coûter votre poste ?

– Tout à fait conscient, monsieur le gouverneur. Je suis même prêt à vous donner ma démission.

Angoulvant se tourna vers Buringer :

– Et vous, commandant, vous êtes sur la même ligne ?

– Non, non, monsieur le gouverneur. Moi, je m'inquiète surtout des réactions indigènes, mais

si vous me donnez carte blanche, je ferai face à la
situation.

– Bien ! Quand partez-vous ?

– Je prends le train ce soir pour Bordeaux. Je
dois embarquer demain sur l'*Afrique* à destination
du Sénégal. Je compte passer quelques jours à
Dakar. Je dois participer à une réunion du conseil
de l'A.O.F.[1] où sera évoquée une aide éventuelle
en main-d'œuvre pour la construction du port de
Pointe-Noire. Je reprendrai ensuite un bateau pour
Loango. Je ne serai pas sur place avant plusieurs
semaines.

– Fort bien. Nous nous retrouverons donc à
Brazzaville pour le conseil de mars. J'aurai rencontré notre nouveau ministre. Nous y verrons sans
doute plus clair.

Angoulvant, qui ne manquait ni de rigueur ni de
raideur, se leva d'un coup :

– Messieurs ! Je vous salue. Vous avez chacun
votre marche à suivre. Bon voyage, monsieur
Buringer. Bon vent, Duveyrier !

***

Pierrot marchait d'un pas alerte, le nez au vent,
les yeux écarquillés. Ce n'était pas fréquent qu'il
déambulât ainsi dans les beaux quartiers. Tout était
pour lui sujet d'émerveillement : les immeubles
cossus et leurs parures de stuc, de frises et de
sculptures, les voitures coruscantes qui frôlaient
les piétons, les charrettes et les tilburys, les cafés

---

1. A.O.F. : Afrique occidentale française ; A.E.F. : Afrique
équatoriale française ; dénominations en vigueur de 1910
jusqu'à la décolonisation.

peuplés d'hommes élégants et de femmes pim-
pantes, les étals des maraîchers ou les devan-
tures des pâtissiers qui faisaient monter l'eau à
la bouche ; les arbres eux-mêmes, malgré l'hiver,
avaient des airs de prospérité. Il avait traversé la
Seine avec des frissons d'enfant ébloui. Le pont
Alexandre-III, rutilant de ses jeunes lampadaires,
lui donnait l'illusion d'être un prince transporté
dans un monde d'or, de bronze et de pierre, un
monde d'harmonie, de beauté et de puissance qui
montait vers le ciel. Pierrot était heureux : on lui
avait fait confiance pour un vrai travail dont on lui
avait assuré l'importance et pour lequel on lui avait
donné quelques sous. Le rendez-vous, la veille, rue
Dupetit-Thouars, avait été furtif mais bouleversant
pour l'enfant des rues ; une entrevue si déconcer-
tante, si mystérieuse… Dans le bureau obscur où il
avait été reçu, Fernand Jack était entouré de personnages insolites, aux faciès ravinés par la clan-
destinité et aux accents étranges et déroutants. Le
plus étonnant avait été ce Sénégalais au regard si
profond et aux accents si saccadés et si impérieux
qu'aucune résistance ne semblait envisageable. Ce
fut lui, Diallo Sako Diakité, qui lui avait remis le
message à transmettre en main propre à un des
boys d'un certain commandant Buringer. Pour ce
faire, il lui fallait réussir à le croiser à l'entrée de
service de l'hôtel Lutetia.

Pierrot arrivait au square du Bon Marché.
Comme il était un peu en avance sur l'horaire que
lui avait donné Fernand, il entra dans le square,
qui l'impressionnait moins que la façade luxueuse
et imposante du Lutetia.

Il traversa le boulevard Raspail et contourna le
majestueux hôtel pour se poster à l'entrée de service.

Il tâta le fond de sa poche, où il avait enfoui le cartouche de cuir couvert de signes cabalistiques dans lequel se trouvait le message qu'il devait remettre à un certain Amédéo. Il fut interloqué lorsqu'il fut accosté par un petit bonhomme à peine plus grand que lui, fin et léger comme une plume, noir comme l'ébène, fripé comme un vieillard, mais agile comme une gazelle, et dont le regard rieur et pétillant semblait porter en lui toute l'intelligence du monde.

Amédéo porta la main à son oreille :

– Le mot de passe... Tu dis le mot de passe à Amédéo... ?

Pierrot, quelque peu désarçonné, se mit à bafouiller. Tout à coup, le mot de passe que lui avait transmis Fernand lui échappait. Il plissa les yeux et chercha à se concentrer. L'homme à ses côtés attendait en souriant. Soudain le mot jaillit dans son esprit :

– Loango, c'est Loango, m'sieur...

Amédéo frappa dans ses mains. Pierrot sortit le cartouche de sa poche et le glissa dans celle de l'Africain.

– Tu sais... en principe, c'est toi qui aurais dû me demander le mot de passe... mais ce n'est pas grave. Tu es un bon garçon. Que Dieu te garde.

Et Amédéo disparut aussi mystérieusement et subrepticement qu'il était apparu. Pierrot resta quelques instants interdit et silencieux, étonné que l'homme parlât si bien français, frustré de la brièveté de l'échange. L'Afrique, quelle région incroyable... En vingt-quatre heures, il avait rencontré deux Africains si différents l'un de l'autre, mais tous deux si énigmatiques... Et ce message qu'il avait détenu sans la moindre idée de ce qu'il pouvait contenir...

Il décida de se rendre à Montparnasse. Il avait un ami là-bas qui s'appelait Lucien, comme son père. Lulu possédait une chèvre et vendait son lait tiré à la demande directement des pis de l'animal. Il traînait ainsi aux terrasses des grands cafés du boulevard, toujours pleins à craquer d'une faune insolite et un peu folle, des gens – des artistes, disait Lulu en levant les yeux au ciel – qui riaient beaucoup, mais qui n'étaient pas vraiment gais.

Pierrot remontait le boulevard Raspail d'un pas vif en se disant que le monde était vraiment bizarre et qu'il n'avait sans doute pas fini d'en explorer les secrets. Faire comme Amédéo, apparaître et disparaître selon son bon vouloir et tout comprendre du premier regard : voilà ce que Pierrot voulait devenir à Paris, en Afrique ou dans n'importe quel monde... Voilà ce qu'il voulait être : un porteur de secret clairvoyant.

En arrivant aux abords de la Coupole, il sourit quand il entendit le béguètement de la chèvre Blanchette. Ici, tout était à sa place : les noceurs faisaient la noce, les musiciens musiquaient, les poètes soupiraient, les grincheux grinchaient et Blanchette béguetait. Lulu ne devait pas être loin, la camaraderie et la douceur du lait non plus.

**

En se glissant sur le siège en cuir de la toute neuve Citroën type A que le Quai d'Orsay avait mise à sa disposition avec un chauffeur, monsieur Li se dit que la journée avait été bien remplie et qu'il commençait à ressentir la fatigue. Les réunions dans les salons lambrissés du ministère des Affaires étrangères s'étaient succédé depuis le matin sans interruption. Même s'il parlait bien français, il lui avait fallu se concentrer pour suivre toutes les conversations. D'autant que ces messieurs les diplomates n'hésitaient pas à prendre, de temps en temps, des chemins de traverse qui le laissaient perplexe. C'était étonnant chez les Français, cette façon d'entrer brutalement dans le vif du sujet, de paraître radical et péremptoire dans la formulation des problèmes, puis de s'échapper sur un terrain mouvant lorsqu'on en arrivait aux préconisations, si bien qu'au bout du compte on ne pouvait déterminer clairement leur position finale et moins encore les moyens engagés pour les garantir. S'il avait bien compris ce qui avait été dit, et surtout ce qui ne l'avait pas été, l'État français ne soutiendrait la BIC[1] qu'en façade et favoriserait en réalité le rétablissement du consortium sans l'Allemagne et la Russie. Il avait fait et dit tout ce qui était possible pour obtenir le soutien à la BIC, mais la parole d'un diplomate ne valait pas grand-chose face aux impératifs du ministère des Finances. Force était d'admettre que la nouvelle République de Chine risquait de perdre la face et beaucoup d'argent dans cette aventure. Il faudrait à l'avenir utiliser des méthodes plus carnassières. Ce séjour à Paris risquait de ne pas être très fructueux. Le gouvernement chinois en serait pour ses frais.

Heureusement, monsieur Li avait été enthousiasmé par la soirée qui avait suivi. L'opéra de Verdi au palais du Trocadéro[2] l'avait enchanté. Les

---

1. Banque industrielle de Chine.
2. Le palais du Trocadéro fut construit en 1878 pour l'Exposition universelle. Il contenait entre autres une salle de

accents de la *Traviata* l'avaient fait vibrer et, même si l'acoustique de la salle n'était pas d'excellente qualité, le spectacle était somptueux et les artistes admirables ; un univers de sons, de lumières, de costumes qui l'avait transporté dans ce monde occidental qu'il affectionnait depuis l'enfance, qui le déroutait souvent, mais qui le fascinait toujours. Le souper chez Maxim's avait été exquis et la compagnie du secrétaire général, Jules Cambon, fort agréable. Enfin, c'était surtout sa femme qui avait plu à monsieur Li, une seconde épouse de vingt ans plus jeune que son mari, ravissante et férue d'orientalisme. Monsieur Li n'avait pas pour habitude d'écouter le babillage des femmes, mais il devait bien reconnaître qu'en Occident elles étaient souvent des interlocutrices beaucoup plus plaisantes que leurs homologues masculins, plus subtiles, plus félines, plus cultivées, sans pédanterie.

Bercé par ses pensées et les cahots atténués par la suspension Citroën nouvelle génération, monsieur Li sombrait doucement dans une somnolence réparatrice. Un coup de frein un peu brusque le ramena à la réalité. Il se pencha en avant et interrogea son chauffeur :

– Où allons-nous maintenant, mon ami ?

– À la Fleur blanche, rue des Moulins, monsieur. C'est à deux pas. Nous y sommes presque. J'ai ordre de vous déposer et de vous attendre, à votre convenance.

Monsieur Li se renfonça dans son siège. Il serait bien rentré à l'hôtel. Sa chambre au Lutetia lui avait semblé fort confortable et paisible. Il tombait de

---

spectacle de 4600 places. Démoli en 1935, il fut remplacé en 1937 par le palais de Chaillot.

sommeil, mais il sentit dans sa poche les jetons que lui avait remis le secrétariat du Quai d'Orsay, « pour finir la soirée, monsieur, et garder un souvenir inoubliable des nuits parisiennes ». Monsieur Li haussa les épaules et se remémora les formes épanouies de madame Cambon. Après tout, faire l'expérience d'un des bordels parisiens les plus réputés n'était pas sans lui plaire. Il dormirait une autre fois. Paris n'était pas un lieu de repos. La voiture s'arrêta au 6 rue des Moulins, un bel immeuble en pierres de taille de quatre étages. La façade était un peu chargée : un décor en stuc au fronton, un méli-mélo d'ornements factices un peu criards jusqu'aux angelots dorés sur les corniches. Mais le clou était à l'intérieur : un bel escalier de pierre dont la cage était ornée de pilastres en marbre rouge, un salon haut de plafond, croulant sous les dorures et les décorations en tous genres, meublés de divans et de sofas langoureux recouverts de velours et de coussins de soie bariolés, négligemment éparpillés. Sur le sol s'étiraient des tapis aux teintes chaleureuses et dans les coins, sur des petites tables basses en ivoire ou en ébène, des lampes colorées diffusaient une lumière tamisée d'une douceur extrême. Et les filles, demi-nues ou si légèrement vêtues qu'aucun secret ne pouvait être gardé, lascivement allongées sur un sofa, ou assises sur les genoux d'un hôte passablement éméché, roucoulantes et tactiles, souples comme des lianes, la coupe de champagne à la main, emplissaient l'espace, répandaient les effluves d'un parfum entêtant, colportaient une atmosphère de désir avec un art consumé de la sensualité.

Lorsque monsieur Li entra, la maîtresse se précipita vers lui avec une cérémonieuse courtoisie. Elle prit son manteau, son chapeau et ses gants et lui glissa qu'elle avait été prévenue de sa venue et qu'elle en était très honorée. Contrairement à ses filles, Marguerite Denis était vêtue très strictement d'une robe de taffetas vert à col montant. Intrigué, monsieur Li la dévisagea, mais son regard fut très vite emporté au-delà, vers la fantasmagorie enivrante des chairs et des dentelles qui évoluaient voluptueusement dans le salon. Madame Marguerite s'écarta et l'invita à entrer :

– Voici, monsieur le diplomate, les plus belles filles de Paris, les mieux éduquées et les plus expertes. Choisissez celles que vous voulez, remettez-leur vos jetons et indiquez la chambre que vous préférez. Tout sera mis en œuvre pour vous satisfaire, monsieur.

Monsieur Li, qui n'était pas bavard, surtout en matière de sexe, inclina la tête en signe de remerciement et s'avança gaillardement au milieu des sofas. Derrière lui, Marguerite fit un signe à ses deux meilleures pensionnaires, Irma la blonde et Apolline la rousse, qui s'empressèrent aussitôt auprès du Chinois, un hôte de choix pour qui le Quai d'Orsay avait grassement payé, comme il savait le faire pour ses invités étrangers de qualité. Elles l'installèrent confortablement, lui servirent une coupe de champagne et commencèrent à le caresser avec délicatesse. Monsieur Li saisit le sein qui frôlait sa main et s'émerveilla de sa douceur et de sa fermeté. La peau duveteuse et veloutée d'Irma se frottait à ses lèvres tandis qu'Apolline, ayant déboutonné sa chemise et libéré le cou de son col empesé, glissait une main délicate le long de son torse imberbe. Le diplomate, toujours imperturbable, sentait monter en lui une excitation incontrôlable et crut mourir d'extase lorsque, le visage perdu au creux des seins rebondis d'Apolline, il sentit Irma prendre son sexe en bouche et initier savamment, les lèvres ramenées sur les dents, un mouvement de va-et-vient irrésistible. Monsieur Li eut une éjaculation extatique et l'aimable compagnie applaudit de contentement. Irma resservit du champagne et, alors que monsieur Li réajustait sa tenue quelque peu désordonnée, s'écria en riant aux éclats :

– Oh ! Ne te précipite pas, mon trésor ! Cela n'était qu'un amuse-bouche. Maintenant nous allons passer aux choses sérieuses ! Mais il faut choisir la chambre.

La chambre Renaissance se trouvait au deuxième étage, prolongée d'un cabinet de toilette sur le mur duquel Toulouse-Lautrec avait peint une fresque pittoresque intitulée *La Griserie de la belle inconnue*, une femme au visage masqué par un loup, allongée sur un sofa devant un chat, une coupe de champagne dans une main, et l'autre comme tendue vers un mystérieux amant. Monsieur Li sentait l'ivresse l'envahir et embrumer son esprit. En contemplant la peinture, il crut deviner le visage de madame Cambon sous le loup et imagina qu'il la possédait violemment. Ce phantasme lui redonna de la vigueur et il sombra, le sexe dur et dressé, au creux du lit à baldaquin et des chairs mêlées, alanguies et offertes d'Irma la blonde et d'Apolline la rousse.

Ce fut vers les trois heures du matin qu'Irma descendit en trombe en hurlant, couverte de sang et le regard épouvanté comme si elle avait vu le diable en personne. Marguerite se précipita, ferma les portes hautes du salon, où quelques hôtes batifolaient encore, et secoua Irma par les épaules, lui enjoignant de se calmer et de lui dire ce qui s'était passé. Irma sanglotait à présent et hoquetait comme une enfant :

    – C'est l'Chinois… C'est l'Chinois… Il est mort ! C'est le diable qui l'a tué…

    – Et Apolline ? Où est Apolline ?

    – J'sais pas… J'me suis endormie un moment et quand j'me suis réveillée… elle était plus là… et l'Chinois… il était couvert de sang et les yeux morts comme un poisson…

Pour madame Marguerite, cet événement était une catastrophe. La réputation de la Fleur blanche était en jeu. La tête froide, comme toujours, l'air pincé, comme souvent, elle abandonna Irma à ses sanglots et lui intima de descendre au dortoir. Puis elle monta au deuxième étage. Dans la chambre Renaissance, le spectacle était effrayant : monsieur Li avait été tué sauvagement et baignait dans son sang. Les coups de couteau avaient dû pleuvoir avec une violence inouïe. Il n'y avait pas la moindre trace d'Apolline, si ce n'était la chemise en dentelles, maculée de sang et abandonnée par terre au pied du lit. Marguerite décida de ne toucher à rien. Elle descendit au premier étage et emprunta un couloir qui desservait ses appartements. Elle s'assit à son bureau et se prit la tête dans les mains. Il fallait prévenir qui de droit et ces démarches n'étaient guère attrayantes : le propriétaire d'abord, oui, lui en premier, il aurait peut-être des impératifs ; le Quai d'Orsay ensuite – et ce serait sans doute eux qui préviendraient la police. En attendant, il lui fallait tout mettre en ordre : s'il devait y avoir une fouille de la maison – et Marguerite ne voyait pas comment y échapper –, il fallait que tout soit en règle et faire disparaître tous les petits à-côtés. Cacher la cocaïne, remettre en usage le cabinet des visites médicales, vérifier la signature des registres, mettre en lieu sûr l'argent liquide qu'on détournait des passes, planquer l'absinthe qu'on utilisait avec certains habitués, et surtout, surtout, retrouver Apolline. Si elle devait être suspectée du meurtre, assurément la police ferait fermer la Fleur blanche, et c'est le Chabanais qui se frotterait bien les mains ! En ces temps de mœurs légères, la concurrence était rude. Une fermeture, même provisoire, pouvait entraîner la faillite. Et ses filles, qu'allaient-elles devenir ? Marguerite se ressaisit, elle ne devait pas paniquer. Elle décrocha le combiné du téléphone Marty et actionna la manivelle afin d'obtenir l'opératrice.

Au ministère des Affaires étrangères, l'annonce de l'assassinat de monsieur Li dans une des chambres de la Fleur blanche tomba comme un couperet à trois heures trente du matin. Aussitôt ce fut le branle-bas de combat. On réveilla le ministre, le secrétaire général et toute une pléiade de fonctionnaires fut mise sur le qui-vive. Dans le bureau du ministre, les mines étaient contrites et l'atmosphère tendue. Alexandre Millerand[1] explosa :

– Mais enfin, qu'est-ce que c'est que cette foutue manie d'envoyer nos diplomates étrangers au bordel, bon sang ! Cambon, quelle idée ! Un Chinois de surcroît ! Tout ce qu'il y a de plus coincé ! Verdi, d'accord ! Maxim's, très bien ! Mais la Fleur blanche !

---

1. Alexandre Millerand (1859-1943), ministre des Affaires étrangères en 1919 et Président du Conseil en janvier 1920, puis président de la République de septembre 1920 à 1924.

Jules Cambon regardait ses pieds et laissait passer l'orage. Inutile de protester ni de rappeler au ministre que lui-même la fréquentait régulièrement, cette maison. Cela ne servirait à rien.

– Bon ! reprit le ministre, il faut informer la police. Vous prévenez la Brigade Criminelle au quai des Orfèvres. Je ne veux pas entendre parler de la 1re brigade mobile. Je sais qu'elle est censée prendre en charge les crimes concernant les étrangers, mais je ne veux pas avoir la Sûreté générale sur le dos ! Vous entendez, Cambon ! Je n'en veux pas !

– Oui, monsieur le ministre, mais puis-je vous rappeler que ce choix est du ressort du procureur ?

– C'est avant tout le magistrat instructeur qu'il choisit. Débrouillez-vous pour que le juge d'instruction soit à notre écoute... Nous jouissons encore de quelques prérogatives, que diable !

– Bien, monsieur le ministre.

– Par ailleurs, il faut alerter le gouvernement chinois qui ne va pas voir revenir son diplomate... Et ça, c'est une autre affaire ! Pensez donc, Cambon : ils nous envoient un représentant pour négocier le soutien à la BIC. Nous nous engageons à la soutenir alors que nous savons pertinemment que nous ne pourrons le faire que de façon sporadique et inefficace ; et en plus nous assassinons leur délégué officiel ! Mais il y aurait de quoi nous déclarer la guerre ! Ah ! Ce micmac de la BIC, c'est un véritable nœud de vipères ! Un piège, Cambon, politique et économique !

– Vous savez que Briand tient particulièrement à cette banque, essentiellement pour mettre des bâtons dans les roues du consortium et de la

Banque d'Indochine. En fait, cette affaire, c'est Briand contre Poincaré, et contre Doumer aussi...

– Oui, vous avez raison, Cambon, c'est assez bien analysé. Le problème de rivalité politique, en fait, je m'en fous. Le gouvernement va tomber dans quelques jours et toutes les cartes vont être redistribuées. Non, ce sont les relations avec la Chine qui m'inquiètent. Cette nouvelle République chinoise est déjà difficile à cerner, mais si en plus nous nous la mettons à dos, ça ne va pas être simple ! Or, nous avons besoin du commerce avec la Chine. Appelez le Quai des Orfèvres, qu'ils envoient une équipe d'urgence rue des Moulins. Et je veux être tenu au courant heure par heure. Et de la discrétion, Cambon, de la discrétion ! Je vous laisse aussi vous occuper du juge. Ah ! Vous penserez à préparer le rapatriement du corps dès que cela sera possible. Je suppose qu'il va y avoir une autopsie. Moi, je m'occupe des Chinois. Il est quatre heures et demie. On se retrouve ici à midi et on fait le point.

Jules Cambon se leva et salua obséquieusement son ministre. Dans la « redistribution des cartes », Millerand avait toutes les chances de devenir président du Conseil et devrait ainsi former son propre gouvernement. Ce n'était pas le moment de le contrarier, il y aurait forcément des postes à prendre... Mais il ne fallait pas faire d'impair. La situation était pour le moins délicate. Le patron avait raison : surtout ne pas avoir la Sûreté générale dans les pattes. Jules Cambon partit dans les bureaux rameuter ses troupes. Il avait du pain sur la planche.

Chapitre 3

Le carnet noir

L'entrée du 6 rue des Moulins était gardée par deux agents qui faisaient les cent pas en se frappant les épaules. En ce petit matin du 9 janvier, le froid était vif. La grisaille s'était dissipée pendant la nuit, le jour qui pointait frileusement promettait une belle journée ensoleillée comme on n'en avait pas vu depuis plusieurs semaines. La Brigade Criminelle était arrivée sur les lieux vers six heures, suivie de peu par la police technique et tout son matériel scientifique. À l'intérieur, les allées et venues feutrées des techniciens et des policiers créaient une effervescence continuelle dans un silence oppressant. Le salon avait été fermé. Marguerite Denis avait fait descendre les filles au réfectoire, qui se trouvait au sous-sol. Chacune était interrogée l'une après l'autre. Irma la blonde avait droit à un traitement particulier. En tant que témoin du meurtre, elle avait dû se changer et se tenait prête à accompagner les enquêteurs : son interrogatoire aurait lieu au quai des Orfèvres. Elle attendait au bas de l'escalier, assise sur les dernières marches, recroquevillée contre le mur pour ne pas gêner le passage, les traits tirés et les yeux rouges. Au premier étage, un policier interrogeait Marguerite Denis, qui ne se départait pas de son air revêche et répondait du bout des lèvres, au point que le malheureux brigadier Rousseau devait se pencher pour saisir ses réponses, qu'il notait consciencieusement sur un calepin.

Au deuxième étage, Victor Dessange et Maximilien Dubosc, assisté de deux techniciens, examinaient par le menu la chambre Renaissance devenue scène de crime. La pièce, si fastueuse à la lumière du soir, avait en ces premières lueurs du jour un aspect vétuste et flétri que le cadavre exsangue au milieu du lit rendait macabre. L'odeur de sang séché qui flottait dans l'air prenait à la gorge. Les portraits de femmes légères accrochés aux murs semblaient grimaçants. Les flashes au magnésium grésillaient et envoyaient des éclairs de lumière aveuglante qui rendaient la scène encore plus effrayante.

Tandis que les techniciens procédaient aux prélè-vements en jonglant avec les poudres et les réactifs en usage, l'inspecteur principal Victor Dessange, après avoir enfilé les gants de latex réglementaires, passait soigneusement en revue chaque objet de la chambre. Il s'approcha du lit et se pencha sur le corps nu du diplomate chinois. Les coups de couteau, une quinzaine en tout, dessinaient des diagonales parallèles sur l'ensemble du tronc, de la base du cou jusqu'au pubis. Le sexe avait été lui aussi lacéré et paraissait en lambeaux. Pendant que son collègue pulvérisait du sulfure d'antimoine sur les montants du lit, le technicien Lantier, arc-bouté au-dessus du corps, observait l'intérieur des plaies. Il releva la tête et s'adressa à Victor :

– La mort a dû survenir entre deux et trois heures du matin. Vous voyez, là, les amas blanchâtres, ce sont des œufs de mouches, les *Protophormia terraenovae*, la première escouade d'insectes nécro-phages qui colonisent un cadavre. Elles apparaissent quelques heures à peine après la mort. S'il ne faisait pas si froid dans cette pièce, il y en aurait beaucoup plus.

– D'accord, répondit Victor. Cela correspond en effet à la déclaration de la fille qui a découvert le corps. Un tel acharnement, ce n'est quand même pas banal... Quelle rage il faut avoir pour faire preuve d'une telle violence !

– Oui, mais sur l'ensemble des coups, il n'y en a qu'un seul mortel, celui-là, précisa Lantier en désignant le cœur, et ce fut sans doute le premier. La mort a dû être instantanée, les autres coups ont été donnés post-mortem. Votre victime n'a pas souffert.

– Ce que je ne comprends pas, c'est comment le tueur s'y est pris... Si ce gars était en pleine action avec deux filles sur les bras, il était presque impossible de le frapper par surprise...

– Sauf s'il dormait. Il a très bien pu s'endormir et les filles aussi.

– Irma prétend en effet qu'elle s'était assoupie et qu'elle a découvert le corps en se réveillant.

– Vous voyez... D'ailleurs on l'a peut-être aidée à s'endormir... Nous avons pris la bouteille de champagne et les trois flûtes. Je compte envoyer un échantillon de champagne au laboratoire municipal de chimie pour un examen précis. À présent, il faut attendre l'autopsie du docteur Gemeley et s'assurer que son expertise confirme ce que je viens de vous dire.

– Très bien, Lantier. Bon travail. Faites au plus vite. Vous pouvez enlever le corps.

Victor se retourna et chercha Max des yeux. Ce dernier était à quatre pattes dans un coin de la chambre. Victor s'écria :

– Qu'est-ce que tu fabriques ? Tu cherches un trèfle à quatre feuilles ?

Max se releva avec empressement. Il tenait à bout de bras un petit carnet noir qu'il exhibait fièrement comme un trophée :

– Regardez, inspecteur, ce que j'ai trouvé. Ça avait glissé sous la commode.

Victor le saisit et l'ouvrit avec empressement.

– Alors là, tu nous as fait une belle trouvaille !

Le carnet ne comportait aucun nom, aucune adresse, seulement une suite de lettres et de chiffres disposés en colonnes.

– Hum…, soupira Victor, un vrai casse-tête. Il va falloir examiner cela en détail.

Victor remit le carnet à Lantier pour qu'il relève les empreintes.

– Autre chose, Max ?

– Oui, oui… Regardez là, il y a une porte qui donne dans un cabinet de toilette…

Max entraîna Victor dans la petite pièce atte-nante à la chambre Renaissance. La fresque de Toulouse-Lautrec frémissait dans la pénombre et le bras tendu de la belle inconnue masquée semblait désigner la petite armoire qui était poussée contre le mur à ses côtés.

– Et là… l'armoire, elle n'a pas de fond… dans le mur, il y a une autre porte.

En se tortillant, Max ouvrit la petite porte cachée par l'armoire et s'engouffra dans un couloir obs-cur aménagé dans le mur. Victor le suivit non sans mal, car l'espace était exigu et sa jambe le gênait affreusement. Il peinait en s'appuyant sur sa canne. Max alluma son briquet et la flamme produisit une auréole de lumière qui fit apparaître les aspérités des parois d'une sorte de passage secret étroit et bas de plafond. Ils arrivèrent à un petit palier qui donnait sur un escalier en colimaçon. Avec précaution, ils descendirent une douzaine de marches hautes et étrécies. Victor devait se déhancher douloureusement. Max s'était positionné devant lui pour sécuriser sa progression. Ils laissèrent sur leur droite le palier du premier étage et poursuivirent leur descente pour arriver à une nouvelle porte qui desservait une cour intérieure fermée sur trois côtés par un haut mur de granit. Aucune issue apparente. Max tâtait les murs. Victor examinait le sol et les angles. Ce fut dans le mur de l'immeuble, à hauteur d'homme, que Max découvrit un levier en laiton au fond d'une excavation masquée par un petit bloc de pierre amovible. Il actionna le levier. Un passage s'ouvrit dans le mur adjacent, suffisamment large pour laisser passer un individu de taille moyenne.

– Voilà, inspecteur, ce n'est peut-être pas l'autre fille qui a tué le Chinois. Le tueur a très bien pu passer par là et les surprendre sans que personne le voie.

– D'accord, mais alors, elle est passée où, la fille ?

– J'sais pas... Ça, j'sais pas... J'vais vérifier à l'extérieur... Il doit bien y avoir un autre levier...

Max se faufila dans le passage. De l'autre côté du mur, il découvrit un petit jardin mal entretenu, envahi par les taillis et les ronces. Il dénicha le mécanisme au pied du mur, caché par des arbustes épineux. Victor fit quelques pas dans le jardin, qui ne devait pas faire plus de cinq ou six cents mètres carrés. Une grille en fer forgé donnait sur la rue des Petits-Champs. Elle n'était pas verrouillée. Victor et Max se retrouvèrent sur le trottoir et n'eurent que quelques pas à faire pour revenir rue

des Moulins, devant l'entrée de la maison close.
Victor commenta :

– Eh bien voilà ! Un passage commode pour
quelqu'un qui ne veut pas être vu ni en entrant ni
en sortant. Effectivement, le tueur a pu l'emprunter,
mais il fallait qu'il en connût l'existence. Si Apolline
n'a pas tué, elle a pu être complice.

– Exact, répondit Max, tout à fait exact... Ça
vous ennuie si on refait le parcours à l'envers, inspecteur. Je voudrais vérifier quelque chose...

– Ah ! Max, étant donné la sagacité dont tu fais
preuve ce matin, je ne peux qu'être d'accord...
Allons-y !

Les deux hommes repartirent rue des Petits-
Champs, pénétrèrent dans le jardin et refermèrent
la grille derrière eux. Max tenta de repérer des
empreintes de pas, mais le froid de l'hiver avait durci
la terre : aucune trace n'était perceptible. Victor,
de son côté, avait remarqué des buissons de ronces
écrasés. En suivant le semblant de chemin qu'ils
révélaient, il s'enfonça dans le jardin jusqu'à un
chêne dont le tronc était en partie masqué par des
taillis hirsutes et broussailleux qui proliféraient tout
autour. Victor traversa le taillis en s'égratignant le
visage et les mains. Derrière, affalé au pied de l'arbre,
le corps d'Apolline gisait nu et sans vie, tailladé de
coups de couteau à l'instar du corps du Chinois.

– Max ! Par ici !

Max arriva précipitamment et s'immobilisa
devant le spectacle lugubre qui s'offrait à lui.

– Mince alors ! Eh bien, si elle était complice,
elle ne l'aura pas été très longtemps ! On a bien
un tueur, inspecteur, et pas un enfant de chœur !

– Appelle-moi Victor, Max, je te l'ai déjà dit cent fois… Bon ! On appelle la scientifique. On n'est pas partis, mon vieux ! On en a pour des heures à tout examiner. Il faut aussi qu'on interroge de façon plus approfondie la délicieuse Marguerite… Elle connaissait forcément le passage.

– Et si c'était elle, la complice ?

Victor, peu convaincu, fit la moue :

– Ces meurtres ne servent vraiment pas ses intérêts. C'est une mère maquerelle, Max, elle scierait la branche sur laquelle elle est assise.

– Sans doute, mais elle est si peu aimable qu'on aimerait bien qu'elle soit coupable…

***

Inspecteur à la mondaine avant la guerre, Victor avait intégré la Brigade Criminelle malgré son handicap à force de sollicitations et d'insistance. Finalement, grâce au commissaire Blandin, qui connaissait ses qualités d'enquêteur, il avait été intégré avec le grade d'inspecteur principal. Il faut dire qu'après la guerre les recrues solides et expérimentées n'étaient pas légion.

De son expérience militaire, Victor avait gardé un souvenir lancinant et amer. Parti, comme beaucoup de ses condisciples, dans l'enthousiasme, sa flamme s'était progressivement amenuisée jusqu'à l'extinction. Certains des assauts qu'il avait dû mener lui avaient laissé dans la bouche un goût de sang et de cendre, et dans le cœur un sentiment de culpabilité qui lui vrillait l'âme. La perte toujours plus lourde d'hommes courageux et dociles, le sens de plus en plus abscons des ordres qu'il recevait, les conditions de plus en plus effroyables d'un quotidien

insoutenable et fétide, l'avaient amené progressivement à haïr cette guerre qui n'en finissait pas.
D'une certaine manière, sa blessure l'avait apaisé.
Au moins ne sortirait-il pas indemne de cet enfer.
Au moins pouvait-il déposer sa responsabilité d'officier. Lorsqu'il avait été décoré de la Légion d'honneur pendant sa convalescence, Victor n'avait pas
éprouvé la fierté attendue. On le récompensait pour
son courage, mais que valait un courage qui avait
entraîné tant de morts, tant de souffrances inutiles
et absurdes ?

On pouvait s'offusquer de la violence du tueur
de la rue des Moulins, mais cette violence, ne
l'avait-on pas rendue légitime pendant quatre
ans ? Fallait-il s'étonner que certains, plus pertur-
bés ou plus enclins que d'autres, continuassent à
la pratiquer sans état d'âme ? Quelle différence y
avait-il, objectivement, entre le couteau de l'assassin
et la baïonnette du soldat ? Lorsque ces sombres
pensées l'assaillaient, Victor tentait de les chasser
d'un revers de main, mais il savait qu'il lui faudrait, un jour ou l'autre, les affronter résolument
parce qu'elles entreraient nécessairement en col-
lision avec ses propres choix. Pour l'instant, il les
renvoyait à plus tard et elles allaient se nicher dans
un coin sombre de son existence.

Maximilien Dubosc était beaucoup plus jeune
que Victor. Il avait passé avec succès le concours
de recrutement et suivi la formation de l'École de
police en accéléré. Ainsi se retrouvait-il brigadier à
tout juste vingt ans, fier comme Artaban de travailler au Quai des Orfèvres et animé d'une ardeur que
Victor, à qui il vouait une admiration sans bornes,
avait parfois du mal à canaliser. Le couple « Victor
et Max » faisait fureur à la Criminelle. Max, c'était

les jambes et la célérité. Victor, c'était l'observation des faits et l'art de l'induction ; Max le feu follet, Victor le fin limier. Cependant, certains vieux enquêteurs du 36 n'avaient pas vu d'un très bon œil le retour de Victor, considérant qu'un handicapé n'avait pas sa place dans la police. Quant à Max, sa jeunesse en faisait la cible des quolibets, mais surtout des critiques, dès qu'il commettait un impair. Or, dans sa précipitation, il faut bien dire que Max était souvent maladroit. Le commissaire Blandin avait été clair : Victor et Max devaient obtenir des résultats s'ils voulaient conserver leur place et tenir la dragée haute aux nombreux prétendants qui la briguaient.

Sur un plan personnel, les deux policiers ne jouaient pas dans la même cour. Max, fils de paysan et fier de ses origines, menait une vie de célibataire, remettant à plus tard le projet de fonder une famille. Pour l'instant, il papillonnait joyeusement, ne s'attachait à personne et vivait au jour le jour dans un petit appartement au cœur de Belleville, entièrement dévoué à son métier et à sa passion : la course à pied. Il n'était pas rare, le dimanche matin, de le voir courir, léger et court vêtu, dans les allées des Buttes-Chaumont.

Victor Dessange avait une vie beaucoup plus compliquée. Issu d'une famille de notables, il était le dernier-né de la fratrie. Son père, en 1912, s'était opposé à son entrée dans la police, mais, devant l'obstination du garçon, il avait été contraint de céder. En récupérant son fils blessé, qu'il avait cru mort pendant des semaines, il avait espéré que celui-ci réviserait sa position et, puisqu'il avait fait son droit, accepterait de reprendre l'étude notariale, dans la famille depuis plusieurs générations.

Mais ce fut peine perdue. Victor fit des pieds et des mains pour réintégrer la police et entrer à la Brigade Criminelle. Jean Dessange rongeait son frein. Ses fils lui faisaient faux bond : Georges, l'aîné, était parti en Afrique comme administrateur des colonies de l'A.E.F. Devenu, après la guerre, commandant de district, grâce à l'appui de son camarade de lycée, Albert Sarraut, qui louvoyait dans les hautes sphères du Quai d'Orsay, il vivait au Moyen-Congo depuis une décennie. Charles avait été tué à Verdun. Edmond, le troisième fils, avait choisi la magistrature. Il ne lui restait plus que Victor, mais Victor n'en faisait qu'à sa tête. Veuf depuis une vingtaine d'années, Jean Dessange s'enfonçait dans une solitude que la guerre avait accrue et s'enfermait de plus en plus dans un monde révolu auquel il s'accrochait désespérément. S'il avait tenté sans succès d'interdire à Victor d'entrer dans la police, il avait cependant réussi, à la même époque, à le contraindre d'épouser Clémentine du Plessis, fille cadette d'une vieille famille d'aristo- crates propriétaires d'un vaste domaine dans la Somme, voisin du manoir que Jean Dessange tenait de son épouse, Anne d'Artois. Victor avait accepté, préférant privilégier son combat pour faire carrière dans la police et ne pouvant lutter sur deux fronts en même temps. Victor n'avait jamais aimé Clémentine, mais il l'épousa sans discuter. Lorsque Victor avait été mobilisé, Clémentine lui avait déjà donné un fils et attendait un deuxième enfant, qui naquit en février 1915, un fils égale- ment. Victor et sa famille vivaient rue Bonaparte, dans un vaste appartement, aménagé pour le jeune couple, au deuxième étage d'un bel hôtel particulier du XVIIIe qui faisait face aux Beaux-Arts de Paris.

Victor vivait ainsi au-dessus des bureaux de l'étude de son père, qui occupait le premier étage, alors que le domaine privé de celui-ci se trouvait au rez-de-chaussée. Mais l'essentiel pour Victor demeurait sa relation avec Marie, « la bâtarde » comme l'avait appelée Jean Dessange, qui ne l'avait jamais acceptée. Victor et Marie s'étaient connus à Paris lorsque Victor faisait son droit et menait une vie d'étudiant un peu bohème. Et cette relation n'avait jamais cessé. Marie était la fille illégitime d'une modeste couturière de la rue de la Roquette. Elle était gaie, spontanée, charnelle. Elle aimait danser, rire et chanter. Elle croquait la vie à pleines dents et ne s'encombrait d'aucun préjugé, d'aucun tabou. Elle aimait Victor. Elle l'aimerait toujours. Et personne n'y pouvait rien.

Jean Dessange avait dit à son fils : « Cette fille est de celles que l'on n'épouse pas. Amuse-toi avec elle tant que tu veux, mais tu épouseras Clémentine du Plessis. » Et Victor avait obtempéré. Pendant la guerre, Victor et Marie n'avaient fait qu'échanger quelques lettres vibrantes. Victor lui avait enjoint de faire sa vie de son côté sans l'attendre. À sa sortie de convalescence, il avait même tenté de rompre, mais sans y parvenir. La passion inépuisable que lui vouait Marie le bouleversait ; la nature nécessairement secrète de leur relation l'émoustillait. Alors, il utilisait toutes les ruses et tous les artifices pour mener une double vie dont il n'était pas très fier, mais qui – il devait bien l'admettre – le comblait : une épouse terne et sage pour s'occuper de ses deux fils qu'il adorait, une maîtresse qui l'idolâtrait, toujours disponible et prête à tous les compromis. Comme Marie habitait toujours chez sa mère, Victor avait loué une chambre d'étudiant

sous les toits d'un immeuble du Quartier latin et les
deux amants s'y retrouvaient chaque fois que Victor
parvenait à se libérer. Au fond de lui, il se doutait
bien que cet amour en pointillé ne pourrait pas
durer éternellement, que Marie en souffrait sans
le dire et qu'avec lui elle était en train de gâcher
sa vie. Mais il ne pouvait se résoudre à mettre fin
à cette situation qui, bien qu'elle fût immorale, lui
convenait parfaitement.

Max se doutait un peu que Victor se débattait
parfois dans des problèmes personnels plus inextri-
cables encore que les nœuds de leurs enquêtes. D'un
naturel discret, et fort de l'intuition que son supérieur ne supporterait pas d'en parler, il ne l'avait
jamais questionné. Dans les quelques moments
de détente qu'ils partageaient, Max laissait filer la
conversation sur des sujets anodins ou, plus fréquemment, respectait le silence qu'observait Victor,
mesurant au regard vague et soucieux que ce dernier déposait sur leur entourage l'intensité de ses
préoccupations. Victor considérait Max comme un
jeune chiot dont il fallait faire l'éducation et qui
avait tout à apprendre. Son comportement condescendant envers le jeune policier était cependant
modulé par une réelle affection naissante, une
confiance totale, et une vraie reconnaissance de
ses qualités et de ses capacités d'enquêteur. Victor
admettait que Max apprenait vite, très vite même,
presque aussi vite qu'il courait. En quelques mois,
il avait acquis auprès de lui un statut de collaborateur hors pair, capable, qui plus est, de pallier,
quand il le fallait, son handicap sans jamais y faire
allusion. Pour rien au monde, Victor n'aurait voulu
un autre assistant. Ce lien professionnel devenait
aussi, avec le temps, un lien personnel : Victor avait

présenté Max à Marie et ils partageaient tous les
trois, de temps à autre, des soirées amicales et
chaleureuses.

Max, professionnellement, ne jurait que par
Victor. Ainsi, inséparables et indissociables,
s'étaient-ils forgé une réputation de binôme auto-
suffisant, efficace sur le terrain, toujours plein
d'entrain et solidaire face à l'adversité. Le commissaire Blandin avait très vite compris le parti
qu'il pouvait tirer d'un tandem aussi bien assorti.
Il leur avait adjoint Hugues Chassaing, un policier
de la vieille école, passé maître dans l'art des procé-
dures, dans la rédaction des procès-verbaux et dans
la manipulation de toute la paperasse qui, dans
une enquête, restait incontournable. Chassaing
se vouait à la tâche avec passion, trop heureux
d'être dispensé du terrain qu'il détestait et jamais
aussi radieux que lorsque l'inspecteur Dessange lui
demandait une recherche a priori irréalisable en un
temps record. Amoureux des sommiers[1], des fiches
et des statistiques, familier des combles du Palais
de Justice, qui abritaient les services d'identification, il en connaissait par cœur les rayons pous-
siéreux et, dans cet univers de noms, de dates, de
chiffres, de mesures en tous genres, d'empreintes
et de photographies anthropométriques, se sentait
comme un poisson dans l'eau. Victor et Max lui en
étaient reconnaissants, usaient et abusaient de ses
compétences et le remerciaient par de petites atten-
tions quotidiennes qui avaient pour effet de faire
de Chassaing, ce bureaucrate périmé et grincheux,

---

1. Sommiers : ensemble des fiches où la police enregistre
le nom et le signalement des personnes ayant fait l'objet de
condamnations ou de poursuites diverses.

un fonctionnaire enjoué et aimable comme il ne l'avait jamais été. Blandin, qui le connaissait depuis longtemps, n'en revenait pas et se félicitait tous les jours de cette association.

***

Lorsque Victor et Max rentrèrent au 36, il était déjà seize heures passées. Ils avaient laissé deux agents en surveillance rue des Moulins et emmené avec eux Irma la blonde, de plus en plus décomposée et terrifiée, et Marguerite Denis, toujours aussi hargneuse, arborant un air provocant qui ne trompait personne : elle avait peur. Les deux femmes furent mises en garde à vue et bouclées en cellule. Les deux corps étaient partis à la morgue avec les éléments recueillis sur les deux scènes de crime. Le reste des scellés avait été rapporté au Quai des Orfèvres. La perquisition de la Fleur blanche n'avait pas donné grand résultat : un petit sac de cent cinquante grammes de cocaïne planqué dans la chasse d'eau des cabinets du rez-de-chaussée, quelques centaines de francs cachés entre les draps de l'armoire à linge, deux prostituées travaillant sans carte, des signatures douteuses sur les registres. Globalement, il était clair que la maison close n'était pas tout à fait en règle. Mais, pour Victor, qui en avait vu bien d'autres à la Mondaine, ces irrégularités étaient sans grand intérêt. Surtout, aucune d'entre elles ne pouvait être mise en lien avec les deux crimes.

Victor demanda à Chassaing de recueillir toutes les informations possibles sur Irma, Apolline et Marguerite, ainsi que sur le propriétaire de la Fleur blanche, un certain Henri Massot, qu'il fallait

convoquer. Il remit également à Chassaing le petit
carnet noir en le priant de résoudre l'énigme qu'il
contenait. Celui-ci s'en empara comme d'un trésor.
Enfin un défi à sa mesure ! Ses yeux brillaient d'excitation. Victor décida de différer l'interrogatoire
des deux prostituées. Il avait autre chose en tête.

– Attends-moi deux minutes, Max. Je vais voir
Blandin et je reviens.

Le commissaire Blandin était à son bureau,
concentré sur un rapport qui semblait le laisser
perplexe. Victor l'interrompit avec vivacité :

– Patron, c'est qui le juge sur l'affaire de la rue
des Moulins ? On n'a vu personne de toute la journée ! C'est pas normal !

– Du calme, Dessange, et je vous ai dit cent fois
de ne pas m'appeler « patron ». Je ne tiens pas
un fonds de commerce ! Et vous n'êtes pas des
commis !

– Excusez-moi, commissaire.

– Votre affaire est un vrai nid de frelons, Dessange !
C'est Halmer qui était saisi à la première heure, mais
il a été immédiatement remplacé par Blanchot, qui
a repris le dossier.

– C'est quoi, cette embrouille, commissaire ?

– Exactement, vous avez le mot juste, Dessange,
une embrouille, et on va être pris dedans bien
comme il faut ! Halmer est un vieux routier, honnête et rigoureux. Blanchot vient d'arriver au Palais.
Il n'a aucune expérience de l'instruction et personne
ne le connaît. Il était juge de paix au fin fond de la
Bretagne et a été nommé juge d'instruction à Paris
par on ne sait quel miracle…

– Mais pourquoi ce changement ?

– Apparemment, l'ordre vient d'en haut : le
ministère des Affaires étrangères a fait pression sur

le ministère de l'Intérieur qui a fait pression sur le ministère de la Justice. Le ministre lui-même est intervenu pour que nous soyons chargés de l'enquête et pour que ce soit Blanchot qui soit saisi en tant que juge d'instruction.

– Bizarre, non ?

– Oh ! Pas si bizarre que ça, Dessange. N'oubliez pas qu'une des victimes est un diplomate chinois. Rien d'étonnant que le Quai d'Orsay s'en mêle. Mais pourquoi Blanchot, ça…

Et le commissaire fit la moue en moulinant avec ses bras pour mieux souligner la grande pétaudière dans laquelle son service allait devoir patauger. Victor s'apprêtait à sortir en pensant que tout cela ne présageait rien de bon. Sur le seuil de la porte, il se retourna et lança au commissaire :

– Bon, je vais passer au Palais rencontrer le juge Blanchot et lui communiquer les premiers éléments dont nous disposons. Je passerai à la morgue ensuite ; j'ai quelques questions à poser au légiste.

– Avant de partir, Dessange. Je viens de recevoir un rapport de la gendarmerie de Belleville. Ce rapport mentionne le décès d'une prostituée à la Moujol mardi dernier, tuée à coups de couteau. Comme ils n'ont trouvé aucune information ni sur la donzelle ni sur les conditions du meurtre, ils se sont contentés d'un rapport d'une demi-page. Ils ont envoyé le corps au cimetière de la Villette et ils ont classé l'affaire. C'est pas du beau travail, ça !

– Attendez, commissaire, une prostituée tuée à coups de couteau ! Mais il faut absolument regarder ça de plus près… Mardi… On était le 6… Ce serait donc un premier meurtre…

– N'allez pas trop vite, Dessange. Puisque vous allez voir le juge Blanchot, profitez-en pour lui demander l'autorisation d'exhumer le corps. Il y a peut-être un lien entre ce meurtre et les nôtres. Et ce n'est pas parce que la donzelle est une tapineuse inconnue de nos services que ça ne vaut pas le coup de creuser cette affaire. Mais attention, Dessange, avec le Chinois, on marche sur des œufs. Un tueur de putes, passe encore, mais un tueur de putes qui tue des diplomates...

Victor acquiesça et sortit en fermant délicatement la porte derrière lui, le rapport de la Moujol dans la main. Max remarqua aussitôt l'air préoccupé de son supérieur.

– Un problème, inspecteur ?

– Une tonne de problèmes à l'horizon, Max. En avant, on file d'abord au Palais. Je te raconte en chemin l'imbroglio dans lequel nous allons devoir barboter.

***

À l'hôtel de Bordeaux, dans la suite coloniale, Amédéo s'activait comme un malheureux pour arriver à boucler la valise du commandant Buringer. Lorsque enfin il y parvint, il hissa la valise sur son épaule et quitta la chambre d'hôtel en fredonnant.

Amédéo traversa la place de la Comédie sur laquelle donnait l'hôtel de Bordeaux, puis la place des Quinconces, et prit sur sa droite le cours des Pavés-des-Chaudrons. Arrivé sur le quai, il avisa un tramway sur le départ, grimpa sur le marchepied et se divertit de se sentir glisser sur les rails sans accrocs et de voir défiler sur les docks les charrettes à bras pleines de fruits et légumes en tous genres, les carrioles tirées par des chevaux, croulant sous le poids de leur cargaison de céréales et,

sur l'eau, les gabarres qui amenaient les tonneaux
de vin jusqu'aux entrepôts. Il était plus de dix-sept
heures. Les quais étaient bondés et animés d'une
foule bigarrée et hétéroclite. Parvenu au premier
bassin à flot, Amédéo sauta du tramway, la valise
toujours perchée sur son épaule, et se dirigea vers
la passerelle d'embarquement. L'*Afrique* avait belle
allure avec sa haute cheminée ceinte du pavillon de
la Compagnie de navigation des chargeurs réunis :
cinq étoiles écarlates, symbolisant les cinq conti-
nents, sur fond blanc. Ses deux mâts dressés vers
le ciel lui donnaient une silhouette fière et élancée. À bord, on commençait à se bousculer. Les
cent quatre-vingt-douze tirailleurs sénégalais, enfin
libérés, tout à la joie de rentrer chez eux, se pres-
saient à l'entrepont. Les laptots[1] les bombardaient
de questions et s'extasiaient sur leur uniforme.
Sur le pont supérieur, les dames avec ombrelle et
les messieurs en costume conversaient gaiement
et, de temps à autre, envoyaient un signe d'adieu
avec leur mouchoir de batiste à leurs proches restés
à quai. Soudain, le brouhaha s'intensifia : mon-
seigneur Jalaber, entouré de ses dix-sept prêtres
missionnaires, se présentait à l'embarquement et
franchissait la passerelle en bénissant les membres
de l'équipage qui s'empressaient à sa rencontre.

Le commandant Buringer était arrivé de bonne
heure sur le quai des Chaudrons. Il avait sollicité
le commandant de bord pour accéder au coffre
du paquebot et y déposer les deux cent mille
francs or qui lui avaient été remis par le Quai
d'Orsay pour financer le lancement du chantier à

---

1. Laptot : indigène employé comme homme de peine dans
les ports sénégalais.

Pointe-Noire. Ensuite, insensible au spectacle du
départ, il s'était retiré dans sa confortable cabine
de première classe et asticotait Gustave – son
autre boy – quant au rangement méticuleux des
affaires qu'il comptait utiliser pendant la traversée.
Gustave et Amédéo devaient rejoindre l'entrepont
pour la nuit, mais, étant au service d'un colon
important, ils avaient dans la journée tout loisir
d'aller et venir à leur guise, ce qui arrangeait bien
les affaires d'Amédéo.

Une fois à bord, celui-ci monta déposer la
valise dans la cabine du commandant Buringer
qui s'était assoupi. Il intima à Gustave de rester
dans la cabine au cas où le maître aurait besoin
de quelque chose et s'esquiva. Il descendit jusqu'au
gaillard d'avant et se faufila parmi l'équipage. Les
soutiers[1] étaient aux manœuvres et préparaient le
départ avec les chauffeurs de bord[2]. Trop occupés
à leur tâche, ils ne virent pas Amédéo se glisser
jusqu'aux cales à marchandises. L'homme repéra
une échelle et s'enfonça dans le ventre alourdi du
navire. Il savait que Buringer rapportait en Afrique
du matériel de construction et des outils pour le
futur chantier. Il n'avait pas été difficile de mêler
à ces caisses une série de cinq caissons remplis
d'armes et de munitions, avec l'aide de camarades
syndiqués employés au chemin de fer. Et c'était lui
qui était responsable de ce séditieux trésor pendant
la traversée. Il exhiba le cartouche de cuir qui lui
avait été remis à Paris et en extirpa un morceau
de papier qu'il déplia :

---

1. Soutier : matelot chargé, sur les bateaux à vapeur, de transporter le charbon des soutes vers la chaufferie.
2. Chauffeur de bord : matelot chargé du chargement des
chaudières en charbon sur les bateaux à vapeur.

723 YZ – 724 HM – 725 UX – 726 BR – 727 KW

Amédéo chercha les numéros codés en exami-
nant, colonne après colonne, chaque caisse embar-
quée. Enfin, il trouva les cinq précieux caissons.
Les anarchistes de Paris n'avaient pas failli. Tout
était là. À Dakar, ses comparses se chargeraient
de les mettre à l'abri. Le cœur d'Amédéo battait la
chamade. Ils allaient pouvoir mener à bien cette
insurrection ! Le rêve de liberté et d'indépendance
allait devenir réalité, et cette fois, c'étaient les
Blancs qui allaient souffrir, ils allaient ravaler leur
sentiment de supériorité et cesser de claironner
les vertus de leur prétendue civilisation ! Amédéo,
fort de ces convictions, remonta à l'air libre. Il
était si exalté qu'il ne vit pas le quartier-maître,
alerté par les soutiers, descendre en furie du pont
gaillard d'où il supervisait les marins chargés de
l'amarrage.

– Qu'est-ce que tu fous là, négro ? se mit-il à
hurler. Fiche le camp d'là ! On verrouille les panneaux de cales et j'veux plus personne en fond
d'cale, compris ?

Amédéo ne demanda pas son reste. Avec une agilité qui fit pâlir d'envie les trois mousses qui avaient
assisté à la scène, il s'extirpa des cales juste au
moment où les matelots refermaient les panneaux,
franchit les soutes à charbon et remonta jusqu'à
l'entrepont. Il reprenait son souffle en contemplant
le quai du haut des bastingages quand il la vit.
Une belle femme blonde aux traits si fins qu'elle
paraissait d'une grande jeunesse, pourtant flanquée
de deux enfants, blonds comme elle, qui sautillaient à ses côtés. Elle avait replié son ombrelle et

franchissait la passerelle avec l'élégance et le port de tête d'une reine.

Madame Dessange, jeune épouse d'un puissant administrateur des colonies en Afrique équatoriale, était venue passer les fêtes de Noël avec sa famille en métropole. Elle rentrait à Brazzaville retrouver son mari et s'apprêtait à affronter un long périple avant de regagner la plantation du Bouenza qu'elle dirigeait de main de maître depuis son mariage. Madame Dessange, ravissante et consciente de l'être, était la dernière passagère. D'un œil protecteur, le commandant Le Dû la regarda gravir les marches de l'escalier métallique qui montait au pont supérieur. Les quatre cent soixante-cinq passagers étaient à bord. Les cent deux membres d'équipage étaient aux manœuvres, la cargaison était à l'abri dans les cales, le charbon emplissait les soutes, les machines ronflaient à la chauffe, il était dix-huit heures quarante-cinq. L'*Afrique* était prêt à appareiller. On procéda aux ultimes vérifications, largua les amarres, et à dix-neuf heures pétantes, le paquebot quittait les bassins de la Garonne et s'élançait à toute vapeur vers l'Atlantique.

***

Lorsque Victor et Max quittèrent le bureau du juge d'instruction, le découragement les menaçait. Le moins que l'on pût dire, c'était que le courant n'était pas passé entre les policiers et le magistrat. Et Victor savait d'expérience que cela n'allait pas faciliter l'enquête. En outre, le juge avait exigé de visiter les scènes des crimes, ce qui allait leur faire perdre un temps fou. Le rendez-vous était fixé au lendemain matin à neuf heures, rue des Moulins.

Quant à l'exhumation du corps de la prostituée de la Moujol, le juge entendait prendre connaissance du dossier de façon plus approfondie avant de donner la moindre autorisation.

En arpentant les couloirs du Palais, Victor se remémorait les qualités que son maître à penser, Faustin Hélie, considérait indispensables au juge d'instruction lorsque cette fonction avait été créée : « la connaissance des lois générales, la science du cœur humain, la sagacité de l'esprit, l'indépendance de caractère et l'activité corporelle[1] ». Autant de qualités dont Blanchot était totalement dépourvu et qui correspondaient davantage, selon lui, à l'idée qu'il se faisait d'un bon policier. Max, à ses côtés, restaient silencieux. Le juge Blanchot lui avait paru obséquieux, imbu de sa personne, incompétent et physiquement repoussant.

Jules Blanchot, âgé de quarante-sept ans, avait épousé sur le tard la fille du conseiller d'État, Lucie Astier de Valière, de dix ans sa cadette, mais qui n'avait jamais trouvé l'âme sœur en raison d'un physique difforme provoqué par une poliomyélite contractée dans l'enfance. Trop heureux de dénicher enfin un prétendant pour sa fille, monsieur le conseiller d'État n'avait pas été très regardant sur les qualités et les défauts du futur mari. Une fois le mariage consommé, il s'était évertué à soigner la carrière de son gendre et sa position lui avait permis de le faire entrer à l'instruction à Paris.

Victor passa un bras autour des épaules de son adjoint.

---

1. Faustin Hélie (1799-1884), magistrat criminaliste et jurisconsulte, auteur d'un *Traité de l'instruction criminelle* (1866).

– T'en fais pas, Max, il va bien falloir faire avec. De toute façon, épais comme il est, il ne pourra pas nous suivre. On ne l'aura pas dans nos basques, va…

– « Épais » ! Mais c'est un euphémisme ! Tu veux dire obèse ! Et c'est pas dans les tranchées qu'il a pris tout ce gras, crois-moi !

Les deux hommes descendirent le grand escalier qui donnait sur la salle des pas perdus, qu'ils traversèrent rapidement. La foulée tordue et saccadée de Victor prenait des proportions grotesques lorsqu'il voulait marcher vite. Il lui fallait lancer sa jambe sur le côté avec force, si bien que celui qui marchait à sa gauche risquait de violents coups dans les tibias. Max en avait éprouvé la douleur à plusieurs reprises, accompagnée des invectives de Victor, furieux contre lui-même et contre cette jambe qu'il ne parvenait pas à maîtriser, mais reportant sur sa victime toute sa rage. Désormais au fait du problème, Max se positionna à droite de Victor dès la première foulée, ce que Victor ne manqua pas de remarquer :

– Oh ! Mais il fait des progrès, l'gamin !

Ils traversèrent le boulevard du Palais pour se rendre quai de l'Archevêché. La morgue de Paris, nouvellement intitulée Institut médico-légal[1], offrait sa façade incongrue de temple grec aux passants et aux curieux. Le chantier d'un nouveau bâtiment mieux adapté quai de la Rapée, commencé en 1913, avait pris du retard en raison de la guerre

---

1. L'IML de Paris, 2 place Mazza, le long du quai de la Rapée (12ᵉ), a été inauguré en 1923, dix ans après l'ouverture du chantier. En 1920, la morgue de Paris est encore située sur l'île de la Cité, quai de l'Archevêché.

et, sans doute aussi, d'un manque de motivation des urbanistes.

Victor et Max furent accueillis par le docteur Gemeley, médecin légiste, qui les fit entrer dans la salle d'autopsie. Les deux cadavres de la rue des Moulins, recouverts d'une toile grise qui les rendait identiques, étaient étendus côte à côte sur les hautes tables en pierre réservées aux autopsies. Léon Gemeley connaissait bien Victor et lui portait une affection toute paternelle. Il avait pendant plusieurs mois dirigé un hôpital de campagne qui se trouvait juste à l'arrière de la ligne de front dont Victor était l'officier responsable. Il avait pu mesurer la grande attention que Victor portait à ses hommes, qu'ils fussent vivants, blessés ou morts, et ils avaient partagé de nombreuses indignations sur le déroulement des opérations. Ancien collaborateur d'Alphonse Bertillon[1], il aimait discuter de l'application des méthodes d'identification des cadavres et se passionnait pour les nouvelles découvertes qui ne cessaient de faire évoluer cette science si méconnue et si approximative lorsqu'il avait commencé sa carrière.

– Voilà les deux corps, messieurs. Blessures identiques. Cause de la mort identique. Aucun doute, c'est le même tueur. Les victimes ont été homicidées successivement. Le Chinois en premier, la demoiselle en second. La mort de la première victime a dû survenir vers deux heures du matin, celle de la seconde, peu après, si l'on tient compte du lieu de sa découverte. Sur chaque corps, seize coups de couteau, portés en diagonale de façon

---

1. Alphonse Bertillon (1853-1914), criminologue français, fondateur du premier laboratoire de police d'identification criminelle et initiateur de l'anthropométrie judiciaire.

totalement symétrique. Un seul coup mortel, le même pour les deux victimes, un coup en plein cœur. C'est exactement le même schéma. Du grand art, aucun organe vital touché à part le cœur. Une différence cependant : le sexe de l'homme est mutilé de façon surprenante, comme si on avait voulu s'acharner sur ce bout de chair pour en faire de la bouillie. On n'a pas du tout cela sur la victime féminine, le sexe est indemne. Aucune blessure et aucune trace de viol.

– Tout cela corrobore les constatations de votre technicien ce matin.

– Oui, un très bon technicien, Lantier. Il pourra me remplacer sans mal lorsque je prendrai ma retraite.

Max observait avec circonspection les corps inertes abandonnés sur les tables de pierre. Ses oreilles bourdonnaient. La sueur perlait à son front. Max ne comprenait pas pourquoi il restait imperturbable sur les scènes de crime, même les plus atroces, alors que, dès qu'il entrait à la morgue, il ressentait un malaise de plus en plus intense à chaque visite. L'odeur du formol peut-être, ou celle de l'eau de Javel…

Victor discutait toujours avec le légiste.

– Pensez-vous, docteur, que le criminel puisse être un tueur en série ?

– Difficile à dire, mon ami. Quelqu'un habitué à tuer, sans doute, et à tuer au couteau… Un ancien légionnaire, un chasseur, je ne sais pas. On en saura plus après les autopsies. Il faut m'accorder juste quarante-huit heures.

– D'accord, merci, docteur. Ah ! Une dernière chose : nous sommes sur le point d'exhumer un corps au cimetière de la Villette, une autre prostituée

tuée à coups de couteau. Une victime inconnue et qui n'a pu être identifiée. Dès que la levée du corps sera possible, on vous l'envoie. Vous pourriez nous être d'une aide précieuse pour faire le lien entre ces trois meurtres.

Le docteur Gemeley allait acquiescer lorsqu'un bruit sourd résonna sur le carrelage. Les deux hommes se précipitèrent : Max était tombé dans les pommes ! Transporté évanoui dans le bureau du légiste, il fut installé sur un vieux fauteuil en osier. Après quelques claques bien senties et un peu d'eau sur la figure, Max revint à lui.

– Eh bien, jeune homme, il va falloir s'endurcir ! le taquina le docteur Gemeley.

Victor jeta un œil sur la pendule accrochée au mur. Il était presque vingt heures. Ils étaient sur les dents depuis cinq heures ce matin et n'avaient même pas pris le temps de manger. Victor s'écria :

– C'est surtout d'inanition qu'il est tombé, mon pauvre Max... Allez, viens, je vais t'offrir un bon dîner, et ça nous permettra de faire le point.

Chapitre 4

Les fées vertes

Victor était installé à la terrasse du café Le Brébant, boulevard Poissonnière. En ce samedi 10 janvier, la soirée s'annonçait paisible. Le soleil avait brillé toute la journée, et malgré le froid qui mordait le nez et les oreilles, une foule pimpante arpentait les boulevards doucement éclairés par les réverbères imperturbablement alignés, comme les gardiens d'un monde suranné et insouciant.

Le Brébant affichait salle comble, et Victor percevait le brouhaha piqueté d'éclats de rire et de voix comme l'accompagnement tonique d'une musique intérieure lancinante et triste. C'était toujours ainsi lorsque Victor attendait Marie. Le poids sur sa poitrine ne s'allégeait qu'à son arrivée. En contemplant l'animation désuète du boulevard, il se demandait quel secret, quel mystère se blottissait au cœur de chacune de ces vies ; quel regret, quel remords cohabitaient avec la conscience de chacune de ces silhouettes fugitives et anonymes qui constituaient un petit échantillon d'humanité au même titre que lui, pauvres humains égarés dans la vie.

La journée avait été frustrante. Victor, Max et Chassaing s'étaient épuisés à donner un sens aux inscriptions du carnet noir. Ils avaient essayé toutes les combinaisons possibles et proposé mille interprétations, mais aucune hypothèse n'avait paru satisfaisante. Le pauvre Chassaing y perdait son grec et son latin. Victor et Max l'avaient laissé en fin d'après-midi, estimant qu'ils ne faisaient que tourner en rond. Chassaing, têtu comme une teigne, était prêt à y passer la nuit, et son dimanche s'il le fallait. Il avait vu partir les deux inspecteurs avec soulagement. Trop vifs et trop vite découragés, inutilement excédés, chacun dans son style et en décalé, ils le gênaient plus qu'autre chose et l'empê-chaient de se concentrer. Et puis Chassaing n'aimait jamais rien tant que l'étage de la Criminelle vide et silencieux, la nuit ou les jours chômés. C'était là, dans la pénombre, éclairé seulement par sa petite lampe champignon sur son bureau, entouré des dossiers en cours, imprégné de l'odeur rance du bois usé des lambris mêlée à la poussière et aux relents de tabac froid, qu'il pouvait se délecter des objets et des signes insolites qui donnaient les clés des énigmes. C'était là que Chassaing se sentait utile et performant.

Victor contemplait la fantasmagorie du boule-vard Poissonnière et son œil s'arrêta sur la colonne Morris, entre deux arbres, juste en face de lui. Les affiches publicitaires proliféraient dans Paris. Victor, en observateur pertinent, pouvait y déceler une frénésie un peu absurde, une boulimie d'objets, de boissons, d'aliments, qui cherchait à combler infructueusement le vide d'existences broyées par le deuil, la souffrance et l'inquiétude.

Et soudain Marie fut là, étincelante, insolite, rayonnante, une bouffée de fraîcheur et de gaieté, une promesse de vie, de chaleur et d'amour.

– Ben, mon Victor ! Qu'est-ce que tu fais tout seul dehors ? Tu vas prendre froid ! Viens donc à l'intérieur, mon cœur, j'ai plein de choses à te raconter...

Victor souriait béatement et dévisageait Marie, s'imprégnait de son odeur, un mélange d'eau de Cologne et de chair douce délicatement poudrée, se délectait de la finesse de sa taille, de la rondeur de ses hanches sous le manteau vert bouteille, de la finesse de son cou à peine perceptible sous l'écharpe de grosse laine vert menthe, de la rousseur de ses boucles qui entouraient son visage et s'échappaient effrontément de son petit chapeau cloche d'un vert doux et soyeux, posé légèrement de travers à la manière coquine. Il salivait à l'avance à la vue de ses lèvres framboise, qui promettaient une douceur pulpeuse, frêles remparts d'une bouche chaude et savoureuse, au doux parfum de réglisse. Le petit nez en trompette, les joues pleines et veloutées, les yeux vert d'eau en amande, tout en Marie le faisait fondre de désir. Et, plus que tout, son sourire et les deux fossettes qu'il creusait subtilement, ce sourire qui venait de la bouche et des yeux, du cœur sûrement plus encore, qui illuminait son visage et le monde, ce sourire le bouleversait. Pour lui, Victor était prêt à braver tous les interdits, à s'abaisser à tous les mensonges, à assumer toutes les contradictions. Pour lui, rien que pour lui, Victor aurait donné sa vie.

– Allez, Victor, secoue-toi ! Embrasse-moi d'abord. T'as l'air tout chafouin...

Victor se leva, prit Marie dans ses bras et l'embrassa longuement. Puis il saisit sa pinte de bière et les deux amants entrèrent dans le café.

Installés un peu en retrait pour éviter le bruit assourdissant des conversations, Victor et Marie, face à face, leurs deux visages penchés au-dessus de leur bière jusqu'à presque se toucher, échangeaient leurs murmures amoureux sans se préoccuper du monde autour d'eux, habiles dans cet art propre à tous les amants du monde de s'isoler et de ne voir plus qu'eux. Mais les autres les voyaient, telles ces deux femmes assises au comptoir, usées et amères, affaissées devant leur verre d'absinthe, dont le vert pernicieux se reflétait dans les prunelles de leur regard envieux – bien sûr, officiellement, on eût dit que c'était de l'Anis-Pernod.

Marie, de temps à autre, picorait dans l'assiette de charcuterie posée sur la table et dévorait avec gourmandise la tranche de saucisson et le corni-chon qui semblaient la combler d'aise. La regarder manger était toujours pour Victor un ravissement. Elle mangeait comme elle vivait : dans la joie et l'extase, la curiosité et l'empathie. Elle s'émerveillait de tout et n'avait peur de rien : une saveur nouvelle, un inconnu, un projet, une idée, un rêve, tout était sujet d'enthousiasme. Déçue parfois par la rugosité de la réalité, elle rebondissait toujours. Même les enquêtes souvent sordides de Victor étaient pré-texte à éblouissement. Après avoir écouté le récit édulcoré qu'il lui fit des trois derniers jours qu'il venait de vivre, elle considéra l'enquête qu'il devait diriger comme passionnante, s'extasia sur l'habileté avec laquelle Max avait découvert le carnet noir et le passage secret, et s'émut de l'acharnement iné-puisable de Chassaing.

– Tu te rends compte, s'était-elle exclamée, ce policier en fin de carrière qui se donne autant de mal et se bat avec ces chiffres incompréhensibles, comme un beau diable ! Non, il est admirable, cet homme. Oh ! Une enquête dans une maison close de luxe ! Un Chinois assassiné dans un lit

Renaissance en plein Paris ! Fascinant ! C'est fascinant, mon cœur !

– Bon ! Et si tu arrêtais de t'extasier et me racontais tes histoires à toi, répliqua Victor. Tu m'as dit en arrivant que tu avais plein de choses à me dire, alors je t'écoute...

Marie reprit une tranche de saucisson, qu'elle accompagna d'une gorgée de bière, et se lécha les lèvres avec gourmandise.

– Oh, mon Victor ! Il m'arrive un truc inespéré. Même moi, je n'y aurais jamais cru. Et pourtant, tu m'connais : je laisse entrer tous les rêves. Tu me le reproches assez parfois !

– Tu m'intrigues, va droit au but !

Victor prit son mouchoir pour essuyer une petite goutte de bière qui perlait sur le menton de Marie. Elle esquiva le geste, s'essuya elle-même et prit un air de conspiratrice :

– Écoute-moi bien ! Ce que je vais te dire est incroyable, mais c'est la vérité. Tu ne vas pas en croire tes oreilles !

– Marie, s'il te plaît !

– Oh ! Il faut bien que je ménage mes effets ! reprit-elle d'un air mutin. Je n'ai jamais rien d'intéressant à raconter dans ma petite vie terne et banale, tandis que toi, tu vis toujours des situations extraordinaires. Cette fois, c'est mon tour ! Figure-toi que nous avons eu une visite exceptionnelle à l'atelier ce matin. Tu sais que pendant la guerre je travaillais déjà aux ateliers de la Belle Jardinière, rue Didot, pour fabriquer les uniformes des soldats ?

– Oui, je sais bien. Tu m'envoyais même des caleçons que tu fabriquais toi-même en douce.

– Exactement. Tu te souviens de l'histoire de Marinette, la femme de l'atelier qui a perdu sa main sur la machine à découpe. Tu te souviens que je me suis occupée d'elle et que je l'ai hébergée pendant quelques semaines. Je n'avais plus jamais eu de ses nouvelles. Et voilà que ce matin débarque à l'atelier un grand gaillard en beau manteau de laine kaki, avec un chapeau et des gants. Moi, j'croyais qu'c'était un client ou un chef de magasin. J'étais sur ma machine à surjeter et j'chômais pas pa'ce que l'samedi, si on veut finir à quatre heures, faut pas traîner ! Et voilà qu'la surveillante vient m'voir et me dit de faire une pause parce qu'un certain monsieur David Pachkine veut m'parler. J'te l'donne en mille ! Le beau monsieur, c'était l'mari de Marinette ! Il m'a emmenée prendre un café au bistrot en face du 56. Il travaille au Sentier, où il a un atelier et un magasin, et il cherche une garnisseuse un peu expérimentée dans l'usage des machines à coudre. Il me paye à l'heure et j'peux travailler à domicile quand j'veux. Il m'a dit qu'il me devait bien ça : sans moi, Marinette, elle aurait pas t'nu l'coup. Et Marinette lui a dit qu'avec du fil et une aiguille, j'étais une vraie fée… Tu t'rends compte, mon Victor, quitter l'atelier-usine de la rue Didot ! Ne plus vivre ces journées infernales et ne plus entendre toutes ces machines et le roulement d'leurs crécelles de fer !

Victor prit la main de Marie et y déposa un baiser.

– Je suis content pour toi, Marie. Tu as bien mérité ça. Mais tu sais, le travail au Sentier, ce sera sans doute dur aussi.

– Oui, je sais bien. Il faudra suivre le rythme. Mais c'est différent. On est une petite équipe, et puis, on participera à la création des modèles, c'est fabuleux ! On fait même du sur-mesure, tu comprends, et y a un magasin et un salon pour les essayages des clientes ! J'suis tellement contente ! Même ma mère qui râle toujours a trouvé que c'était une chance inespérée. Et c'est vrai, qui sait ? J'pourrai p't-êt'un jour créer mes propres modèles ! David m'a dit que si j'voulais, j'pourrais vraiment prendre toute ma place chez lui, qu'il avait besoin d'une couturière inventive, jeune et dynamique. C'est c'que j'suis, non ? Inventive, jeune et dynamique !

Victor éclata de rire.

– Oui, bien sûr, Marie Dupin, vous êtes tout ce qu'il y a de plus dynamique... Mais dis-moi, tu l'appelles déjà par son prénom, ton monsieur Pachkine ?

– C'est lui qui veut. Tu sais, il est juif et immigré. Il vient de Russie. Je ne savais pas que Marinette avait épousé un Juif russe. Elle était seule et sans famille quand on travaillait ensemble. Elle me consolait quand j'avais trop d'chagrin en lisant tes lettres. Et lui, toute sa famille a été massacrée, par là-bas, dans la grande Russie, près de Saint... Paul, non, Saint-Pierrebourg...

– Saint-Pétersbourg.

– Oui, c'est ça, Saint-Pétersbourg... Alors il dit que sa maison, ça doit être une grande famille et qu'on doit tous s'entraider. Moi, j'suis d'accord.

Victor souriait et regardait Marie avec tendresse. Il aurait tant aimé avoir son enthousiasme, qui ne faiblissait pas malgré les années et les épreuves. Mais tout lui semblait parfois tellement lourd à porter, tout lui offrait une telle résistance... Les êtres et les choses, dans la réalité quotidienne, étaient si peu malléables. C'était un peu comme sa jambe

gauche : pour un mouvement aussi simple que
celui de faire un pas, il lui fallait dégager une telle
énergie, tenir compte de l'exacte nature du sol, de
la position des autres autour de lui, et la moindre
erreur pouvait entraîner sa chute. Pour le dossier
de la rue des Moulins, c'était pareil, il fallait anticiper et prendre en compte tous les paramètres,
et la première erreur entraînerait sa perte. Pour
sa vie d'homme, c'était encore la même chose, en
peut-être pire : combien de temps parviendrait-il
à jongler entre sa maîtresse et son épouse, entre
Marie et Clémentine ? Comment faisaient-ils, Max
et Marie, pour donner l'impression que tous les
efforts qu'ils faisaient étaient faciles, pour ne pas,
comme lui, ressentir l'usure… Marie, tout à coup,
tapa sur la table :

– Dis donc, Victor, c'est à quelle heure, la séance ?
J'veux rien rater, faut pas être en retard.

Victor revint à la réalité et prit une dernière gorgée de bière.

– C'est maintenant. Faut y aller !

Ils avaient prévu de passer leur soirée au cinéma,
un divertissement dont raffolait Marie. Victor était
plus indifférent, mais il voulait lui faire plaisir, et
la perspective de la nuit d'amour qu'il allait ensuite
vivre avec elle le comblait. S'il s'ennuyait, il rêverait
aux délicieuses caresses qu'il comptait bien dispen-
ser. Il serait toujours temps demain de revenir à
ses obligations familiales. Clémentine le pensait à
une partie de chasse dans la Somme, il avait du
temps devant lui…

***

En ce soir du 10 janvier se tenait au deuxième étage du 12 rue de l'Isly une réunion très secrète, dont nul ne devait connaître ni les participants, ni l'ordre du jour. Dans le petit appartement qui servait de bureau à l'office de placement de l'Action française, les Camelots du roi organisaient de temps à autre des rencontres clandestines sur des sujets épineux. À vingt et une heures, les participants arrivèrent l'un après l'autre. Le commissaire des Camelots, Henri Trudaine, avait ouvert le local quelques minutes plus tôt, suivi de près par son adjoint, Étienne de Miserey. Eugène Crapot, fonctionnaire au ministère de l'Intérieur, chargé de la tenue des registres et du secrétariat d'accueil, essoufflé et livide, leur emboîta le pas. André Boulanger, employé administratif à la Sûreté, chargé de la mise à jour des fichiers des militants politiques, aussi blême et guindé que son homologue du ministère, entra précipitamment. Louis Dumesnil, agent de renseignement à l'étranger, arriva de conserve avec Albert Singer, agent de renseignement infiltré dans les milieux anarchistes et syndicalistes. L'appartement n'était pas chauffé la nuit et, par mesure de sécurité, Trudaine n'avait pas voulu allumer le poêle. Le froid humide qui régnait dans la pièce rehaussait la lividité des murs vert-de-gris et le dénuement de l'ensemble. Après de rapides et furtives salutations, tout le monde s'assit autour de la table en merisier. Chacun garda son chapeau et son manteau et resserra son écharpe autour du cou. L'atmosphère était plutôt glaciale, les visages crispés, les regards fuyants, les respirations sifflantes. Lorsque tous furent installés, Henri Trudaine prit la parole :

– Messieurs, je pense qu'il est évident pour vous tous qu'aucune publicité ne doit être faite à cette rencontre et que tout ce qui y sera dit et décidé relève de la plus stricte et impérative confidentialité.

Les cinq têtes opinèrent du chapeau sans broncher. Trudaine poursuivit :

– Aujourd'hui est entré en vigueur ce lamentable traité de Versailles qui ne peut que renforcer notre détermination à faire tomber la République, cette République qui a commis de lourdes fautes et accouche d'une paix manquée comme d'un enfant malingre, né de parents malportants. Je pense, messieurs, que nous sommes d'accord sur ce point qui constitue le fondement même de notre action.

Les cinq têtes autour de la table opinèrent à nouveau du chapeau, toujours sans émettre le moindre son. Trudaine continua :

– Concernant les observations que tu as faites, Albert, que proposes-tu ?

– Deux choses. D'abord, maintenir mon infiltration pour surveiller de près l'évolution des projets de grève et préparer en sous-main quelques coups de force pour semer la pagaille dans leurs rangs. Pour l'instant, je n'ai pas de souci, ma couverture est parfaite, et tout le monde me prend pour un syndicaliste convaincu. Ensuite, j'ai avec moi une liste de communistes étrangers entrés illégalement en France. Pour deux d'entre eux, j'ai déjà les adresses de leurs planques.

– Bien, dit Trudaine, transmets ta liste à Boulanger. André, tu t'en occupes ? Mais attention, bouche cousue sur ta source…

André Boulanger acquiesça avec une certaine condescendance, qui ne nuisait en rien à sa raideur naturelle :

– Pas de problème. Je transmets à Lesure. Ces deux-là seront arrêtés dès demain. Avec un peu de chance, ils seront plusieurs sur les planques. Sinon, pour les autres, j'attends qu'Albert me fournisse d'autres adresses.

Trudaine poursuivit :

– Bien. Je pense que ce premier point est clos. Nous pouvons passer au point suivant qui me tracasse : Eugène, peux-tu nous expliquer ce qui s'est passé lors de l'opération « Contre-Afrique » ?

Eugène Crapot, malgré le froid, transpirait. Des gouttes de sueur perlaient sur son front. Mal à l'aise et embarrassé, il s'exprima de façon si décousue et inintelligible que Boulanger prit rapidement le relais :

– En fait, l'opération s'est déroulée normalement. La cible a été éliminée. Nous avons payé l'individu chargé de cette élimination, et nous avons récupéré le message qui devait être transmis au passeur. Mais ces salauds ont réagi avec une rapidité surprenante. Non seulement ils ont trouvé un autre messager, mais ils ont aussi réussi à modifier les numéros de caisses. Et quand nous avons voulu intervenir à la gare d'Orléans, les caisses dont nous avions récupéré les numéros étaient bel et bien des caisses de matériel de construction. Elles contenaient des machines, des tuyauteries et des outils de toutes sortes. Aucune arme. Nous en avons été pour nos frais et, avec Eugène, nous sommes passés pour des rigolos auprès de la 1re brigade mobile que j'avais lancée sur l'affaire. Le problème, c'est qu'ils ne sont pas prêts à nous refaire confiance. Ils ont même traité Eugène d'abruti…

– Il faut dire, reprit Trudaine, que vous n'avez pas été brillants ! Vous avez éliminé une cible pour rien, vous avez payé un sbire pour rien, vous avez sollicité la 1re brigade pour rien ! Vous reconnaîtrez que cette opération est un véritable fiasco ! Pour le moment, je préfère vous laisser en retrait. Vos places à la Sûreté et au ministère de l'Intérieur restent intéressantes et susceptibles de nous rendre service, mais vous vous contenterez de servir de courroie de transmission. Rien de plus. Je ne vous veux plus sur le terrain.

Pendant que Trudaine assénait sa leçon aux deux fonctionnaires dépités et penauds, Félix Duveyrier était arrivé et s'était glissé discrètement à la table, entre Dumesnil et Singer.

– Ah ! s'exclama Trudaine, Duveyrier, c'est bien d'être venu. Nous allons devoir vous solliciter. Où en êtes-vous ?

– Bonsoir messieurs. Je vous remercie de m'accueillir dans votre cercle. J'avoue que je ne sais plus à quel saint me vouer ! J'ai déjeuné mardi dernier avec le ministre des Colonies et le gouverneur général de l'A.E.F. Pressés par le Quai d'Orsay, tous les deux ne démordent pas de la nécessité de lancer le chantier du chemin de fer entre Brazzaville et Pointe-Noire. Or le tracé de cette ligne me semble techniquement dangereux et irréalisable. Percer un tunnel dans le Mayombé et installer un chantier de cette envergure avec toute la logistique qui s'impose, en pleine forêt tropicale, sur un sol couvert de mousse, instable et marécageux, est une pure folie. Ils n'ont pas voulu m'entendre et ont paru très contrariés. Ils m'ont menacé de licenciement. Je me suis énervé et j'ai dit que dans ces conditions je démissionnerais.

– Mais, pour l'instant, répliqua Trudaine, il n'y
a rien d'officiel ? Quand comptez-vous repartir en
Afrique ?

– J'aurais dû partir à Bordeaux avec le commandant Buringer hier pour embarquer aujourd'hui.
Mais, au dernier moment, j'ai décidé de ne pas partir et j'ai sollicité votre appui par l'intermédiaire
d'Albert que je connais bien.

– Il faut partir, reprit Trudaine, nous allons avoir
besoin de vous là-bas. Notre position est la suivante : il faut que les colonies françaises d'Afrique
fassent la preuve de la capacité de la France à civi-
liser ces pays barbares et sauvages. Mais, avant de
lancer des chantiers pharaoniques dont la rentabilité reste très incertaine, il faut instaurer l'ordre.
Vous me suivez ?

– Tout à fait, monsieur, et je suis entièrement
de cet avis.

– La guerre que nous venons de vivre, continua
Trudaine, a totalement déséquilibré la situation dans
ces régions. En outre, dans le cadre de l'application
du traité de Versailles, nous récupérons certaines
colonies allemandes, le Cameroun en particulier.
Il va donc falloir renforcer nos positions et élargir notre champ d'action politique et économique.
Nous savons, de source sûre et grâce à un travail de
renseignement acharné, que des insurrections sont
en préparation au Sénégal et au Moyen-Congo. Au
Moyen-Congo, nous savons que le projet de chemin
de fer soutenu par le gouvernement renforce les
motivations des insurgés. Nous savons également
que des armes, fournies par les milieux révolutionnaires parisiens, sont clandestinement acheminées
en ce moment même, via le Sénégal, pour les insurgés. Notre tentative pour intercepter cette livraison

a échoué. Il serait donc essentiel que vous repartiez là-bas afin de mettre la main sur cet armement. Les cinq caisses ont été mélangées au chargement de matériel que le commandant Buringer apporte au Moyen-Congo pour lancer le chantier. Vous connaissez bien les lieux et les personnes, autant les administrateurs que les indigènes. Vous devriez pouvoir repérer ces armes et les instigateurs de la révolte. Buringer lui-même peut vous aider si vous obtenez le soutien des colons. Il n'a pas de véritable sympathie pour les compagnies concessionnaires qui participent au financement du projet. Il est certainement plus proche des petits propriétaires. Voyez ce qui vous semble le plus opportun. Peut-être, après tout, faut-il favoriser les révoltes pour empêcher le démarrage de la construction. Quelle serait selon vous la meilleure stratégie ?

Duveyrier, trop heureux de trouver un allié pour soutenir sa position face au chantier du Congo-Océan, prit quelques minutes pour répondre :

– Ce qui est certain, c'est que, armes ou pas armes, les indigènes vont se révolter, et ils seront soutenus indirectement par de nombreux colons qui ne veulent pas de ce chemin de fer et qui ne souhaitent pas que les choses changent au Moyen-Congo. Maintenant, on peut se poser la question : quels sont les intérêts que nous voulons servir : ceux des indigènes, ceux des colons, ceux de l'administration, ceux du ministère, ceux des compagnies concessionnaires ?

– Ceux de la France, répondit gravement Miserey, mais ceux de la France monarchique et souveraine, fière du rayonnement de sa culture et de la force de ses institutions, et non ceux d'une République insipide et corrompue, gouvernée par des individus avides qui ne pensent qu'à faire du profit.

– Fort bien, répondit Duveyrier, alors il me semble qu'il faut à tout prix contrecarrer les compagnies concessionnaires et, au risque d'affronter l'administration, tout faire pour empêcher le chantier. Cependant, il serait très imprudent de favoriser les insurrections des indigènes. Ce serait extrêmement dangereux pour l'ordre établi.

– J'entends bien, Duveyrier, mais comment faire alors ? demanda Trudaine.

– C'est simple. Ce sont les colons qu'il faut armer, les laisser embrigader les indigènes afin de les utiliser pour mener la lutte. Ce sont les colons, propriétaires des terres, qui sont le plus à même de faire pression sur le gouvernement. Ce sont eux qui connaissent les indigènes, qui ont l'habitude de les faire travailler et qui savent les amadouer quand il faut.

– Très bien. Cela me semble une stratégie cohérente. Alors, partez là-bas, récupérez les armes, armez les colons et voyez ce qu'il est possible de faire.

Félix Duveyrier resta silencieux, les yeux rivés sur le visage d'Henri Trudaine. Puis, comme s'il avait tout à coup pris une décision qui allait changer radicalement sa vie, il se leva, salua l'assistance d'une inclinaison de tête quasi militaire, et sortit. Henri Trudaine fit signe aux autres participants qu'il était temps pour eux de se retirer. L'appartement se vida et Trudaine resta en tête à tête avec Étienne de Miserey pour aborder le problème beaucoup plus léger de la préparation du congrès de mars. L'organisation d'un service d'ordre, il en faisait son affaire. Mais il avait également l'intention de mettre au point très rapidement une expédition de choc sur un des sites favoris des anarchistes révolution-naires. Il était temps de marquer le pas.

***

En ce dimanche 11 janvier 1920, l'atmosphère était singulièrement légère à l'hôtel des 56 Marches, même les murs avaient l'air guillerets. En réaction aux exigences toujours plus lourdes d'Albert Michaux, le propriétaire, Louison la Pierreuse avait décrété une journée de détente et décidé d'emmener les filles pique-niquer aux Buttes-Chaumont. Peu lui importaient les conséquences, se disait-elle, tout le monde avait besoin de respirer ! Il n'aurait qu'à rajouter la journée sur le compte de ses dettes ; comme elle n'arriverait jamais à les éponger, ça ne changerait pas grand-chose.

Félicie la Vieille préparait un panier de victuailles avec les dons de clients généreux : saucisson et pâté, œufs durs et pommes de terre, miche de pain frais, gaufres et pommes reinettes. Ces dames soignaient leur toilette, chapeaux et écharpes, voilettes et pochettes, tout un attirail que l'on tirait de la grande malle du fond du grenier. On riait aux éclats. On se lançait à la figure fichus, fanfreluches et colifichets. On chantait, on dansait la gigue ou la bourrée en se tenant les hanches. La journée promettait d'être joyeuse : oublier, le temps d'un dimanche, les sordides étreintes, les jours de disette, le dégoût, la fatigue, les frictions, les jalousies et toutes les petites mesquineries du quotidien de la Moujol.

Pierrot avait surgi pour se joindre à la fête. Mascotte de ces dames, il passait de bras en bras,

donnait son avis, nouait une bretelle, en dénouait
une autre, boutonnait une guimpe, délaçait un corset, essayait une chaussure, une capeline, un châle,
et faisait le beau devant l'unique miroir en pied,
piqué de taches noires et zébré d'une fêlure qui
le traversait de long en large. Les abatteuses[1] s'en
donnaient à cœur joie et habillaient Pierrot en fille,
tiraient sur ses boucles brunes, l'embrassaient, le
pinçaient et finalement s'écroulaient épuisées sur le
vieux canapé du grenier, dont les ressorts avaient
déchiré le velours vert Empire.

Louison, silencieuse et mélancolique, regardait
la scène en souriant. Pierrot, les cheveux en bataille,
la chemise débraillée et le souffle court, vint se
nicher sur ses genoux.

– Ça va, Louison ? T'as l'air toute triste.

– Ça va, bonhomme, ça va. En vous r'gardant, je
m'disais qu'ma vie était comme ce miroir : coupée
en deux, et comme pour l'miroir, le s'cond côté est
plein d'taches…

– Tu peux pas dire ça, Louison, pa'ce que moi,
j'suis dans le s'cond côté !

– T'as raison, Pierrot, et aujourd'hui, c'est fait
pour s'donner du bon temps ! Les filles ! Un peu
de nerf ! Dépêchez-vous ! Rangez-moi ces vieilles
nippes et sapez-vous comme il faut ! On y va !
Essayons de profiter un peu du soleil. Le ciel se
couvre et j'ai bien peur qu'il se mette à flotter avant
c'soir.

Tout ce petit monde se pressa pour quitter la
Moujol et se mit à marcher en file indienne pour

---

1. Abatteuse : prostituée travaillant dans une maison d'abattage, où l'on effectuait des passes en série pour le compte du
propriétaire.

descendre l'escalier. Les Buttes-Chaumont étaient situées à quelques encablures. La joyeuse troupe remonta la rue Mathurin-Moreau, traversa la rue Manin et entra dans le parc par la porte Secrétan. On se passait le panier, bien trop lourd pour ces frêles silhouettes. Les nuages s'amoncelaient dans le ciel, mais le soleil n'avait pas encore renoncé à la partie, et surtout, contrairement aux derniers jours, il faisait doux.

Nicette marchait en tête et glissa sur un pavé disjoint, manquant de tomber sur la chaussée. Pierrot la rattrapa de justesse. Elle réajusta son chapeau, une capeline d'ancienne mode, couverte de mousseline vert anis mangée par les mites, et couronnée de violettes en tissu liées en bouquet sur lequel était perché un oiseau en paille échevelée, fixé sur une éclipse cousue dans le chapeau. La capeline avait dû être belle, mais à présent elle était démodée et fanée. Sur la tête de Nicette, elle faisait l'effet d'une sorte d'emplâtre mousseux assez grotesque qui écrasait son petit visage de fouine. Pierrot éclata de rire.

– Y vaut l'détour, ton galurin, Nicette. On dirait un vieux haricot !

– Oh ! Pierrot, arrête de t'moquer !

Angèle et Léa s'approchèrent et bousculèrent Pierrot avec entrain :

– C'est tout c'qui sait faire, l'petiot ! Un gamin des rues qui charibote[1] et qui chaparde ! s'exclama Léa.

Rejoignant le trio, Albertine reprit en chantant :

Partout les petits sont nos frères
De tous nous sommes les amis ;

---

1. Chariboter : se moquer.

Notre cœur n'a pas de frontières
Entr'aidons-nous, soyons unis[1].

Le clan de la Moujol avait laissé sur sa droite le stade Bergeyre, sur lequel s'égaillaient deux équipes de football dont les joueurs s'entraînaient pour la Coupe de France et que Pierrot observait avec envie. On remonta l'allée principale du parc jusqu'au lac, dont l'eau, sous l'effet de la lumière et des nuages, se teintait d'un vert sauge, fripé par la caresse du vent.

Il faisait trop froid pour pique-niquer sur la pelouse, alors on monta jusqu'au chalet pour s'installer sur la terrasse, à l'abri du vent, sous un platane d'Orient. On dégusta avec entrain. La marche et la verdure avaient aiguisé les appétits. Louison la Pierreuse croqua dans une pomme et frissonna.

– J'vais marcher un peu pour m'chauffer. À rester assise, on s'refroidit tout d'même !

Il y avait peu de promeneurs, comme toujours en hiver. Pierrot, la bouche pleine, brandit sa gaufre et interpella Louison :

– Attends-moi ! J'voudrais aller sur l'île du Belvédère ! Qui vient avec nous ? Bande de paresseuses !

Mais ces dames préféraient chercher un pâle rayon de soleil, alanguies sur les chaises de bois.

Pierrot et Louison partirent ensemble, bras dessus, bras dessous.

– Pierrot, s'te plaît, m'envoie pas au bain. J'me bilote pour toi en c'moment. Tu disparais des jours entiers. Quand on t'interroge, tu fais des réponses vasouillardes en prenant des airs de conspirateur.

1. Extrait du dernier couplet de *L'Internationale des enfants*, Sébastien Faure.

J'aurais bien préféré qu'tu fasses l'apprenti chez l'Gros
Jacques, c'aurait été drôlement plus rassurant...

Pierrot resta silencieux.

– Tu pourrais m'dire c'que tu traficotes. Avant,
tu m'cramponnais tout l'temps. Mais là, j'vois plus
ta pomme. Qu'est-ce qui s'passe, mon rat ?

Pierrot tentait de cacher son embarras.

– Rien, Louison, y s'passe rien. J'me suis fait des
potes et j'ai plein de trucs à faire, alors j'ai plus
l'temps comme avant.

– J'veux pas qu'tu d'viennes un monte-en-l'air[1],
un vaurien bagarreur. J'veux pas qu'tu finisses au
trou ni dans la fange, comme nous autres. J'sais
bien que d'temps en temps, tu t'prives pas de cha-
parder sur les boulevards. T'es pas un chanceux,
mais si tu veux vraiment, tu peux t'en sortir. J'ai
promis à ta mère sur son lit d'mort de prendre
soin d'toi. Alors tu dois m'dire avec qui tu fricotes
et pour quoi faire !

– Louison, tu dois pas t'faire de mouron. Et
même qu'un d'mes potes, y m'apprend à lire. J'fais
rien d'mal, t'sais. J'bosse pour la liberté, Louison,
pour le bonheur d'nous autres, pa'ce qu'on est pas
des moins que rien, pour qu'tu sois plus dans la
mouise et que j'fasse plus la manche, tu piges ? J'ai
pas les pieds r'tournés[2], Louison, j'veux grandir et
apprendre.

– Tu m'fous encore plus les foies, Pierrot. Ces
mots-là, sont pas d'not'monde. Nous, on est faits
pour trimer, tu comprends, courber l'échine et dormir au poussier ! Tu dois pas l'oublier, sinon tu
finiras les pieds d'vant !

---

1. Monte-en-l'air : cambrioleur.
2. Avoir les pieds retournés : être paresseux.

Les yeux noirs de Louison lançaient des éclairs d'angoisse.

– Dans quoi tu t'es embarqué, p'tit ?

– J'peux rien t'dire, rien, nibergue[1]. C'est secret, « con-fi-den-tiel » y disent. Et c'turbin, y m'plaît ; tu dois m'faire confiance, Louison.

Louison et Pierrot étaient arrivés au pont des Suicidés. L'altière falaise du Belvédère les dominait de ses trente mètres de hauteur. Et tout en haut, posé comme un petit chapeau, comme une insolite coquetterie, le petit temple de Sibylle contemplait les mouettes et les goélands qui rivalisaient de loopings au-dessus de l'eau. Pierrot du haut du pont observait les oiseaux :

– Tu sais, Louison, ce que j'aimerais l'plus au monde ?

Louison resta silencieuse, perplexe.

– J'voudrais être un aviateur et m'balader dans l'ciel, libre comme l'air, comme ces oiseaux !

– Mais ces oiseaux, Pierrot, y sont pas libres ! Ils sont là pour décorer, pour plaire aux badauds ! R'garde là-bas, juste à côté, ce n'sont qu'des usines et des terrains vagues qui suintent la misère. Ta liberté, Pierrot, elle s'ra jamais qu'dans ta caboche ! Toi aussi, tu peux m'croire !

Soudain, l'œil averti de Louison fut attiré par une silhouette au bord du lac qui faisait de grands gestes et poussait de grands cris, mais restait trop éloignée pour qu'on pût l'entendre.

– Pierrot, regarde, c'est pas Félicie qui gueule ?

– Si, t'as raison ! Y doit s'passer que'que chose…

Louison et Pierrot s'élancèrent en courant sur l'autre rive du lac. Félicie était en pleurs.

---

1. Nibergue : rien de rien.

– C'est Albertine... c'est la catastrophe... elle a...

Louison s'approcha d'Albertine assise à la table, la tête dans les bras, secouée par de gros sanglots et les pieds déchaussés. Félicie se reprit :

– C'est quand elle a enlevé ses basques et qu'elle a mis ses pieds sur la table pour faire mine qu'elle s'la coulait douce... C'est là qu'j'ai vu les taches roses et même qu'y en a plein sur les paluches à l'intérieur. J'te fiche mon billet qu'elle a un pou-lain[1] sous l'bras !

Louison examina les plantes de pied et les paumes de main d'Albertine et la fixa intensément. Elle savait le calvaire qui attendait la jeune femme. Même si le médecin ne passait aux 56 Marches que rarement, il finirait bien par passer. De toute façon, il fallait la soigner. Retarder le traitement, c'était mettre sa vie en danger, même si le traitement... Et puis il fallait éviter la contamination... Les clients, elle s'en fichait un peu, sauf qu'un client conta-miné, c'était un client dangereux. Mais les filles, ses pauvres filles, qu'allaient-elles devenir si elles chopaient cette saleté de maladie !

Les filles s'étaient regroupées autour d'Albertine comme pour lui faire un rempart protecteur et ten-ter de la consoler. C'était compter sans Félicie, qui enfonça allègrement le couteau dans la plaie :

– Faites attention ! C'est la grande vérole ! Il est plus temps de baver des clignots[2] ! L'idiot qu'a infecté ta moniche, y doit bien avoir aussi l'arbalète en détresse et les balloches en andouillettes...

– Ça suffit, Félicie, tais-toi ! On a compris, s'exclama Louison.

---

1. Poulain : bubon syphilitique dans l'aine ou sous l'aisselle.
2. Baver des clignots : pleurer.

Pierrot retenait une irréductible envie de rire, un rire nerveux mais alimenté par le langage ordurier de Félicie. Sans comprendre clairement de quoi il s'agissait, il avait bien saisi que le problème d'Albertine était grave. Or, il aimait bien Albertine, moins que Nicette, mais suffisamment pour ressentir une tristesse sincère face à un mal qu'il pressentait menaçant pour tout le monde à la Moujol. Et Pierrot redoutait toujours qu'il arrivât malheur à Louison, à l'hôtel des 56 Marches, à ce petit monde déjà si misérable qui n'avait pas besoin d'épreuves supplémentaires et qui représentait à ses yeux le seul refuge affectif et apaisant, capable de l'aider à pallier une solitude qui engendrait bien des tourments.

Le soir tombait, les nuages s'étaient amoncelés et obscurcissaient le parc, diffusant une ombre épaisse et menaçante. Un vent violent s'était brusquement levé, arrachait les chapeaux et les fichus, projetait les tables et les chaises sur les pelouses, faisait plier et gémir les branches des arbres. Louison rassembla sa troupe, rechaussa Albertine et ramena tout le monde à la Moujol. Dans la cour, les tuiles des toits vétustes volaient dans un désordre insolite. On rentra précipitamment, l'échine courbée, les bras en protection devant les visages éraflés par les brindilles et la poussière qui tourbillonnaient. Tout fut remis dans la malle du grenier. Albertine se coucha, et Félicie lui fit une tisane. Demain, Louison irait chercher le docteur Favier. C'était comme à la guerre : après la bataille, on soignait les blessés qu'on avait envoyés au feu. Tout cela faisait partie de la triste condition humaine.

Chapitre 5

Rafales

Ce dimanche après-midi, au large de Rochefort, la tempête faisait rage. Cela faisait des heures que l'*Afrique* et son équipage se battaient contre des éléments déchaînés. Les matelots tentaient, sans succès, de limiter la montée des eaux dans la chaufferie, où les chaudières ne fournissaient plus une pression suffisante. Les deux remorqueurs de la marine nationale, trop légers et pas assez puissants, ne parvenaient pas à dépasser l'île d'Aix. Le paquebot *Le Ceylan*, appelé à l'aide, s'était dérouté pour rejoindre le sillage de l'*Afrique*, mais la mer était trop agitée, aucune manœuvre de remorquage n'était possible.

Sur le gaillard d'avant, le commandant Le Dû mesurait l'envergure de la catastrophe et l'imminence du danger. Il était dix-huit heures et la nuit était tombée. La dernière machine, celle de bâbord, s'arrêta par manque de pression. Le lieutenant Carlier arriva en trombe :

– Commandant, les chauffeurs ont de l'eau jusqu'au ventre, l'approvisionnement en charbon est devenu impossible !

– Alors, lieutenant, nous allons être obligés d'arrêter la dynamo.

– Mais, commandant, nous allons être plongés dans un noir total !

– Je sais bien, lieutenant. On va essayer de tenir un peu, mais ce sera incontournable : s'il n'y a plus d'énergie mécanique, il n'y aura plus d'énergie électrique. Préparez l'équipage. Nous allons dériver en priant le ciel que la dérive nous mène jusqu'à la côte sans rencontrer d'écueil.

Mais un choc violent secoua soudain le navire dans un fracas lugubre.

Le commandant Le Dû, impassible, penché sur sa carte marine éclairée par une lampe torche qu'il tenait à la main, s'adressa à son lieutenant d'une voix blanche :

– Je pense, lieutenant, que nous avons heurté par tribord le bateau-feu[1] de Rochebonne.

À peine avait-il fini sa phrase qu'un nouveau choc vint secouer le navire. Les deux officiers se cramponnèrent aux coursives, car l'*Afrique* continuait à se projeter contre le bateau-phare. Ballottée par les vagues, la coque buta et cogna pendant de longues minutes contre l'étrave. Des hurlements fusèrent dans le quartier des troisièmes classes. Une forte voie d'eau laissait passer des paquets de mer.

À minuit, le commandant Le Dû décida qu'il était temps de lancer les embarcations de sauvetage. Il y avait sept baleinières à bord et trois radeaux. Pour six cent deux personnes, ce n'était guère suffisant. De toute façon, les canots lancés à la mer étaient aussitôt engloutis.

---

1. Bateau-feu : bateau amarré en mer possédant plusieurs lanternes et qui sert de phare dans les endroits où l'état de la mer ne permet pas d'élever une construction.

C'est alors que l'*Afrique* commença à s'enfoncer dans les ondes. Il n'allait falloir que quelques minutes pour qu'il disparaisse dans les abîmes de l'océan. Sur le gaillard d'avant, cramponné à sa barre, le commandant Le Dû scrutait l'horizon sans rien voir, scellé à son bateau par devoir, par conviction et, au bout du compte, par amour et désir d'absolu, l'âme déjà absorbée par l'obscurité et les sens pétrifiés dans une immobilité de statue. Jusqu'à la fin, jusqu'à la dernière seconde, jusqu'au dernier millimètre cube d'air, il resta là, figure marmoréenne soumise à son destin, prêt à entrer dans la mystérieuse éternité des abysses.

Aux premières heures du lundi 12 janvier 1920, l'*Afrique* s'abîma en mer avec plus de cinq cent cinquante passagers à son bord et toute sa cargaison. Le navire s'immobilisa sur les fonds marins à quarante-sept mètres de profondeur.

Le Figaro, à l'instar de la presse nationale, consacrait l'essentiel de ses colonnes aux élections sénatoriales et dissertait sur l'élection dans la Meuse de Raymont Poincaré à la presque unanimité des suffrages alors qu'il n'était pas candidat – 742 voix sur 772 suffrages exprimés – et mentionnait cet événement comme un fait unique dans les annales parlementaires de la IIIe République ; ainsi le pays rendait-il hommage au chef du pouvoir exécutif. On s'abîmait ensuite dans des analyses politiques filandreuses sur cette situation censée passionner les lecteurs.

Ce n'était qu'en page 2, qui faisait la part belle aux résultats détaillés par secteur, qu'apparaissait dans la rubrique « Nouvelles diverses » un petit entrefilet de quatre lignes aux données inexactes, signalant un navire en difficulté au large des côtes de l'Atlantique :

« *Le paquebot* Afrique, *qui avait quitté Bordeaux avec 330 passagers, est signalé en détresse en haute mer. Il a demandé par radio des secours qui ont été envoyés.* »

Au moment de la parution du journal, il y avait plusieurs heures que le bateau avait sombré. Le drame, qui pourtant constituait la plus grande catastrophe maritime française, ne devait intéresser personne d'autre que les familles des naufragés et quelques habitants de la côte vendéenne, qui retrouveraient, au fil des semaines et des mois qui suivirent, des corps affreusement mutilés et impossibles à identifier, inhumés sans apprêt dans la fosse commune des villages concernés.

***

L'horloge de l'église Saint-Germain de Charonne indiquait six heures moins le quart. Il faisait encore nuit. Sur la place Saint-Blaise, le fourgon hippomobile de la police spéciale attendait fébrilement. Les deux fourgons cellulaires à moteur n'étaient pas disponibles. La BRGPA[1] battait le pavé avec impatience. Pierre Lesure, inspecteur de la 1re section de police spéciale, fumait nerveusement sa cigarette tandis que son collègue de la 3e section, Isidore Plumier, limait un ongle qu'il venait de casser. Tous deux surveillaient d'un œil anxieux

---

1. BRGPA : brigade de renseignements généraux de police administrative, chargée des « enquêtes administratives » à caractère urgent et confidentiel réclamées par le ministre de l'Intérieur ou par d'autres départements ministériels ; véritable police politique de la IIIe République.

la progression de la grande aiguille sur le cadran de l'horloge.

Le quartier s'animait progressivement. Sur les quais de la gare de Charonne, les ouvriers s'entassaient pour prendre le premier train de la ligne de la Petite Ceinture qui desservait les usines, les ateliers et les dépôts de Montreuil et de Vincennes. Sur la place, les retardataires s'engouffraient, le pas lourd et les épaules voûtées, dans le hall de la gare. Quelques femmes, au visage hâve et au teint cireux, coiffées de vieux fichus et vêtues de lainages usés, se mêlaient à la foule bourrue des hommes en attente. Le sifflet strident de la locomotive, émergeant du tunnel de Ménilmontant et arrivant en gare, fit sursauter la piétaille et se précipiter les attardés. À peine le train entra-t-il en gare, que les six coups de six heures retentirent à l'église. Le 5 h 55 avala son chargement humain et se pressa de repartir dans l'espoir de rattraper ses cinq minutes de retard.

Pierre Lesure et Isidore Plumier firent signe à leurs hommes, qui sortirent aussitôt, en rythme, du fourgon. Les chevaux piaffèrent. Le charron se cabra. Les policiers se répartirent en deux groupes. Lesure partit avec le premier vers la rue Florian. Plumier, avec le second, remonta la rue de Bagnolet. Les quelques passants qui traînaient se hâtèrent vers la gare pour attendre le train suivant. Les deux adresses transmises par Alfred Singer se situaient, sans surprise, dans le quartier de Charonne que la police avait tant de mal à surveiller.

Plumier s'arrêta devant le 142 rue de Bagnolet : une ancienne maison de vigneron dont les volets étaient hermétiquement fermés. Il posta ses hommes de chaque côté de l'escalier à double volée et s'attaqua de front à la porte centrale qui offrait un accès direct aux caves où les viticulteurs, autrefois, stockaient leur vin. D'un coup de pied assuré et puissant, il fit voler en éclats la porte en bois vermoulu. À l'intérieur, ce fut la débandade : hurlements, pas précipités, visages hagards, mais aucune fuite n'était possible. Il n'y avait pas d'autre issue, hormis un soupirail qui menait sur la rue des Balkans, mais si étroit et si grillagé que personne, même un enfant, n'eût pu l'emprunter. On malmena un peu les captifs avant de leur passer les menottes, pour le principe. Isidore Plumier fouilla rapidement et sans succès le rez-de-chaussée et le premier étage de la maison assurément vide, et ramena sa prise place Saint-Blaise : cinq hommes, étrangers et sans papiers, exhibant les mines rugueuses et revêches propres aux clandestins et conformes à l'idée qu'Isidore se faisait de révolutionnaires en cavale. Le coup de filet était réussi. Le tuyau de Singer était solide. Une fois n'est pas coutume, mais il fallait reconnaître que cette opération pouvait déboucher sur la mise au jour d'une filière intéressante, et ses chefs ne manqueraient pas de récompenser cette réussite.

Lesure avait eu moins de chance. La maison du 2 rue Florian était une petite bicoque d'ouvriers qui donnait par l'arrière directement sur les quais de la gare de Charonne. Deux des cinq lascars qui y étaient planqués s'étaient échappés par la fenêtre et s'étaient glissés sur la voie en remontant les rails au pas de course. Ils avaient ensuite disparu dans le tunnel. Trois autres, échappés par la même fenêtre, étaient entrés dans la gare, ressortis rue de Bagnolet, et avaient filé vers le cimetière de

Charonne, où les hommes de Lesure tentaient de les courser.

Lesure s'était précipité dans le petit cimetière contigu à l'église. Les trois fuyards fonçaient vers le mur qui en bornait l'extrémité nord. Deux d'entre eux passèrent lestement par-dessus. Le troisième, plus âgé et plus lourd, éprouvait quelques difficultés qui lui furent fatales. Pierre Lesure brandit son pistolet automatique, un Browning 1900, calibre 7,65, hurla sa sommation et tira une rafale de balles qui retentit comme le glas lugubre des trépassés. Le clandestin s'écroula au pied du mur sur une petite tombe anonyme, un peu en retrait des autres, et sur laquelle était gravée une inscription à peine lisible : « *Ci-gît l'inconnu de Charonne, massacré par l'inconscience et la folie des hommes. Paix à son âme* », comme une épitaphe faite pour lui. Mais les gardes mobiles ne prirent guère le temps de lire l'inscription funéraire ni de s'attarder sur la mort d'un inconnu. Le corps fut prestement enlevé pour être emporté rue des Saussaies. L'inspecteur Lesure était passablement contrarié d'avoir raté son coup de filet : quatre clandestins échappés sur cinq, cela faisait beaucoup trop. D'autant que Plumier avait, lui, la chance d'avoir réussi brillamment son affaire, sans avoir tiré un seul coup de feu et sans le moindre accroc. Lesure enrageait. On rentra en silence, les hommes et leurs prisonniers entassés dans le fourgon, Plumier et Lesure, confortablement installés dans la nouvelle limousine De Dion-Bouton à moteur V8, acquise tout récemment par la Sûreté. Lesure conduisait. Il avait bien exprimé l'idée de tenter de poursuivre en voiture les fugitifs, mais Plumier l'en avait dissuadé. Vu la configuration du quartier, ils risquaient de perdre un temps précieux. Mieux valait interroger les captifs le plus rapidement possible et faire le point en gardant la tête froide. On les pincerait plus tard. Ils ne perdaient rien pour attendre.

Après avoir franchi le mur du cimetière, Pierrot et Felipe avaient couru comme des antilopes poursuivies par un tigre dans le dédale des rues du quartier. L'idée de Pierrot était de remonter jusqu'à la station Place-des-Fêtes. Il ne se retourna pas pour vérifier s'ils étaient suivis. Il courait, le cœur battant la chamade. Arrivé au métro, Pierrot entraîna son compagnon dans le tunnel qui menait à la station fantôme. Là, les deux compères purent enfin souffler. Felipe, fils d'un paysan espagnol, avait quitté son pays à l'automne 1919 pour fuir la misère qui avait tué son père et sa mère. Réfugié à la Muse rouge et pris en affection par Fernand Jack, il errait de planque en planque, au gré des opportunités que dénichait l'anarchiste.

La maison de la rue Florian était celle d'un ouvrier des chemins de fer d'origine catalane, Pedro Ascaro, parti depuis peu dans le sud de la France. Fernand Jack était entré en relation avec lui par l'intermédiaire d'un certain José Carillo, employé comme contremaître fondeur dans une usine de Billancourt. Il gérait, avec l'aide de Pedro Ascaro, la logistique d'un complot contre la monarchie espagnole.

Ce fut donc tout naturellement que Pedro, après avoir réglé un an de loyer à son propriétaire avant son départ, avait proposé à Fernand de disposer de la maison de Charonne, qui présentait l'avantage de donner sur les quais de la gare et de permettre de s'échapper facilement en cas de coup dur.

Fernand avait aussitôt sauté sur l'opportunité et se servait de ce logement pour cacher les étrangers clandestins qui venaient à Paris pour fuir la répression dans leur propre pays ou pour s'associer aux mouvements révolutionnaires parisiens. La veille au soir, Fernand avait chargé Pierrot de guider le jeune Espagnol et de l'aider à s'installer.

Felipe et Pierrot s'étaient donc rencontrés à la Muse rouge dans la soirée du dimanche 11 janvier. Pierrot était arrivé pénétré de la tristesse causée par le pique-nique des Buttes-Chaumont et la tête pleine des rengaines d'Albertine et de l'image de son joli minois. Fernand lui avait présenté Felipe, âgé de dix-huit ans, orphelin comme lui, à peine plus grand que lui, doté du même sourire espiègle. Entre Pierrot et Felipe, le courant était immédiatement passé, un lien fraternel évident. Pierrot était aux anges : il avait trouvé un grand frère. Felipe était bien aise, dans ce pays inconnu, dans cette ville géante et tentaculaire, de ne plus être seul ; et son petit guide au regard malicieux lui plaisait bien. Accueillis sobrement par les trois autres clandestins qui résidaient là depuis quelques jours, ils s'étaient fait un thé qu'ils avaient bu à petites gorgées en se parlant par gestes, par regards et par silences pleins de confidences. Le français de Felipe était très approximatif. Pierrot ne parlait pas un mot d'espagnol, pourtant ils se comprenaient. Ils avaient dormi tête-bêche sur le matelas qu'on leur avait concédé, emportés dans leurs rêves par cette belle amitié toute neuve qui comblait avec bonheur leurs deux solitudes. Le réveil avait été pour le moins brutal, mais ils étaient tous deux experts en cavalcades et fuites bondissantes. Pierrot n'avait pas hésité longtemps à emmener Felipe dans son

antre secret, méconnu de tous et quasiment inaccessible. Ils y seraient en sécurité.

– Tu vois, ici, c'est mon coin secret, avait dit
Pierrot en désignant sa paillasse.

Felipe hocha la tête, mit l'index sur sa bouche et
répéta en roulant les « r » :

– Secrrret. *Siempre secreto, te lo prometo*[1].

Le silence dans la station fantôme était assourdissant. Felipe observait l'étrange espace avec
étonnement :

– *¿ Donde estamos aqui*[2] *?*

Pierrot n'était pas sûr d'avoir bien compris la
question, mais il se lança dans une tirade qu'il
mimait à grand renfort de pirouettes et de mou-
linets des bras. Felipe écoutait en souriant, c'était
si bon d'avoir quelqu'un qui lui parlait, et Pierrot
était si drôle, si vivant...

– Ici, Felipe, c'est l'royaume des gueux. Ici, j'suis
l'roi du monde, j'règne sur les rats, les araignées
et la vermine. J'commande aux va-nu-pieds, aux
meurt-de-faim, aux vagabonds. J'fais la nique au
Boulanger[3] qui met les âmes au four. J'bâfre quand
j'peux, j'fais la tortue[4] quand il faut. J'suis mon
propre maître et personne vient me chicaner !

Pierrot s'immobilisa et éclata de rire, un rire
sonore et contagieux qui gagna Felipe, secoué à son
tour de hoquets hilares. Lorsque Pierrot retrouva
son calme, il s'avisa qu'il avait faim et interrogea
Felipe en mimant la dégustation d'un sandwich et
en se frottant l'estomac :

– T'aurais pas la dalle ?

---

1. « Toujours secret, je te le promets. »
2. « On est où, là ? »
3. Boulanger : le diable.
4. Faire la tortue : jeûner.

– Si, si, répondit Felipe, *tengo mucha hambre*[1] !

Pierrot évalua les risques qu'il prenait en quittant son repaire. Il sortit sa montre à gousset, qui plongea Felipe dans une admiration sans bornes. Il était près de huit heures. Alors Pierrot décida d'aller à Montparnasse retrouver Lulu. Au moins, ils auraient du lait de chèvre, expliqua-t-il à Felipe, Blanchette les accueillerait gentiment. Ensuite, ils iraient rue Charlot. Avec un peu de chance, ils tomberaient sur Fernand. Il fallait le prévenir de ce qui s'était passé rue Florian. Felipe suivit Pierrot avec entrain, convaincu que Blanchette était une bonne âme qui allait leur servir un petit-déjeuner copieux...

***

Victor et Max s'étaient donné rendez-vous à huit heures le lundi 12 janvier au cimetière de la Villette. On allait procéder à l'exhumation du corps de Gabie.

Le juge Blanchot était arrivé et faisait les cent pas au milieu des tombes. L'opération ne lui plaisait guère. Faire tout ce foin pour une prostituée totalement inconnue des services de police et, qui plus est, sans aucune famille, c'était vraiment un comble, une lubie qui l'avait contraint à sortir du lit aux aurores. Mais il ne pouvait s'en prendre qu'à lui, puisque c'était lui qui, sous la pression de l'Intérieur et du Quai d'Orsay, avait signé l'autorisation. Il n'avait pas pris conscience, en portant sa belle signature sur le document officiel, qu'il devrait absolument être présent. Ulysse Frossart,

---

1. « J'ai très faim. »

son greffier, consultait sa liasse de paperasse et semblait prendre un malin plaisir à observer par en dessous la mauvaise humeur de son patron. Jules Blanchot gardait un souvenir amer de l'entrevue qu'il avait eue avec le secrétaire général du Quai d'Orsay, qui l'avait sermonné sur sa prétendue inertie : « Vous comprenez, Blanchot, avait-il péroré sur un ton odieusement condescendant, cette affaire doit être réglée le plus rapidement possible. Autorisez l'exhumation, voyons ! Un tueur de prostituées, c'est une aubaine facile à classer. Notre pauvre Li aura été malgré lui pris dans cette frénésie de meurtres. Tout cela est autant dans votre intérêt que dans le nôtre. Une fois l'affaire classée, nous pourrons enterrer cette regrettable histoire. »

Il en avait de bonnes, Jules Campion ! C'était déjà suffisamment énervant qu'ils portassent le même prénom, mais ce n'était pas lui qui devait assister à cette satanée exhumation ! Et qui pouvait savoir ce que le légiste allait trouver ! Ce que ces deux inspecteurs, insolents et ambitieux, allaient dénicher ! Elle n'était pas classée, l'affaire, tant s'en fallait ! Ça sentait l'embrouille à plein nez !

Tandis que le juge ruminait sa colère et que le greffier tripotait ses papiers pour se donner une contenance, Max discutait avec le gardien-fossoyeur du cimetière.

– Vous savez, expliquait le brave homme, c'est pas la première fois qu'on enterre une rabatteuse à la va-vite. Y en a plein dans l'quartier, elles ont vite fait d'avaler leur bul'tin d'naissance, elles ont pas la vie facile. Alors, ça rapplique au boul'vard des allongés plus souvent qu'à son tour ! Y a pas d'curé, pas d'chichis, pas d'fleurs, même pas d'mouchoir.

Juste, parfois, une aut'pauv'fille qui s'dit qu'elle finira aussi comme ça et qui s'en va avant qu'on ait fini d'remblayer.

– Mais vous signalez bien le décès à la police ? demanda Max.

– Oh non ! On laisse les tauliers s'en charger, y font c'qu'y veulent, pardi ! Des fois, y a même pas d'morticole[1] pour signer l'avis d'décès et on n'a pas toujours de nom...

– Alors vous notez quoi dans votre registre ?

Le gardien entra dans sa guérite et ressortit avec un gros livre noir qu'il ouvrit au hasard :

– Vous voyez, j'mets une croix. J'note la date et l'heure à laquelle j'ai enterré la p'tiote, et c'est tout. Quand elles sont encartées, c'est une autre histoire. Regardez là, la Gertrude, y a toute sa lignée, mais quand c'est pas l'cas, qu'est-ce que vous voulez qu'on mette ? On va pas inventer, 'pas ?

– Non, bien sûr, mais tout de même... un signalement... ce serait une bonne chose...

– Mais pour celle-là, inspecteur, y a l'gars Firmin qu'a voulu une fosse à part, et il a mis un bout d'bois avec un prénom d'ssus, « Gabie », j'crois bien. Vous la trouverez facilement, juste là derrière le p'tit arbuste.

– Bien, merci !

Max se retourna. Il avait entendu le pas de Victor, qu'on attendait pour procéder à l'ouverture de la fosse. Il se précipita vers son chef :

– Ah ! Vous voilà, inspecteur ! Je commençais à m'inquiéter et le juge Blanchot est en train d'éructer comme une machine à vapeur !

---

1. Morticole : médecin ayant la réputation de tuer ses malades, par l'usage, médecin constatant les décès.

Victor avait triste mine, le cheveu en bataille et les yeux cernés de quelqu'un qui n'a pas fermé l'œil de la nuit.

– Oh ! Vous, ça va pas, c'matin, inspecteur ! J'peux faire quelque chose ?

– Non, répondit Victor d'une voix caverneuse, je te raconterai plus tard.

Victor se tourna vers le fossoyeur :

– Allons-y ! Inutile de traîner.

– Y manque encore l'docteur, m'sieur, mais c'est comme vous voulez, c'est vous qui décidez.

– On commence. Le légiste arrive, je l'ai croisé en chemin. Monsieur le juge, c'est à vous !

Le juge Blanchot s'approcha et formula solennellement son ordre :

– Fossoyeur, procédez !

Le docteur Gemeley arpentait l'allée centrale de son pas de sénateur, le nez en l'air. Il semblait humer les relents du cimetière, dont les tombes alignées côte à côte exprimaient clairement la modeste condition de leurs occupants : ni caveau, ni épitaphe, ni marbre, juste une pierre de granit et un nom gravé avec deux dates, parfois seulement la date de décès parce que la date de naissance était sans doute inconnue, parfois juste un prénom, quelques fleurs desséchées ici ou là, une croix de temps en temps, des herbes sauvages, un peu partout entre les tombes, qui menaçaient d'envahir les allées mal dessinées, et quelques arbres tordus et racornis qui déployaient leurs branches nues et torves comme des bras arthritiques et malveillants.

Léon Gemeley n'aimait pas les exhumations. Il préférait l'atmosphère aseptisée et verdunisée de son laboratoire. Ici, il ne se sentait ni en sécurité ni en légitimité. Disséquer des corps qui venaient de

subir des violences immondes, c'était presque les
réparer, leur redonner un semblant de cohérence.
Il pouvait les manipuler avec délicatesse, découvrir
leurs secrets avec complicité, débusquer les traces
et les vices de leurs assaillants. Le grand livre de la
nature se déchiffre mieux encore sur les corps sans
vie. Exhumer un corps, c'était un acte qui le mettait
mal à l'aise, comme violer l'intimité d'un mort, sa
relation mystérieuse et inconnaissable avec la terre
à laquelle il revenait, avec l'univers dans lequel il
se diluait sans disparaître pour autant, avec l'idée
de Dieu dans laquelle il venait de se dissoudre ;
c'était un acte perturbant, plus insoutenable encore
depuis la mission qu'il avait dû remplir dans la
Somme, au cours de l'hiver 19, avant d'être démobilisé. Il lui avait fallu déterrer tous ces corps ense-
velis sur les champs de bataille et tenter à tout
prix de les identifier pour les rendre à leur famille.
Un travail de croque-mort et de charlatan dont il
n'était pas fier, mais il avait bien fallu obéir aux
ordres et les ordres étaient formels : pas de corps
sans identification. Alors on avait dû trafiquer les
cadavres...

Bien sûr, lorsque Léon Gemeley récupérerait
le cadavre de Gabie, allongé et offert sur la table
d'autopsie, il retrouverait aussitôt ses réflexes, la
précision des gestes, la minutie des incisions ; il
ne ferait plus qu'un avec le cadavre et mènerait
ses investigations comme s'il agissait sur lui-même.
Mais, pour l'heure, il regardait de loin le fossoyeur
enfouir sa pelle dans la terre encore meuble, et
chaque coup porté, chaque pelletée jetée en rafale
sur le bord de la fosse, le blessait et faisait remonter les horribles souvenirs de l'année passée qui le
hantaient sans relâche.

Victor s'avança jusqu'à lui et les deux hommes se
serrèrent la main, silencieux et taciturnes pour des
raisons bien différentes, mais réunis tous deux dans
la morosité de ce matin d'hiver, humide et gris.
Autour de la tombe, les cinq hommes se tenaient
debout, tête penchée, traits crispés. Enfin, le corps
apparut. Il n'avait même pas été mis dans une boîte.
La terre s'était incrustée dans chaque orifice et avait
uniformisé l'ensemble : une masse informe, terreuse
et poisseuse d'humidité. On le porta sur une civière
et la manœuvre mit au jour un visage, des cheveux,
des vêtements de pauvre texture et un torse enduit
d'un sang gris et terne, lacéré d'entailles ouvertes et
remplies de terre. Victor se pencha et commenta :

– Pauvre fille ! Ce qui est certain, c'est qu'elle
a été tuée à coups de couteau comme nos deux
autres cadavres. Gemeley, c'est à vous de jouer. Il
faut pouvoir démontrer qu'on a affaire au même
mode opératoire. Si c'est effectivement le cas, c'est
notre tueur !

***

De retour au 36 dans l'unique voiture de la
Brigade Criminelle, une Delaunay-Belleville de 1913
conduite par Victor, Max avait passé la matinée
au grenier au milieu des sommiers judiciaires en
compagnie de Louis, une « gueule cassée », un poilu
de la première heure dont le visage avait sauté sur
une mine en 1915, préposé à leur classement et à
leur mise à jour.

Louis n'avait plus ni bouche ni nez et portait
une espèce de masque en toile qui ne cachait qu'à
peine sa face massacrée. Il était le fils d'un inspecteur du 36 à la retraite. Par pitié ou solidarité, on

avait fait de lui le gardien des sommiers. Il pouvait ainsi rester camouflé dans l'ombre des archives, sans gêner personne. Mais Louis n'avait pas perdu son agilité d'esprit : il connaissait désormais parfaitement son domaine et fit gagner du temps à Max dans ses recherches.

Si Max était parti à la pêche aux renseignements un peu à l'aveuglette, ses investigations n'avaient pas été totalement infructueuses. Dans le registre parisien de la prostitution, il avait trouvé la fiche détaillée d'Irma la blonde et découvert qu'elle était la sœur de Violette. Louis dégota un petit dossier archivé sur les prostituées surveillées par la police municipale pour rabattage sauvage sur les boulevards, mais qui n'avaient ni carte ni fiche, n'ayant jamais été arrêtées, donc interrogées. La dénommée Violette y figurait, mais avait apparemment disparu des fiches de police et des trottoirs parisiens depuis environ un an.

Irma et Violette s'appelaient en réalité Alphonsine et Émilienne Bartomé, sœurs jumelles et filles de paysans, ouvriers agricoles dans le Gatinais. Irma avait d'abord été encartée à Parthenay, puis à Poitiers, et depuis l'armistice, à Paris. Au lupanar du Gaz, à Poitiers, Alphonsine avait noué une relation d'amitié avec une certaine Ophélie, nièce de la maîtresse de la Fleur blanche à Paris. La maison parisienne, ayant besoin de main-d'œuvre à la fin de la guerre, avait embauché les deux demoiselles, Ophélie et Irma.

Émilienne, plus rebelle et plus impertinente, voulait garder sa liberté. Lorsqu'elle rejoignit sa sœur, elle s'installa clandestinement à Paris et fréquenta les plus sombres arrondissements. Recherchée par la police, elle virevoltait de quartier en quartier et

de maison en maison. Insaisissable et incontrôlable, elle glissait entre les mailles des filets
qu'on lui tendait ; un vrai lièvre[1] qui échappait
à toutes les traques comme par miracle. La fiche
à son nom, Émilienne Bartomé, mentionnait son
nom de tapineuse, Violette, sa date de naissance,
connue grâce à Irma, le 12 avril 1898, son lieu de
naissance, mais sans aucun autre renseignement
précis et sans aucune interpellation. Le policier
qui avait rédigé la fiche, inspecteur à la Brigade
Mondaine, mentionnait seulement qu'elle passait
sans difficulté des maisons d'abattage les plus sordides aux maisons closes les plus cotées, qu'elle
changeait sans cesse d'apparence pour brouiller
les pistes et qu'elle avait certainement des accointances avec le milieu, qui l'aidait à se cacher et à
se volatiliser mystérieusement chaque fois que la
police parvenait à l'approcher. On pouvait deviner, en lisant la fiche, l'exaspération du policier
en filigrane.

Max serra Louis dans ses bras, redescendit d'un
étage et communiqua le fruit de ses recherches à
Victor. On sortit Irma de sa cellule et on procéda
à un nouvel interrogatoire. Il en découla peu de
choses. Irma affirmait en pleurant ne pas connaître
les planques de sa sœur ni ses relations. Elle reconnaissait cependant qu'elle l'accueillait parfois en
catimini à la Fleur blanche et la faisait passer par
le passage secret. Madame Denis ne devait surtout
pas être mise au courant de cette fredaine. Elle
risquerait de la jeter dehors et Irma ne pouvait pas
se permettre de perdre sa place. Elle pensait que
Violette vivait d'expédients. Elle-même lui donnait

---

1. Lièvre : prostituée rebelle.

toujours des friandises et quelques vêtements. C'était sa sœur tout de même !

Max, déçu du peu d'informations qu'ils avaient réussi à lui soutirer, la reconduisit dans sa cellule en bougonnant. Lorsqu'il revint, Victor s'écria :

– Eh Max, ne fais pas cette tête ! Nous avons appris des choses essentielles qui peuvent vraiment nous faire progresser.

– Ah bon ! Moi, j'vois pas quoi ! Irma n'a pas cédé d'un pouce et on n'a rien sur sa sœur !

– Si ! On a une information cruciale : Émilienne Bartomé, alias Violette, connaissait le passage secret de la Fleur blanche. Il faut donc que nous nous concentrions sur elle. C'est elle qui a fourni au tueur les éléments nécessaires pour planifier son crime.

– Mais on n'a aucune idée de l'endroit où elle peut se trouver... Vu ce que dit sa fiche, on risque d'avoir un mal fou à mettre la main dessus !

– Il faut réinterroger Irma autant de fois que nécessaire jusqu'à ce qu'elle nous donne un indice, une adresse, un nom, n'importe quoi, à partir duquel on pourra investiguer. Elle finira bien par craquer. Elle est à bout de nerfs et nous avons un levier pour la faire parler.

– Lequel ?

– La crainte qui la taraude que nous révélions à Marguerite Denis ses petites entrevues avec sa sœur et les petits larcins qui vont avec. Il suffit de la menacer de tout dire à la maquerelle et on obtiendra ce qu'on veut.

– D'accord ! On y retourne alors ?

– Pas tout de suite. On a tout le temps, sa garde à vue s'achève demain à seize heures. Laisse-la

mijoter un peu, que ce qu'on lui a dit fasse son chemin. Ensuite, on aura plus qu'à cueillir les infos...

Sur ces entrefaites, le garçon de courses du laboratoire vint leur apporter les résultats de l'analyse
du champagne : le vin contenait bien un sédatif
puissant à base de scopolamine, qui avait dû être
injecté avec une seringue à travers le bouchon,
avant même l'ouverture de la bouteille. Qui avait
pu procéder à cette opération ? Violette ? Irma ?
Marguerite Denis ? La cuisinière ? Un inconnu qui
se serait glissé dans les caves ? Le tueur lui-même ?
Aucune hypothèse ne paraissait plausible. Victor
réfléchissait. Max faisait les cent pas devant leur
bureau en se frottant le crâne. Finalement, Victor
asséna :

– Il n'y a qu'Irma qui a pu mettre le sédatif
dans le champagne. Irma est complice. Un point
de plus à éclaircir pendant le prochain interrogatoire. Et cette fois, on a de quoi l'inculper. Il
ne faut pas la lâcher. Elle nous mène en bateau
depuis le début... Et la seringue... Il faut retrouver
la seringue. Max, tu retournes rue des Moulins.
Quelque chose nous a forcément échappé. Fouille
tout à nouveau. Prends Rousseau avec toi et, surtout, fais les poubelles. Les poubelles, Max, toutes
les poubelles de la maison.

Max enfila son pardessus, mit sa casquette, et
en soufflant d'exaspération, Rousseau dans son
sillage, se précipita dans l'escalier. À ce moment-là,
Victor fut tiré de sa réflexion par un cri de victoire
lancé par Chassaing, plongé dans ses travaux à
l'autre bout de la pièce.

– Eh bien, Chassaing, que vous arrive-t-il ?
demanda Victor.

Ce dernier avait remonté ses lunettes sur son front et s'était éloigné de son bureau en s'étalant contre le dossier de sa chaise, la tête renversée en arrière et les bras en croix.

– Ça y est ! J'ai trouvé !

– Vous avez trouvé quoi, Chassaing ?

– Le code ! J'ai cassé le code ! Plus exactement, j'ai déchiffré les inscriptions du carnet noir. Donnez-moi un café, Victor, s'il vous plaît, et venez, je vais vous expliquer.

Victor n'en revenait pas. Selon lui, ces inscriptions étaient indéchiffrables. Il avait fait une croix dessus. Et Chassaing qui s'acharnait depuis trois jours, Chassaing qui avait passé le week-end sur le problème, Chassaing qui n'avait dormi que quelques heures sur une des banquettes inconfortables de la salle d'attente, Chassaing, le vieux Chassaing, le gratte-papier planqué, arrimé à sa paperasse et à ses procès-verbaux, était arrivé à ses fins et faisait la démonstration que détermination valait mieux qu'impatience !

Victor versa dans un gobelet en fer le café réchauffé qui stagnait dans la cafetière depuis le matin et l'apporta au policier, qui le but avec délectation sans paraître prendre garde au goût fatalement infect de son breuvage. Puis il se replongea dans ses notes et extirpa d'un tas de feuilles volantes griffonnées, couvertes de chiffres et de lettres en apparence dénués de sens, deux fiches qu'il posa sous les yeux de Victor. Celui-ci comprit qu'il lui fallait écouter avec patience l'exposé détaillé de son collègue. Il lui devait bien cela, même si la seule chose qui l'intéressait était le résultat, ne serait-ce que par reconnaissance de son investissement hors norme et de la pertinence de ses déductions.

Chassaing, comblé de l'attention que lui portait Victor, se lança :

– Voilà ! Nos recherches samedi après-midi n'ont rien donné, n'est-ce pas. Je les ai poursuivies un certain temps jusque tard dans la soirée sans plus de résultat. Je me suis dit alors que nous étions partis sur de mauvais présupposés. La disposition des lettres en deux colonnes nous avait totalement fourvoyés. Si je remettais en cause cette disposition et cessais de chercher une unité de sens dans la colonne de gauche à laquelle répondait une autre unité de sens dans la colonne de droite, un champ d'investigation tout autre s'offrait à moi. Je considérais alors que chaque ligne développait un sens continu, et que la disposition en colonne était totalement arbitraire, un piège supplémentaire qui n'était là que pour induire en erreur un éventuel lecteur indésirable. J'avais alors fait un premier pas qui me permettait d'envisager l'ensemble comme un seul texte chiffré par déplacement et substitution des lettres de l'alphabet, ce qui me faisait revenir à un chiffrement classique. Je n'avais plus qu'à trouver la clé permettant d'établir les correspondances. Après avoir essayé en vain les clés traditionnelles et connues précédemment utilisées par l'armée ou par le contre-espionnage, je me suis rendu à l'évidence : la ou les clés de notre satané chiffreur étaient aléatoires et personnalisées.

Victor interrompit Chassaing :

– Dans ce cas, elles étaient indécelables. Cela aurait dû vous décourager.

– Pas du tout, Victor. Aucun chiffrement n'est invincible. Il suffit d'être patient et de s'adapter à la forme d'esprit du chiffreur. Regardez les textes :

dans un premier temps, j'ai repéré la lettre qui revenait le plus souvent et j'en ai déduit qu'il s'agissait
d'un « e », la lettre la plus fréquente dans notre
langue. Ensuite, j'ai repéré les suites de lettres
qui se répétaient, et j'en ai déduit qu'il s'agissait à
chaque fois du même mot. J'avais déjà deux indices
qui allaient m'être très utiles.

L U N D I X V I I   **N O V N A N**

H R F T B X V I I   Q J S Q E Q

T E S L E V I V I E R

D Y K H Y S B   S B Y I

C I B L E L U C I E

O B J H Y H K O   B Y

R V E G L I S E   **S A I N T**

I J Y U H B F Y   K E B Q D

E A N N E X I X H   **D F**

Y E Q Q Y X I X X   D R

– Vous pouvez constater que la lettre la plus fréquente est le « Y », qui est la 25e lettre de l'alphabet.
Il faut penser à l'envers : quelle lettre dans notre
alphabet a un numéro qui, multiplié par x, donne
25 comme résultat ? Présupposant que cette lettre
était nécessairement un « E », j'ai pu vérifier mon
hypothèse :

E = 5^e lettre 5 x 5 = 25 = Y (25e lettre)

La clé était donc x5. Ensuite, je vous avouerai
que j'ai tâtonné un moment, car la clé n'est pas
constante. Notre chiffreur est un petit malin. Il m'a
fallu comprendre qu'elle changeait toutes les cinq
lettres et que donc il fallait chercher six clés. Au
cœur de la nuit dernière, j'avais trouvé les six clés :

– Vous m'avez perdu, là, Chassaing…, l'interrompit Victor.

– Et pourtant, il reste des difficultés supplémentaires : le problème des doublons et le problème des chiffres romains qu'il fallait repérer. Là, pas d'autre solution que d'y aller à tâtons en s'appuyant sur le texte qui s'éclairait partiellement ; cela m'a pris à nouveau un temps fou.

– Je suis admiratif, Chassaing, vraiment, je ne pensais pas que…

– Peu importe ce que vous pensiez, Victor, l'essentiel, n'est-ce pas, c'est le résultat. Voici le texte déchiffré :

LUNDI 17 NOV. NANTES. LEVIVIER. CIBLE LUCIE.
RV EGLISE SAINTE ANNE 19 H 500 F.
DIMANCHE 21 DECEMBRE. QIMPER. SYNDIC. CIBLE FARGET GARAGE RV GARE QUAI 1 16 H 500 F.
PARIS. SÛRETE. MARDI 6 JANVIER CIBLE LA MOUJOL
RELEVER CARTOUCHE
RV. HOTEL DU MIDI. 14 H 1000 F.
JEUDI 8 JANVIER. PARIS. FINANCES. CIBLE CHINOIS
PALAIS TROCADERO. MAXIMS. FLEUR BLANCHE RV HOTEL DU MIDI 9 JANVIER 12 H 1500 F

Chassaing tendit la feuille avec le texte au clair et conclut :

– En fonction de la configuration et des modalités du chiffrement, je dirais que le chiffreur est un ancien soldat, intelligent mais peu éduqué.

Son système est peu cohérent, ce qui le rend plus efficace d'ailleurs. Ce chiffrement est strictement personnel. Mais une question se pose : pourquoi s'être donné tant de mal pour chiffrer des informations qui ne sont destinées qu'à soi seul ? Et si elles sont destinées à d'autres, de qui s'agit-il ? Pour le contenu des messages, je vous laisse juge...

Victor relisait attentivement et mesurait, sans avoir encore tout saisi, l'importance des informations qui s'accumulaient au fil de sa lecture. Finalement, il leva les yeux et rencontra le regard de Chassaing, qui s'exclama :

– C'est du lourd, n'est-ce pas, mon p'tit gars !

– Oui, c'est certain, surenchérit Victor, du très lourd... Cela risque bien de nous mettre dans de beaux draps ! Bon ! Vous m'enfermez toutes vos notes et deux ou trois copies du texte dans un dossier que vous estampillez « TOP SECRET ». Pour l'instant, on ne dit rien à Blandin. Moi, j'examine ça de plus près et je vois avec Max par quel bout commencer. Mais on peut déjà être certain que c'est bien au tueur qu'appartenait ce carnet...

Chapitre 6

Convenable ?

Pierrot et Felipe n'avaient pas trouvé Lulu à Montparnasse. Alors Pierrot avait décidé de remonter aux fortifs[1], où il savait que Lulu vivait. Sa famille était installée dans les bidonvilles de la zone.

De Montparnasse à la porte de la Villette, Pierrot avait de quoi montrer à Felipe les splendeurs de Paris. L'Espagnol, toujours affamé mais vigoureux, écarquillait les yeux et se tordait le cou pour admirer la capitale. Les beaux immeubles, les statues, les fontaines et les monuments divers, sans perdre le rythme de l'allure soutenue de Pierrot.

Parvenus à la porte de la Villette, ils franchirent le boulevard Macdonald. Après les immeubles cossus des beaux quartiers du centre et l'effervescence populaire et commerçante des faubourgs, la zone, comme on l'appelait, parut à Felipe un marécage misérable et fangeux. La pluie tombée la veille avait transformé l'endroit en cloaque. Les enfants marchaient nu-pieds dans la boue qui se mêlait tristement à la crasse. La tempête avait démantelé les semblants de baraquements qui pullulaient, de plus en plus nombreux, entre le boulevard et le

---

1. Les fortifs : l'enceinte de Thiers fut construite entre 1840 et 1844 autour de Paris. Elle englobe la totalité de la capitale et elle est longue de 33 km. Elle fut détruite entre 1919 et 1929.

mur gris des fortifs déposait son ombre austère et
farouche sur cet univers de disgrâce et de dénuement. On avait bien essayé de reconstituer des abris
depuis le matin, mais tout semblait bancal, trempé
d'humidité, sale et insalubre. Felipe frissonna. Issu
de la campagne espagnole, il n'avait aucune expérience de la misère urbaine. Il contemplait le bour-
bier dans lequel Pierrot l'invitait à s'enfoncer en se
disant que jamais il n'accepterait de vivre une telle
déchéance.

– ¡ Y si hubiera un Dios, sería mejor que se inte-
rese por los pobres[1] ! s'exclama-t-il.

Pierrot emprunta ce qu'on aurait pu appeler une
allée, si la boue n'en avait pas totalement effacé les
bas-côtés. Ils arrivèrent sur un petit lopin, quelques
dizaines de mètres carrés à peine, au centre duquel
s'était effondrée une cabane de tôle et de bois. Une
femme en haillons, un tout petit enfant dans les
bras, donnait le sein, impassible et indifférente à la
désolation qui l'entourait. Pierrot s'approcha d'elle :

– Bonjour, Grâce, tu sais où est Lulu ?

La femme leva les yeux, sans même modifier une
once de sa posture, et répondit d'une voix fluette :

– Aux fortifs, il est allé faire brouter les chèvres.

Comme si l'effort qu'il lui avait fallu fournir pour
prononcer cette phrase l'avait épuisée, elle soupira
et fut subitement prise d'une quinte de toux sèche et
convulsive qui la contraignit à décrocher le bébé de
son sein, dont le mamelon apparut soudain, racorni
et brunâtre, comme la mamelle d'un très vieil animal attendant sa fin prochaine. Felipe détourna les
yeux. La quinte de toux s'apaisa. L'enfant reprit le

---

1. « S'il y avait un Dieu, il ferait mieux de s'intéresser aux
pauvres gens ! »

téton dans sa minuscule petite bouche, et Grâce
retrouva son impassible posture.

– Ça va aller, Grâce ? J'vais voir Lulu et on
revient après. On va essayer d'remonter ta cabane.
T'en fais pas.

Ils approchaient du grand fossé qui séparait la
zone du mur. Là, le sol était recouvert d'une herbe
malingre et chétive, mais la pente du fossé était
suffisamment raide pour ne pas avoir été piétinée.
Le glacis était resté à l'abri de la boue qui avait
envahi toute la zone plate et terreuse. Pierrot fit
de grands signes pour attirer l'attention de Lulu
qui rêvassait, assis sur le talus, tandis que ses trois
chèvres s'échinaient à brouter une herbe rare et
bien peu savoureuse. Au centre, en bas, plantée
devant une touffe bien verte, Blanchette mâchouil-
lait tranquillement. Elle leva la tête, intriguée par
les exclamations des garçons. Lulu l'appela. Elle
obéit aussitôt avec la dignité d'un domestique
anglais. Lulu saisit la timbale de fer qu'elle portait
autour du col et tira un peu de lait. Blanchette se
laissait faire avec une fière satisfaction. Pierrot prit
la timbale et la tendit à Felipe :

– Tiens, l'ami, te voilà admis dans le clan de la
zone !

Felipe pouffa de rire :

– Blanchette ! ¡ *Pensé que era una mujer*[1] !

Lulu et Pierrot partirent à leur tour d'un grand
éclat de rire sans avoir aucune idée de ce qu'avait
dit Felipe. Blanchette, elle-même, secoua la tête et
se mit à bégueter.

– Lulu, reprit Pierrot, faudrait r'monter, faut
r'construire la cabane pour la nuit. Ta mère peut

---

1. « Je croyais que c'était une femme ! »

pas rester comme ça, sans abri, avec le bébé et sa
toux de tubard... Et nous, on a des bricoles à faire
en bas. Faut qu'on s'magne.

Et les trois compères, après avoir réuni les
chèvres, partirent rejoindre Grâce, qu'ils retrouvèrent dans la même posture, mais entourée de
tous ses marmots : six bambins, entre trois et dix
ans, les sept survivants, avec Lulu, sur les douze
qu'elle avait mis au monde.

**

Aux abattoirs de la Villette, la tour carrée de
l'horloge sonna treize coups qui résonnèrent sur
toute l'esplanade. Le pâle soleil d'hiver, recouvert
d'une brume qui refusait de se lever, était haut dans
le ciel, prêt à amorcer sa lente descente à l'ouest
de la ville. Marchands, margoulins, commission-
naires, chevillards[1], éleveurs et mercantis[2] étaient
partis faire leurs comptes et s'étaient répartis dans
les cafés alentour. Le portefeuille rempli de billets
de banque, le gosier sec et la panse pressante, ils
s'attablaient en grande discussion, bien convaincus,
les uns et les autres, d'avoir fait affaire et profit.
Les négociations avaient été rudes, mais les bêtes
étaient belles ; on avait tapé dans la main avec
entrain. Au Pied de Mouton ou au Cochon d'Or, le
vin tiré au tonneau et la chair cuisinée en soupente
mettraient tout le monde en aise. Sur le marché et
sous la halle, on passait les jets d'eau et on lançait
les sceaux de désinfectant. On nettoyait la fontaine

---

1. Chevillard : boucher en gros, commissionnaire qui vend la
viande à la cheville aux bouchers détaillants.
2. Mercanti : commerçant, homme d'affaires, âpre au gain et
malhonnête.

aux lions de Nubie où venaient s'abreuver les bêtes à leur arrivée sur le marché, avant d'être attachées dans leur stalle, sous la halle, par le maître-placier, autoritaire et directif, coiffé de sa casquette et de sa blouse « bleu-Villette ». On balayait à grandes eaux. Tout devait être clinquant pour le marché suivant.

Dans les bouveries[1], on procédait aux abattages. Dans la cour de travail, les bouviers s'affairaient. Au centre de la cour, le maître-garçon, chef des bouviers, chaussé de gros sabots et vêtu de son grand tablier, vérifiait ses couteaux, qu'il portait à la ceinture. L'homme était costaud, râblé, large d'épaules et couvert de cicatrices jusque sur son crâne chauve. Les tabliers étaient maculés de sang et les garçons en avaient jusqu'aux coudes. On abattait depuis l'aube. Le dernier bœuf fut attaché par les cornes à l'anneau fixé au sol. Sur sa tête, le masque Burneau[2] l'empêchait de voir et le boulon en fer pénétrait déjà dans sa chair. Le tueur prit le merlin et frappa la bête entre les cornes, pile sur le boulon, qui fracassa le crâne. Il ne fallait pas rater son coup. Puis le deuxième garçon, genou au sol, maintint la bête et le troisième garçon lui passa un jonc dans la tête pour détruire les centres nerveux. Le bouvier l'égorgea et on éviscéra la carcasse. Le maître-garçon jonglait avec ses couteaux, faisait grincer les lames les unes contre les autres avant de les enfoncer dans la chair de l'animal abattu. Alors on porta la carcasse jusqu'à l'échaudoir. On

---

1. Bouverie : unité d'abattage composée d'une cour de travail où l'on tuait l'animal et d'un échaudoir où l'on suspendait sa carcasse.
2. Masque Burneau : masque qui empêchait l'animal de voir et qui comportait un boulon en fer au niveau du front pour renforcer l'impact du coup de merlin.

la suspendit par les jarrets avec les autres, sur une cheville enfoncée dans une grosse poutre en bois, et on la scia en deux.

Une procédure réglée comme du papier à musique, hiérarchisée jusque dans le montant des salaires et répétée autant de fois qu'il y avait de bœufs à abattre, des centaines, des milliers les jours de grand marché ; un rituel de sacrifice qui n'avait pas connu le moindre changement depuis le Moyen Âge, même si de nombreuses voix commençaient à s'élever pour le contester. Les temps changeaient. Les tueurs des bouveries n'avaient plus la même cote. On cherchait à mettre en place des moyens plus convenables pour abattre les bêtes. Mais la corporation rechignait, développait des stratégies de résistance. Pourtant, dans la bouverie 5, on utilisait déjà un pistolet pour endormir le bœuf avant de le tuer. Certains disaient que les abattoirs étaient vétustes et que le manque d'hygiène relevait du scandale et entraînait de lourdes pertes. Cela ne plaisait pas à tout le monde.

Après l'abattage, le chef bouvier pouvait prendre du repos jusqu'au marché suivant. Dans la cour de travail se précipitaient alors les pansiers, les boyautiers, les sanguins et les glandiers. Rien ne se perdait. Tout était à récupérer ; les abats, les intestins, le sang et les glandes. Et tout avait un prix. Firmin, le boyautier, ramassait son butin. C'était un ancien bouvier, devenu vieux, boiteux, bossu et bavard. Il vivait chichement à la Moujol et améliorait son ordinaire avec les morceaux de viande qu'on lui accordait en échange de son ramassage. Firmin, ce matin-là, discutait avec le pansier, un jeune apprenti bouvier qui étoffait ses fins de mois avec ce boulot supplémentaire.

– Dis donc, p'tit, il est drôlement coriace, le nouveau bouvier !

– T'sais comment qu'y s'appelle ?

– Eugène Frappier, mais au lurbeau[1], y disent
que c'est pas son vrai blase.

– Ah bon ! Et c'est quoi, son vrai blase ?

– J'sais pas. Y en a qui disent qu'il est là en
loucedé, qu'il a été mis par en haut, si tu vois c'que
j'veux dire. Pour sûr que j'préfère pas m'mettre dans
ses paluches ! Même qu'on dit que, quand il était
minot, c'était un apache, un vrai de vrai qu'y disent.

Les deux ouvriers retournèrent à leur tâche dans
un parfait silence : le bouvier quittait les abattoirs. Eugène Frappier n'était effectivement pas
son vrai nom. Zelinguen travaillait aux abattoirs
de la Villette deux jours par semaine, le lundi et le
vendredi, pour le grand marché de la semaine. Et
c'était un grand patron qui lui avait trouvé cette
couverture. Le nom, Eugène, ne lui plaisait guère.
Mais le boulot était convenable et exploitait bien ses
compétences, car il ne faisait guère de différence
entre tuer un homme et tuer un bœuf.

Zelinguen traversa le canal de l'Ourcq sur le
pont levant, passa devant la halle, la rotonde de
la criée, et se rendit au vestiaire, où il se doucha
et se changea. En sortant du vestiaire, il évita le
casernement des gardes républicains et le pavillon
d'octroi. Il ne craignait rien : il portait épinglé au
revers de sa veste la carte des abattoirs, mais il
préférait s'abstenir de toute rencontre importune.
Il savait son physique impressionnant. Il ne souhaitait pas qu'on mémorise sa silhouette, encore
moins son visage. Après quelques détours, il arriva

---

1. Lurbeau : bureau.

sur l'esplanade d'entrée, passa sous la tour carrée de l'horloge, entre les deux pavillons, et salua, en sortant, la statue monumentale de l'homme abattant un bœuf. Il ignora volontairement celle qui faisait le pendant, de l'autre côté de l'entrée, et qui représentait une femme menant un bœuf.

Zelinguen ne supportait les femmes qu'au lit, dévêtues et offertes. Hors de ces situations, il en faisait abstraction, elles n'entraient pas dans son champ de conscience. Même Violette, qu'il aimait bien et qui lui rendait de fiers services, n'existait un peu à ses yeux que dans sa dimension sexuelle. Il aimait ses seins, son cul, son sexe, ses bras, ses cheveux, sa bouche, uniquement pour en jouir. Et, lorsqu'elle lui rendait service, c'était toujours hors de sa vue. Elle faisait ce qu'il lui disait de faire, là où il le lui indiquait, point final. Une aubaine tout de même, cette Violette.

Zelinguen traversa la rue de Flandre pour se rendre, à quelques pas, au luxueux restaurant du Veau d'Or, qui n'était fréquenté que par le gratin des marchands. Albert Du Boïs (en réalité, il s'appelait Albert Dubois, mais il trouvait que Du Boïs faisait meilleur effet) dirigeait une grosse entreprise d'import-export. Il vendait et achetait tout. Lancé depuis peu dans le commerce de viande, il y faisait un profit somptueux, car la demande ne cessait de croître et les prix de monter. Sa position de chef de file sur le marché de la viande lui permettait de régner en maître sur les abattoirs de la Villette, où il faisait abattre son bétail avant de le faire transporter chez ses grossistes. Conscient que cette situation privilégiée ne durerait pas, lucide quant à l'état lamentable de vétusté des abattoirs et dans l'attente de l'éclatement d'un scandale imminent, il accumulait les bénéfices et guettait le moment où il serait opportun de se retirer discrètement.

Zelinguen entra et se dirigea tout droit vers le petit salon privé où l'attendait Du Boïs, confortablement installé sur un canapé, en train de lire son journal en sirotant un cognac fine champagne et en fumant un gros cigare après un repas copieux.

Zelinguen s'assit avant même que Du Boïs l'y eût invité.

– Faites comme chez vous, Frappier, ne vous gênez pas.

– J'y compte bien, m'sieur.

– Vous n'êtes vraiment pas quelqu'un de convenable, Frappier, mais je vais encore avoir besoin de vous. Cependant vous devez faire très attention, j'ai appris que la police enquête activement sur le meurtre de la Moujol. Ils ont obtenu la réouverture du dossier. Ils ne semblent pas avoir fait le lien avec les meurtres de la rue des Moulins, mais ça ne saurait tarder. Il ne faudrait pas qu'ils découvrent quoi que ce soit à votre sujet. Le Chinois d'accord, mais la fille de la Moujol, j'ai rien à voir là-dedans. C'est votre problème. Débrouillez-vous pour que votre nom ne sorte pas de leur besace. Ce serait très ennuyeux.

– Vous inquiétez pas, m'sieur. Ils pourront jamais m'calculer. Vous pouvez m'faire confiance. Ils trouveront p't-êt'un coupable, mais ce ne sera pas moi. Vous l'avez dit, je n'suis pas quelqu'un de convenable, mais j'suis compétent.

Du Boïs leva un sourcil et s'étonna :

– Vous allez leur servir un faux coupable, Frappier ?

– J'ai pas besoin d'fournir quoi qu'ce soit. Ils vont s'planter tout seuls, m'sieur. Croyez-moi, je tire bien mes ficelles. Ils m'auront pas.

– Très bien. Alors vous savez comme je suis généreux quand vous faites bien votre travail. Voici une nouvelle enveloppe. Mille francs. Vous en recevrez autant après, quand tout sera fini ; et là, vous disparaissez, où vous voulez, mais loin. Je ne veux plus vous voir, ni entendre parler de vous.

Du Boïs sortit une grande enveloppe jaune, épaisse et hermétiquement fermée. Il reprit :

– Là-dedans, vous trouverez votre avance et tous les renseignements nécessaires pour mener à bien notre projet. Faites-en bon usage. Je veux que tout soit réglé dans les huit jours. Huit jours, Frappier, pas un jour de plus.

– Et de qui s'agit-il cette fois, m'sieur ?

– Il s'agit de mon associé, Marcel Dupuis, célibataire et sans enfant. Je rachète ses parts pour une bouchée de pain à son frère, artiste peintre dénué d'ambition et ignare en affaires. Et le tour est joué. Je suis seul à la tête de mon entreprise. Le problème de la BIC étant sur le point de se régler, je n'ai plus besoin de vous et je suis seul maître à bord. On est d'accord, Frappier. Bien ! Rendez-vous lundi prochain, ici, à la même heure. Bonne fin de journée.

Zelinguen ne bougeait pas. Il avait pris l'enveloppe, qu'il avait soigneusement rangée dans la poche intérieure de son bourgeron, et avait réajusté son foulard autour de son cou de taureau. Mais il ne se levait pas et regardait Albert Du Boïs avec un flegme plein d'insolence.

– Eh bien, Frappier, qu'attendez-vous ? Vous ne voulez tout de même pas que je vienne tirer votre siège !

– J'vais y aller, m'sieur. Vous inquiétez pas. J'vais vous laisser. Mais avant, deux choses : mille francs pour votre associé, c'est pas assez. Moi, j'veux l'double. Un étranger que personne ne connaît, c'est pas compliqué, mais votre associé, là, c'est une autre histoire. Surtout qu'il faut qu'j'agisse alors que la police est à mes trousses. Alors, pour toutes ces raisons, ça fait deux mille francs de plus, quatre mille au total. Deuxio : j'suis pas vraiment sûr que vous n'ayez plus besoin d'moi après ça, justement parce que vous serez seul maître à bord. Vous aurez encore plus besoin d'moi. Les scandales, y vont écla- ter un peu partout, alors un bon chien de garde qui fait l'ménage proprement quand c'est besoin, c'est p't-êt'pas convenable, mais ça n'a pas d'prix. Tout d'façon, j'ai pas l'intention d'partir nulle part. Vous m'aurez dans les pattes jusqu'au bout d'vot'vie, m'sieur. On s'débarrasse pas comme ça d'un homme comme moi, on s'le garde gentiment ou...

— Ou quoi, Frappier ?

— Ou on l'supprime, m'sieur. Mais là, j'peux vous dire que ce s'ra pas facile ! Bonne soirée, m'sieur.

Zelinguen, un léger sourire aux lèvres, se leva len- tement, salua Du Boïs en inclinant la tête et quitta le Veau d'Or. Aussitôt Zelinguen parti, un homme maigre, au teint blafard, apparut comme sorti de nulle part et se glissa furtivement sur la banquette à côté de Du Boïs.

— Vous avez entendu, Chapier ?

— J'ai entendu, patron. Cet homme est coriace. Vous aurez du mal à vous en débarrasser.

— On y arrivera, Chapier, c'est juste une question de prix.

— Si vous l'dites, patron, si vous l'dites...

— Préparez tout pour la cession de parts. Quand le cas Dupuis sera réglé, il faudra faire vite et ne pas laisser traîner les choses : transférer immédiatement les parts de Dupuis dans la BIC, sur la Banque d'Indochine. La BIC va s'effondrer ; l'assassinat de Li a bien aggravé la situation. Le gouvernement chinois est en train de perdre confiance. La BIC a beau tenter de récolter des fonds pour rembourser les déposants en métropole, elle n'évitera pas la faillite. Je lui donne moins d'un an. Les investisseurs chinois vont se retrouver cul nu et se retourner contre leur gouvernement, qui n'a absolument pas les moyens de faire quoi que ce soit. Et le consortium se rétablira sans problème et sans compromission avec ce gouvernement chinois absolument pas fiable. En Indochine, Chapier, nous allons gagner des fortunes !

– C'est tout ce que j'souhaite, patron.

– Mais au fait, Chapier, ce pourrait être intéressant de l'envoyer en Indochine, Frappier. Et s'il devient incontrôlable, ce ne sera pas difficile de le faire disparaître, là-bas !

– Excellente idée, patron.

***

Au 36, quai des Orfèvres, la Criminelle était en effervescence. Max était revenu de la rue des Moulins avec la fameuse seringue qui avait servi au tueur – ou à son complice – pour trafiquer le champagne et engourdir ses victimes.

– Vous ne devinerez jamais où je l'ai trouvée, inspecteur !

– Appelle-moi Victor, Max ! Dans une poubelle, mais une poubelle bien cachée ?

– Pas du tout, inspec… euh ! Victor, dans le placard réfrigéré de la cuisine ! Au milieu des aliments frais, entre le beurre et le saumon !

– Le tueur s'est sans doute méfié. Il a pensé, à juste titre, que nous fouillerions les poubelles. Bien joué, Max. As-tu pu faire relever les empreintes ?

– Aucune empreinte, inspecteur. Pas la moindre trace. Lantier était avec moi. Il a tout de suite examiné la seringue de près. En revanche, il a emmené au labo la substance qui restait dedans, histoire de vérifier qu'on retrouve bien le même produit que celui détecté dans la bouteille de champagne.

– Bien. Et il faudra que Gemeley nous confirme la présence de ce même produit dans l'organisme des victimes. Nous devrions avoir les résultats des autopsies ce soir ou demain. Alors, si on fait le point, on a largement de quoi interroger notre Irma. Mais, avant cela, ce génie de Chassaing a réussi à déchiffrer le carnet noir.

– Formidable ! s'écria Max en se tournant vers Chassaing qui rosissait de contentement. J'vous écoute, inspecteur.

Victor regarda Max avec désespoir, soupira et choisit de passer outre et de s'attaquer à leur sujet :

– Voici le texte en clair.

Max se saisit du papier que Victor lui tendait et commença à lire avec attention en ponctuant sa lecture d'exclamations diverses :

– Ouf !… Ouahou… mince ! Aïe ! aïe ! aïe !… Ouh !

Puis il releva la tête, les yeux écarquillés :

– Ça fait mal, ça, inspecteur ! On n'est pas au bout de nos peines !

– Effectivement, brigadier. Reprenons les éléments un par un : notre idée de départ selon laquelle nous avions affaire à un tueur de prostituées, justicier moral s'en prenant aussi à leurs clients, est caduque. Nous sommes confrontés à un tueur à gages. Les sommes indiquées pour chaque crime sont claires. On doit donc mettre la main sur lui, bien sûr, mais aussi sur ses commanditaires, et c'est évidemment là que le grabuge s'annonce… Les deux premiers crimes ont eu lieu en Vendée et en Bretagne. Le premier à Nantes, commandité par un particulier nommé Levivier et dont la victime est une femme dont nous n'avons que le prénom. Peut-être s'agit-il de Lucie Levivier ? À voir. Le second vise un garagiste à Quimper et le commanditaire serait un « syndic ». S'agit-il du syndicat des mécaniciens ? Du syndic immobilier dont dépend le garage ? À voir. Étant donné leur situation géographique, ces deux crimes ne relèvent pas de notre compétence. Cela ne va pas nous faciliter les choses. Les deux autres crimes sont clairement ceux qui nous intéressent au premier chef : le crime de la Moujol mentionné sans aucun nom précis de victime, et le crime de la rue des Moulins, où la victime est désignée par sa nationalité, « le Chinois », sans mentionner son nom.

Questions :

1. Que signifie la phrase « relever cartouche » ? Quelle cartouche ? De quoi s'agit-il ? Était-ce l'objectif du crime ?

2. Le terme « SÛRETÉ », de quel commanditaire parle-t-on ? La Sûreté générale ? Et pourquoi ? Comment gérer cela ? Et si ce n'est pas l'Intérieur qui est en cause, que signifie ce terme ? Quel peut être le lien entre la Sûreté et une prostituée insoumise ?

3. Pourquoi le texte ne fait-il aucune mention d'Apolline ? Était-elle prévue ou non ? Doit-on considérer qu'elle n'était qu'un dommage collatéral ?

4. Le commanditaire, pour ce dernier crime, est désigné par le mot « FINANCES ». Que faut-il comprendre ? S'agit-il du ministère des Finances ? De quelqu'un du ministère ? D'un financier haut de gamme ? D'un sous-fifre du monde des finances ? Et quel peut bien être le lien entre ce monsieur Li, diplomate reçu au Quai d'Orsay, et les « FINANCES » ?

Il est évident que les questions concernant les commanditaires sont particulièrement sulfureuses et délicates. Nous marchons toujours sur des œufs, mais là... ! Si on prend en compte toutes ces questions en même temps, on n'y arrivera pas. Il faut procéder par ordre. Max, qu'est-ce que tu proposes ?

– Je pense, inspecteur, qu'en tout premier lieu il faut contacter Nantes et Quimper.

– Exact, c'est la première chose à faire. Nous devons vérifier que ces meurtres ont bien eu lieu et voir où en sont les enquêtes. Max, tu t'occupes de joindre les deux commissariats, ou gendarmerie, à Quimper, c'est une gendarmerie. S'il le faut, nous nous déplacerons. Moi, je vais voir le juge Blanchot, et ça, croyez-moi, ça ne m'enthousiasme pas ! Il faut qu'il se débrouille pour que nous puissions travailler sur les dossiers de Nantes et Quimper. Notre priorité va être de mettre la main sur ce tueur. Et tant que nous sommes sur cette ligne, nous ne divulguons pas la totalité du carnet noir. Chassaing, vous nous trouvez les textes qui réglementent les compétences de la Criminelle. Si on pouvait éviter que les brigades mobiles mettent leur nez dans cette affaire, ce serait préférable. Il faut aussi que nous trouvions le temps de réinterroger Irma. Cela peut vraiment nous aider. Elle a forcément des choses à nous dire.

– Bien, inspecteur, intervint Max. Je m'occupe des collègues de Nantes et Quimper.

– Merci, Max. Par contre, quelque chose me chiffonne : et si ce carnet noir n'était qu'un leurre ? Ce que je veux dire, c'est que nous avons vraiment intérêt à prendre toutes ces informations avec des pincettes. Si on se fourvoie, on va au casse-pipe ! Or comment se fait-il que le tueur, si efficace, si organisé, si précautionneux, ait perdu un document aussi important et aussi crucial ? Comment se fait-il qu'il ait chiffré des informations qu'il connaît parfaitement et qui ne sont destinées qu'à lui ? Avouez que, déjà là, on bute ! Avant même d'interroger le contenu ! Le principe même de ce carnet noir est peu cohérent. Et quand il faut s'appuyer sur quelque chose de peu cohérent, moi, je suis très, très méfiant. Restons sur nos gardes !

***

– Bonjour inspecteur, Maximilien Dubosc, de la Brigade Criminelle. J'aurais une question à vous poser : y a-t-il eu un meurtre à Nantes le 17 novembre dernier ?

– Le 17 novembre, vous dites ? Attendez… Oui, oui, en effet, le meurtre de Lucie Levivier. L'affaire n'a pas fait grand bruit pourtant, et l'enquête est toujours en cours. Comment êtes-vous au courant ?

– Nous avons peut-être des informations qui pourraient vous intéresser. Quels sont les principaux éléments que vous avez pu mettre en lumière ?

– À vrai dire, on ne peut pas trop parler de « lumière ». L'enquête piétine. Nous soupçonnons le mari, mais nous n'avons aucune preuve.

– Nous avons peut-être la preuve que vous cher-
chez, mais c'est un peu compliqué. Et le mobile du
mari, ce serait quoi ?

– L'argent, comme dans la plupart des cas,
n'est-ce pas ? La dénommée Lucie a hérité de son
père, décédé l'année dernière, une belle somme
d'argent et des immeubles dans Nantes. Ils n'ont
pas d'enfants, il n'y a pas de testament. C'est donc
monsieur qui va bénéficier de la succession. Par
ailleurs, Lucie Levivier était la maîtresse d'un
pharmacien de Nantes qui, lorsqu'on l'a interrogé,
nous a affirmé qu'elle souhaitait quitter son mari
et divorcer. Dans ce cas, on peut considérer que
le mari avait un solide mobile pour éliminer sa
femme, mais…

– Mais quoi, inspecteur ?

– Eh bien, quand vous voyez l'bonhomme…
Enfin, on a du mal à imaginer qu'il ait pu prendre
un marteau et taper sur sa femme. C'est plutôt le
modèle qui se laisse mener par le bout du nez et
marcher sur les pieds à longueur de journée.

– Quelle est sa profession ?

– Il tient une mercerie dans le centre de Nantes.
Une belle boutique, mais ses revenus restent
modestes. Sa femme a tenu le commerce pendant
la guerre, mais, depuis qu'il est revenu, elle ne travaille pas. Ils ont une employée du genre femme à
tout faire. Elle sert à la boutique et fait l'ménage
du commerce et de l'appartement privé au-dessus.
Madame avait tout son temps libre.

– Et cette employée, elle n'aurait pas pu fricoter
avec le mari ?

– Oh non ! Difficile à envisager. Elle n'est plus
de première fraîcheur, genre moustache et poil au
menton, si vous voyez c'que j'veux dire.

– D'accord. Bon, voilà ce qu'on va faire : quel est le nom de votre commissaire ?

– Rougier, commissaire Rougier, 4ᵉ brigade mobile.

– Mon chef, l'inspecteur principal Dessange, va le rappeler. Ils s'arrangeront entre eux pour décider de la manière dont il faut procéder. Je vous remercie de tous ces renseignements.

– Très bien. Je tiens informé le commissaire Rougier et nous attendons votre appel. Bonsoir, inspecteur.

Max reposa le récepteur en faisant la moue.

– Alors ? demanda Chassaing.

– Le meurtre a bien eu lieu à Nantes le 17 novembre. Le mari est suspecté, il a un mobile, mais pas le gabarit pour passer à l'acte. L'hypothèse d'un tueur à gages se confirme. C'est la 4ᵉ brigade mobile qui dirige l'enquête.

– Et le mode opératoire ?

– C'est le seul point qui diverge : crâne massacré au marteau.

– Hum... une divergence qui n'en est pas vraiment une...

– Que voulez-vous dire ?

– Que ce soit le marteau ou le couteau, cela reste une manière de boucher, d'un abatteur de bœufs...

Max se saisit à nouveau du monophone pour contacter la gendarmerie de Quimper. Le gendarme qui lui répondit se montra pour le moins expéditif. Selon lui, il s'agissait d'un simple règlement de comptes entre malfrats. Farget trempait dans des trafics assez louches depuis quelque temps : vol de voitures et revente de pièces détachées. Farget avait dû être trop gourmand ou refuser un partage quelconque, et s'était fait éliminer par un de

ses complices. La victime avait été tuée à coups
de marteau et on ne s'était pas contenté de lui
fracasser le crâne, on lui avait brisé les membres
et les côtes *ante mortem*, histoire sans doute de le
faire parler. Mais pour révéler quoi ? Cela restait
obscur...

Lorsque Victor rentra du Palais de Justice, il
trouva Max et Chassaing plongés l'un et l'autre dans
une méditation profonde. Victor était furieux et sa
fureur les tira rapidement de leurs cogitations.

– Cet abruti de Blanchot ne veut pas entendre
parler des meurtres de Quimper et de Nantes ! Il
veut que nous restions concentrés sur la rue des
Moulins et considère que l'hypothèse du tueur en
série qui veut châtier et condamner la prostitution
est la plus solide et la seule recevable. Il veut que
nous cherchions des obsédés de la vertu, maniaques
et puritains. Il attend le compte rendu de l'interrogatoire d'Irma et envisage de la convoquer dans
la foulée. Évidemment, je ne lui ai pas tout dit. Je
n'ai parlé ni de la Sûreté, ni des Finances. Il serait
capable de nous dessaisir et de nous envoyer culti-
ver des patates en Bretagne !

Max fit à Victor le compte rendu de leurs
échanges avec Nantes et Quimper. Victor dodelinait de la tête :

– C'est quand même étrange... Je vais les rappeler et leur demander de nous envoyer par la poste
une copie des dossiers. Avec un peu de chance,
s'ils ne sont pas trop procéduriers, ils accepteront
sans réquisition officielle du juge. À Quimper, cela
les soulagera sûrement, mais, à Nantes, cela risque
d'être plus compliqué. Ils vont vouloir contacter la
brigade mobile de Paris...

– Vous pouvez toujours tenter le coup, inspecteur. Mais n'oubliez pas que je leur ai fait miroiter des preuves. À Quimper, ils s'en fichent, mais à Nantes ils sont sur les dents...

– Tu t'es trop avancé, Max, parce que pour l'instant le carnet noir ne constitue pas une preuve, pour aucun des crimes. Nous ne pouvons le relier à personne. Nous sommes dans l'impasse.

Victor partit gérer ses appels et chargea Max d'aller chercher Irma dans sa cellule et de préparer l'interrogatoire.

Irma était épuisée. Les traits de son visage s'étaient profondément creusés. La belle courtisane de la Fleur blanche avait perdu tout son panache. Le masque de séduction qu'elle portait en permanence était tombé. Il n'y avait plus qu'une pauvre fille, déchue, perdue et désemparée. Max ressentait une pitié sincère et spontanée pour elle.

Cela faisait plus de deux heures que Victor l'assaillait de questions, l'obligeait à redire sans cesse les mêmes choses, la poussait dans ses retranchements, la maintenait durement face à ses contradictions. Mais Irma ne flanchait pas, ne cédait pas. De plus en plus crispée, de plus en plus tendue, elle s'accrochait à ses affirmations, à ses dénégations, et maudissait intérieurement l'inspecteur Dessange, inflexible et patient, qui revenait sans cesse à la charge, bien décidé à obtenir ce qu'il voulait à n'importe quel prix. Max, lui, faiblissait. Rien ne semblait pouvoir modifier les réponses d'Irma. Même la menace d'informer Marguerite Denis des visites fréquentes de Violette à la Fleur blanche n'avait eu aucun effet. Max commençait à se demander s'ils ne faisaient pas fausse route. Contre toute attente, Victor posa son stylo et se leva.

– Bon, on va faire une pause, Irma. On reprendra dans un moment en prenant les choses par un autre bout. Soufflez un peu. Ressaisissez-vous.

Victor sortit avec Max dans son sillage.

– On n'arrive à rien, inspecteur. On ne va tout de même pas lui taper dessus !

– Non, non, Max. Tu ne me verras jamais utiliser ces méthodes avec une femme. Non, au contraire, tu vas lui faire un thé et lui trouver quelque chose à manger, une chocolatine ou une brioche, ce que tu veux.

– Vous pensez que ce sera suffisant pour la convaincre de parler ? demanda Max, sceptique.

– Je ne sais pas, mais il y a derrière cette résistance une peur viscérale qui lui vient du fond des entrailles ; quelque chose qui lui fait bien plus peur que nous ou Marguerite Denis. C'est cela qu'il faut lui faire cracher. Et il faut qu'elle nous considère comme les seuls capables de l'aider face à ce qui la terrifie.

Max était ébahi. Il était prêt à s'apitoyer sur le sort de cette pauvre Irma, mais il n'aurait jamais envisagé sous cet angle le refus de parler dans lequel elle s'enfermait.

– Fais ce que je te dis, Max. Dès que tu reviens, on y retourne. J'ai une petite idée sur le sujet. On va y arriver.

Max partit faire du thé et revint au bout de dix minutes avec une tasse fumante et une brioche dorée qu'un gardien de la paix désœuvré était allé acheter à la boulangerie la plus proche. Les deux policiers entrèrent à nouveau. Irma avait posé sa tête sur ses bras croisés devant elle. Elle se redressa et contempla, médusée, le thé et la brioche que Max avait placés sur la table.

– Buvez, Irma, dit Victor, et mangez un peu. Vous avez besoin de toutes vos forces. Vous traversez une épreuve difficile. J'en suis parfaitement conscient.

Irma resta silencieuse et avala une gorgée de thé. Elle saisit la brioche et en croqua un morceau, qu'elle mâcha lentement, les yeux fermés. Victor reprit la parole :

– Alors, Irma, cet enfant que vous tenez tant à protéger, comment s'appelle-t-il ? Quel âge a-t-il ?

Le plafond de la salle se serait effondré, Irma n'aurait pas réagi plus violemment. Tout son corps s'électrisa. Elle prit sa tête dans ses mains et poussa un cri déchirant. Victor resta immobile. Max, effaré et décontenancé, cala sa posture sur celle de son chef. Au bout de quelques minutes, Irma se calma et demanda d'une voix pressante :

– Comment avez-vous su ? Qui vous l'a dit ?

– Mais vous, Irma. C'est vous qui m'avez fait comprendre par votre attitude et la virulence de vos refus que vous aviez peur pour quelqu'un d'autre.

– Oui, j'ai un fils. Il a un an. Il s'appelle Léon. C'est le grand amour de ma vie. J'étais enceinte quand je suis arrivée à Paris. J'ai eu la chance d'être prise à la Fleur blanche juste après avoir accouché, grâce à Ophélie, avec qui je travaillais au gaz à Poitiers. C'est la nièce de Marguerite Denis. Elle m'a trouvé une logeuse à Cambronne et ensuite, quand le petit est né, elle m'a fait rentrer à la Fleur blanche. Sans elle, j'serais à la rue avec mon bébé.

– Et le petit ?

– Il est resté chez la logeuse. J'lui verse une pension tous les mois. Elle s'occupe pas trop mal du p'tit et j'peux aller le voir dès que j'ai un peu de liberté. C'est pas souvent, mais c'est mieux que rien.

– D'accord. Je comprends. Alors que s'est-il passé avec Violette ?

Irma baissa les yeux et soupira. Le silence s'installa. Victor ne bougeait pas, laissant Irma relâcher progressivement ses défenses.

– Vous comprenez, inspecteur, Émilienne, enfin Violette, c'est une personne pas comme les autres. C'est un papillon qui traverse la vie en butinant tout ce qu'elle trouve sur son passage. Et parfois, ce qu'elle trouve est pas bien joli. Alors, au lieu de passer à autre chose, Violette, elle insiste, elle s'enfonce et elle s'retrouve dans des mauvaises situations. J'peux pas lui en vouloir. C'est ma sœur jumelle. J'dois la protéger. Mais là, ils s'en sont pris à mon fils, à mon p'tit Léon. Et c'est moi qui m'suis r'trouvée piégée, faite comme un rat. Déjà, ça m'plaisait pas trop d'faire rentrer Violette en douce rue des Moulins. Mais elle, elle prenait ses aises. Et moi, j'arrivais pas à m'fâcher. L'autre jour, elle est venue me voir en m'disant qu'on allait avoir un client et que c'client, il pouvait nous faire gagner beaucoup d'argent. Et moi, j'l'ai crue, alors j'ai fait tout ce qu'elle m'a demandé. C'est elle qui m'a donné la seringue pour le champagne. J'ai mis l'produit pendant que l'Chinois, il était dans le cabinet de toilette, à admirer la fresque de Toulouse-Lautrec. C'était pas compliqué. Après, j'étais au lit avec lui et Apolline et puis j'suis tombée comme une masse. Violette m'avait dit d'en boire aussi, que c'était mieux pour moi. C'est Apolline qu'a pas voulu en boire. Elle était patraque, qu'elle disait.

Irma se tut. Victor laissa quelques minutes se passer pour la laisser reprendre son souffle.

– J'savais pas qu'il devait tuer l'Chinois. J'vous jure. J'savais pas. Et j'voulais pas faire l'truc de la seringue, ça m'faisait peur, mais ils ont menacé d's'en prendre à Léon. Alors j'ai pas discuté, j'ai fait tout ce qu'ils m'ont dit d'faire. Et maintenant j'ai peur parce que, s'ils apprennent que j'ai parlé à la police, ils vont faire du mal à mon p'tit, c'est sûr !

– Non, Irma, intervint Victor, Léon, on va s'en charger et on va le protéger. Maintenant il faut que vous me disiez qui est ce « il ». Violette, d'accord, mais l'autre, qui est-ce ?

– J'en sais rien. Je ne l'ai jamais vu. C'est Violette qui servait d'intermédiaire et qui me transmettait ses consignes et ses menaces. Mais il m'a fait peur parce qu'il m'a envoyé une chaussette de Léon, histoire de m'faire comprendre qu'il pouvait s'en occuper quand il voulait. J'sais même pas son nom. La seule chose que j'ai entendue, quand Violette en parlait, c'était un truc sur l'abattage. J'ai pas vraiment compris et j'ai pas posé de questions. J'ai pensé qu'il devait s'occuper d'une maison d'abattage, ce serait logique. J'peux rien dire de plus.

– C'est déjà beaucoup, Irma, ça nous aide beaucoup. Et Violette, vous savez où on peut la trouver ?

– J'sais qu'elle va parfois à la Moujol faire des passes aux 56 Marches, et puis à l'hôtel du Midi. J'crois qu'elle le retrouve là-bas de temps en temps. Autrement, j'sais pas.

– Bon, Irma, ou Alphonsine, comment préférez-vous qu'on vous appelle ?

– Alphonsine, elle est morte il y a longtemps, inspecteur, elle existe plus.

– Bien, Irma, on va vous garder encore un peu. Et il va falloir voir le juge. Il vous appellera Alphonsine Bartomé, vous savez.

Un éclair de frayeur passa dans le regard d'Irma.

– Ne vous inquiétez pas, je serai avec vous. Ici, vous êtes à l'abri, et demain, on verra avec le juge comment on peut procéder pour mettre Léon à l'abri lui aussi.

Victor fit reconduire Irma dans la cellule des gardes à vue et referma la porte de la salle d'interrogatoire. Il n'était pas entièrement satisfait. Certes, il avait obtenu des renseignements qui allaient lui permettre d'avancer dans l'enquête, mais il n'était pas sûr de pouvoir tenir les promesses faites à Irma. Et ce petit Léon ne lui semblait pas en très bonne posture.

***

À la brasserie des Deux Palais, Victor et Max étaient confortablement installés devant une pinte de bière blonde, mousseuse et fraîche, que Max contemplait avec gourmandise. Victor, assis sur la banquette, avait posé sa tête contre le dossier et tentait de décontracter les muscles de son cou et de son dos. La tension de ces dernières heures avait provoqué tant de crispations qu'il avait l'impression d'être dans un carcan qui diffusait mille petites douleurs tout le long de sa colonne vertébrale.

La brasserie était bondée : avocats en grande discussion, qui n'avaient même pas pris le temps d'enlever leur robe, juges à l'air sévère, plongés dans la lecture des journaux, opinant du bonnet sans conviction, greffiers en grand conciliabule comme une caste à part, policiers en civil, coursiers, quidams entrés là par hasard, gratte-papier de tous ordres.

Max prit la parole :

– Dites-moi, Victor, comment avez-vous fait pour deviner qu'Irma avait un fils ? Ce n'est pas mentionné sur sa fiche d'identification.

– Ah ! Ça y est ! Tu condescends enfin à m'appeler Victor ! On progresse. On progresse.

– Oui, mais ici ce n'est pas pareil, on n'est pas sur notre lieu de travail. Ici, Victor, je peux vous considérer comme un ami, vous comprenez ? Dans le service, sur le terrain, c'est autre chose. Mais vous n'avez pas répondu à ma question.

– Elle avait peur, Max, je te l'ai dit. C'était flagrant. Et ce n'était pas une peur pour elle-même, c'était une peur tripale, qui venait du fond de ses entrailles. Lorsqu'une femme a peur avec ses tripes, c'est qu'elle a peur pour ses enfants. C'est instinctif, incontrôlable, même la mère la plus dure ressent cela quand son petit est en danger. C'est inscrit dans sa nature. J'étais certain de ne pas me tromper.

– Je ne savais pas que vous connaissiez si bien les femmes.

– Oh ! Je ne les connais pas si bien que ça ! Mais quand je travaillais aux Mœurs, j'ai croisé tant de femmes en désespérance, devenues prostituées par nécessité ou par naïveté, que j'ai pu observer leurs réactions et leurs comportements.

– Par naïveté, Victor ? Par nécessité, je comprends, mais par naïveté ?

Victor avala une gorgée de bière avant de répondre :

– Mais si ! Elle tombe, toute jeune, amoureuse d'un type un peu plus âgé, beau parleur et pas dénué de charme, qui la fait rêver et lui promet monts et merveilles ; et de fil en aiguille, il la met sur le trottoir et devient son mac attitré en échange de sa protection. C'est souvent comme ça que ça se passe. Une fois qu'elle a pris le pli, c'est un engrenage irréversible.

– Je n'avais jamais envisagé les choses sous cet angle. Mais ce n'est pas le cas de toutes les filles quand même !

Victor s'esclaffa :

– Non, bien sûr. Je sens poindre là l'expérience du célibataire endurci. Aurais-tu une certaine pratique de la chose, Max ?

Max ne put cacher l'embarras dans lequel le plongeait cette question. Il n'était pas prêt à confier à son supérieur que son expérience en termes de prostitution était quasi nulle et qu'en règle générale, jusqu'à ce jour, les femmes ne l'attiraient guère. Il prit le parti de la désinvolture :

– Ben, ça m'arrive, oui, et je les trouve toujours enjouées et très gaies. J'ai toujours eu l'impression qu'elles faisaient ça par intérêt, mais aussi par plaisir.

– C'est vrai, certaines sont abîmées dès l'enfance, deviennent tapineuses en pensant échapper à la misère et finissent par s'adapter, revendiquer même la légitimité de ce qu'elles appellent leur métier, et semblent y trouver leur compte. C'est un monde qui grouille de compromissions, de contradictions et d'artifices. La réalité est souvent assez sordide et triste. Des êtres qui se ruinent et qui jouissent de cet anéantissement. Éros et Thanatos, Max, une bien vieille association.

Max resta silencieux. Victor lui laissait entrevoir des abîmes de réflexion et cela lui donnait le vertige. Il siffla d'un coup la moitié de sa pinte et décida d'entrer sur un autre terrain :

– Victor, ce matin au cimetière, vous êtes arrivé dans un état pitoyable. Avez-vous des soucis ? Votre dimanche a donc été si pénible ? J'avais l'impression que vous n'aviez pas dormi de la nuit !

Victor poussa un soupir et se frotta le visage.

– Ah ! Max, oui, cette fin de semaine a été mouvementée. Elle a bien commencé pourtant. J'ai retrouvé Marie samedi soir. Nous sommes allés au cinéma. Nous avons vu un excellent film, *Haceldama* de Julien Duvivier, je te le conseille. C'est plutôt étrange, le cinéma. Quand on lit, on fabrique ses propres images, on peut s'arrêter quand on veut, ou revenir en arrière, ou sauter des pages, on est maître à bord, alors qu'au cinéma on va jusqu'au bout et toujours dans le même sens, on ne contrôle rien, le film impose tout ; et le monde réel, le monde dans lequel on vit, disparaît totalement le temps du film. J'ai toujours du mal à reprendre pied quand le mot « fin » s'affiche sur l'écran et que la lumière se rallume. Comme si j'étais devenu un étranger...

Max regardait Victor avec circonspection, bien décidé à ne pas lâcher le fil de sa question, que Victor avait soigneusement évitée.

– Qu'est-ce que vous pouvez gamberger, vous alors ! Et qu'est-ce qui s'est passé après le film ?

Victor sourit.

– Tu perds pas le nord, mon p'tit Max. Eh bien nous sommes allés rue Mouffetard, nous avons passé une nuit merveilleuse et le dimanche s'est étiré en grasse matinée, déjeuner gourmand et promenade d'amoureux et s'est achevée dans la tempête au propre comme au figuré...

– C'est-à-dire ?

– Il a bien fallu que je rentre chez moi. Si la tempête se calmait sur Paris, rue Bonaparte, elle battait son plein.

– Vous aviez tout de même préparé votre coup, je suppose, vous aviez un alibi, non ?

– C'est là que tout a foiré, Max. J'avais prétexté une chasse dans la Somme, sur la propriété de mon père. J'avais dit que j'y partais dès le samedi matin et que je rentrerais dimanche soir. Mais Clémentine a vu mon père dimanche. Il est rentré de Montdidier dans l'après-midi, très inquiet, car il avait appris que le paquebot sur lequel ont embarqué ma belle-sœur et ses deux enfants était pris dans la tempête au milieu de l'Atlantique.

Victor se tut et parut épuisé d'avoir évoqué cet événement. Mais Max était bien décidé à ne pas le lâcher.

– Et alors ?

– Et alors ? Clémentine lui a demandé pourquoi je n'étais pas avec lui ! Et a découvert que je n'avais pas mis les pieds dans la Somme.

– Aïe ! s'exclama Max, je vois...

– Je n'ai pas pu mentir davantage, Max. Ce n'était plus possible ! Il a bien fallu que je reconnaisse que j'avais une maîtresse et que j'avais passé ces deux jours avec elle.

– Comment a-t-elle réagi ? Elle vous a mis dehors ?

Victor oscilla de la tête en produisant une sorte de beuglement sarcastique qui se voulait un ricanement :

– Tu ne connais pas Clémentine, Max ! Non, bien sûr que non ! Elle a pris un air pincé et m'a seulement dit que ce n'était pas « convenable ». Ce mot résonne encore dans ma tête, « convenable » ! Voilà, c'est exactement le couple que nous formons : un couple convenable. Et tout ce qu'elle veut, c'est que je gère cette liaison convenablement. Je n'en ai pas fermé l'œil de la nuit. Ça veut dire quoi pour toi, « convenable » ?

Max était perplexe.

– Je ne sais pas trop… conforme aux règles, non ?

– Oui, mais quelles règles ? Celles de la morale ? Celles du droit ? Celles de la bonne société ? Sûrement pas celles de l'amour en tout cas, ni même celles de l'humain.

– Écoutez, moi, je trouve que vous vous en sortez bien. Elle aurait pu réagir plus violemment. Après, c'est à vous de faire preuve de discrétion et d'habileté.

– Tu vois, Max, le voilà le vrai sens de « convenable ». Cet adjectif est fondamentalement hypocrite. On se construit une vie conforme aux attentes de la bonne société, on adopte une attitude conforme aux bonnes mœurs et au code de son milieu social et, par-derrière, on s'accorde toutes les libertés et on s'autorise tous les plaisirs, tous les vices. Personne ne se dit que j'aimerais vivre mon amour pour Marie au grand jour !

– Mais vous savez bien que c'est plus compliqué que cela. Vous ne voulez pas vous séparer de vos fils. Et d'ailleurs, Marie elle-même ne le souhaiterait pas.

– Ah ! Pourquoi dis-tu cela ?

– Parce que Marie est une fille beaucoup trop indépendante et rebelle pour avoir envie d'une petite vie de couple bien tranquille, en marge de la société. Non, Marie veut croquer le monde à pleines dents. Ce qu'elle désire, c'est imposer sa propre loi et prendre toute sa place, sa place à elle.

Victor observait Max en fronçant les sourcils.

– Comment t'as compris ça, toi ?

– C'est très simple, Victor, autrement elle n'aurait jamais accepté la situation que vous lui imposez depuis votre mariage. Mais elle vous aime passionnément. Elle ne veut pas vous perdre. Alors, elle joue le jeu, mais elle a son idée derrière la tête.

– Tu ne crois pas si bien dire : elle s'est fait recruter par un couturier russe qui tient un atelier au Sentier, un certain David Pachkine. Je ne l'avais jamais vue aussi enthousiaste et excitée… Mais dis donc, tu connais mieux les femmes que tu ne veux bien le reconnaître !

– Non, mais j'ai discuté un peu avec Marie quand on se retrouve tous les trois pour dîner et qu'on vous attend. C'est une femme formidable, débordante d'énergie et pleine de projets. Vous avez de la chance.

– Et tu connais ses projets, toi ? Elle ne m'en a jamais rien dit.

– Parce que vous ne prenez pas le temps de l'écouter. Vous lui offrez des fleurs, des cadeaux, vous l'emmenez au cinéma, au spectacle, vous lui parlez de vos enquêtes, de vos douleurs à la hanche, vous lui faites l'amour, mais quand est-ce que vous prenez le temps d'échanger avec elle, de l'écouter surtout ?

– Alors là, tu me scies le cerveau ! Mais tu as raison ! C'est toujours moi qui parle. Et je fais la même erreur avec mes fils, dont je ne m'occupe pas assez. Lorsque je suis avec eux, c'est moi qui parle, je ne les écoute pas non plus. Mais, finalement, c'est toi qui de nous deux es le plus clairvoyant ! Tu es bien jeune, Max, pour être aussi sage…

– J'ai été élevé par ma grand-mère. Mes parents étaient trop pris par le travail à la ferme pour s'occuper de moi. C'est elle qui m'a appris à lire, à écrire et à compter. C'était une femme simple mais extraordinaire. Elle était restée veuve après la guerre de 70 et elle avait porté seule, sur ses frêles épaules, l'éducation de ses cinq fils, l'exploitation des terres et l'élevage de bovins qui nous faisait vivre. C'est elle qui m'a donné le goût de l'effort. Et quand j'ai commencé à courir et à me frotter à la compétition, elle me suivait partout. Elle m'encourageait quand je perdais, me portait aux nues quand je gagnais. Elle m'a tout appris, sauf peut-être le sort des prostituées... Et puis, il y a eu la guerre. Je n'y étais pas aussi longtemps que vous, mais le peu que j'en ai vu m'en a appris long sur les hommes, sur leur courage, sur leur endurance, sur leur bêtise et sur leur lâcheté. J'étais dans les transmissions, sapeurs-télégraphistes. À courir comme un dératé dans les tunnels des tranchées, croyez-moi, j'en ai vu de toutes les couleurs. Ça n'peut pas s'oublier.

– Ça n'peut pas s'oublier, répéta Victor. C'est certain. J'ai été blessé près de Laon, fin mai 18, au cours de la dernière grande offensive allemande. J'étais lieutenant dans la 6e armée du général Duchêne, 19e division d'infanterie, 11e corps. Ces derniers jours sur le front ont été horribles. Il fallait tenir des positions intenables. Les hommes tombaient comme des mouches. J'ai appris que plus tard, ce fut pire, et je n'arrive pas à imaginer comment ce pire a pu être possible. Après, c'est le trou noir, et j'ai repris conscience dans un lit d'hôpital allemand. J'ai longtemps pensé que je ne pourrais plus jamais remarcher... J'ai un souvenir très précis du médecin allemand qui m'a soigné. Je n'ai jamais pu le considérer comme un ennemi. C'était un homme cultivé, intelligent, attachant. La guerre

est absurde, Max, scandaleuse d'absurdité. Quand
je suis revenu à Montdidier, la ville où j'ai passé
mon enfance, je n'ai vu partout que des ruines, des
tas de pierres et de briques, pas une maison debout.
J'ai remonté en pleurant la rue Saint-Martin où
j'achetais mes bonbons, la rue Frizon où habitait
mon pote Jules ; l'église Saint-Sépulcre où j'avais
fait mes communions et où je m'étais marié, brûlée ;
l'usine Amson où travaillaient le mari et les fils de
Germaine, notre cuisinière, dévastée. Il ne restait
plus que quelques murs édentés, quelques façades
éventrées, tout l'univers de mon enfance avait été
massacré. Mon passé était en ruine. On avait juste
commencé à reconstruire la gare et à remettre en
service la voie ferrée. Il faudra des années pour tout
rebâtir. Tu penses que c'est « convenable », ça, un
massacre pareil ?

– Non, ce n'est ni convenable ni légitime, mais
nous ne pouvons plus rien y faire. Ce qui compte
aujourd'hui, c'est de se battre pour des lendemains
meilleurs, moins de criminels, moins de victimes.
N'est-ce pas ce que nous faisons ?

– Non, Max, ce n'est pas ce que nous faisons.
Nous cherchons les criminels une fois qu'ils ont
déjà sévi ! Dans le meilleur des cas, nous les arrêtons, mais les victimes restent des victimes, ni
Gabie, ni Apolline, ni cet étrange monsieur Li ne
reviendront jamais à la vie, même si nous arrêtons
notre tueur. Nous agissons après coup ; lorsque
nous intervenons, le mal est déjà fait.

– Oui, c'est vrai, mais, en arrêtant notre tueur,
nous l'empêchons de tuer à nouveau. C'est autant
de victimes de moins. Nous pouvons lutter contre
le mal, nous ne pouvons pas l'éradiquer.

– D'accord, admettons. Mais tu vois, ce qui m'inquiète, c'est que je ne suis pas certain du tout que cette guerre soit la « der des der », comme ils disent. Je sens partout chez nous et autour de nous des remous souterrains malsains. Les tensions politiques, certes, c'est normal dans notre République, mais des tensions qui tirent vers les extrêmes, porteuses d'idéaux dangereux et chimériques… c'est plus inquiétant ; et parallèlement une corruption généralisée alarmante. Regarde comme nos crimes ont des relents nauséabonds : les commanditaires des meurtres sont apparemment liés de près ou de loin aux institutions de notre pays. C'est effrayant !

Max se sentait mal à l'aise, le pessimisme de Victor le gagnait.

– Que comptez-vous faire ?

– On verra bien ce qu'on arrive à faire : continuer à aimer Marie et mes fils, naviguer à vue avec Clémentine et accompagner mon père dans cette dernière partie de sa vie. Et puis, il y a toi. C'est réconfortant de t'avoir auprès de moi, de pouvoir te confier mes incertitudes et mes angoisses. Nous partageons beaucoup de choses, Max, et j'aime bien discuter avec toi, cela me fait du bien.

Max, rasséréné – c'était la première fois que Victor le traitait en véritable ami –, sourit et son œil retrouva sa vivacité coutumière :

– J'crois que j'reprendrais bien une deuxième pinte. Cette bière est délicieuse, et j'ai envie de faire durer le plaisir, convenable ou pas !

Le rire de Victor retentit dans la brasserie et combla Max, bien plus encore que sa bière.

**

Ce fut au cours de cette soirée du lundi 12 janvier que la nouvelle du naufrage du paquebot *Afrique* et la disparition en mer de ses passagers tomba comme un couperet dans les salles de rédaction des journaux parisiens, dans les foyers des familles des naufragés et sur les bureaux des ministères. La nouvelle se propagea comme une traînée de poudre et vola de trottoir en trottoir, de comptoir en comptoir et de bouche en bouche jusqu'aux heures les plus avancées de la nuit.

Chapitre 7

Les infiltrés

– Camarade, la situation est alarmante. Nous devons concentrer nos forces et mettre au point des stratégies. Notre volonté de soutenir, au Congo et dans toute l'A.E.F., les révoltes de nos frères africains a été anéantie par la fatalité. Le paquebot qui transportait clandestinement les armes que nous avions réussi à détourner a tragiquement sombré dans l'Atlantique à quelques dizaines de miles de la côte. Il n'y a aucun espoir de récupérer ces caisses d'armement. C'est un échec total, une catastrophe pour la lutte anticoloniale. Sans armes, ils vont se faire massacrer...

La voix d'outre-tombe de Fernand Jack mourut dans un silence respectueux. Les douze hommes autour de la table respectaient l'abattement de leur chef, même si certains, dans leur for intérieur, ne partageaient pas la même ferveur pour le soutien aux Africains. L'événement était sans conteste d'une lugubre gravité.

La pièce dans laquelle ils se trouvaient était aveugle. L'unique ampoule qui pendait du plafond et tombait au centre de la grande table de travail éclairait les visages sombres et austères des participants, mais laissait dans l'ombre le reste de la salle dans la maison commune de la rue de Bretagne. Pierrot, assis derrière Fernand, ne put retenir une exclamation :

– Mais alors ça veut dire que Gabie est morte pour rien ! Et Amédéo, il a survécu ?

Fernand, sans se retourner, répondit :

– Pierrot, tu dois demander la parole avant de t'exprimer. C'est la règle. Pour Gabie, je crains fort, effectivement, que sa mort ait été bien inutile. En ce qui concerne Amédéo, je ne sais pas. Apparemment, si on s'en tient aux informations données par les journaux, il y aurait à peine plus d'une trentaine de rescapés sur six cent deux personnes à bord, c'est très peu. Aux dernières nouvelles, un seul civil aurait survécu. Les autres rescapés sont des hommes d'équipage et quelques tirailleurs sénégalais qui rentraient au pays.

Pierrot était consterné. La mort de Gabie avait été un choc pour lui, mais constater que cette mort n'avait plus aucun sens le révoltait. Il n'avait pas une conscience précise de ce qui se passait en Afrique. C'était à ses yeux un monde magnifique et mystérieux où les paysages les plus sauvages se mêlaient dans son esprit aux pratiques occultes les plus obscures. Lutter pour ce monde aussi fascinant qu'hermétique, c'était un acte sacré que rien ne pouvait entraver. Sa toute jeune conscience militante enrageait de son impuissance. Il ravala les larmes qui lui montaient aux yeux et se renfonça sur son siège. Fernand Jack poursuivait :

– Le naufrage du paquebot *Afrique* n'est pas le seul revers que nous ayons essuyé hier. L'arrestation de nos camarades italiens et la mort d'un de nos clandestins espagnols, c'est aussi un sacré coup dur. La question se pose de façon cruciale : comment la police a-t-elle pu obtenir les adresses des deux principales planques de Cambronne ? Quelqu'un a-t-il une idée ?

Albert Singer demanda la parole et, sans vergogne, considérant que la meilleure stratégie était l'attaque, affirma de façon péremptoire :

– Y a forcément une taupe dans nos rangs. Ce ne peut être que quelqu'un de chez nous qui a rancardé la Sûreté. Je ne vois pas d'autre possibilité.

– Albert a raison, Fernand, surenchérit Paolo, un Italien venu de Milan. Les cinq camarades qui ont été arrêtés sont des grévistes connus en Italie. Ils font partie d'un groupe armé, les Arditi del Populo, qui lutte contre les partisans de Mussolini. Ils venaient à Paris se mettre quelque temps à l'abri avant de relancer le mouvement de grève qui s'étend partout en Italie. Cette arrestation est un grand dommage pour notre mouvement ; et je crains fort que ces cinq valeureux combattants au service du peuple italien ne soient exécutés s'ils sont extradés par les autorités françaises. Vous devez absolument trouver qui est la taupe dans vos rangs.

Fernand Jack était soucieux. Cet espionnage flagrant de ses activités et des camarades qu'il protégeait le tracassait. Dans l'esprit de la IIe Internationale, il considérait essentiel de tisser des liens solides avec les révolutionnaires des principaux pays voisins de la France : Espagne, Italie, Allemagne. Pour lui, le soutien de la révolution russe et de Lénine allait de soi, mais ne pouvait avoir un sens que si les mouvements ouvriers révolutionnaires s'alliaient et constituaient une véritable force indestructible face aux États bourgeois, qu'ils soient socialistes ou libéraux. Mais il se retrouvait, en ce début d'année, confronté à tant d'obstacles, de querelles internes, d'accidents imprévus et de résistances de tous bords que la difficulté de la tâche qu'il s'était assignée lui donnait le vertige et lui semblait parfois insurmontable.

Albert Singer profita de l'embarras de Fernand pour ajouter :

– Il n'y a pas cinquante façons de procéder. Il faut que nous prenions le temps de vérifier le cursus de chacun des partisans qui fréquentent régulièrement la Muse rouge et qui participent à nos réunions. Et il faut le faire vite. Il faudra également trouver d'autres planques, c'est urgent.

Albert voyait là, secrètement, se profiler l'opportunité de découvrir les parcours et les identités de l'ensemble des membres, une aubaine à ne pas manquer, un magistral coup de filet en perspective.

Fernand n'avait pas vraiment d'affinités avec Albert Singer. Il le trouvait désagréable et peu chaleureux, mais il devait bien reconnaître qu'il n'avait rien d'objectif contre lui, qu'il était efficace et que son point de vue sur ce problème était difficilement contestable, aussi répliqua-t-il :

– Entendu, Albert, c'est ce que nous allons faire. Pour l'instant, je propose que nous abordions les sujets qui nous réunissent. Nos camarades étrangers ne sont pas venus à Paris pour régler nos problèmes internes.

– Non, répondit sèchement Albert, mais ce sont eux qui en pâtissent. Ils sont directement concernés.

Paolo acquiesça, et un murmure s'éleva autour de la table pour soutenir la remarque d'Albert. Fernand sentit qu'il lui fallait reprendre la main :

– Donnons la parole à nos camarades étrangers et écoutons ce qu'ils ont à nous dire.

Chaque délégué s'exprima, l'un après l'autre, dans un français parfois tâtonnant, pour évoquer la situation houleuse des ouvriers et de leurs syndicats dans leur pays respectif : la confusion qui régnait en Allemagne et la grande manifestation attendue à Berlin, la multiplication des grèves en Italie, le succès des syndicats en Angleterre, les difficultés de coordonner les actions en France. Seul José, le délégué espagnol, restait silencieux.

Pierrot commençait à saisir la complexité du problème. Tous ces gens n'étaient pas vraiment sur la même longueur d'onde et le chemin de la révolution semblait tout à coup semé d'embûches, de discordes et de conflits. Son ignorance lui sautait à la figure et il mesurait l'ampleur des connaissances qu'il devrait assimiler pour parvenir à participer à une conversation comme celle à laquelle il assistait. Et soudain, l'avènement d'un monde meilleur lui parut une idée fantomatique et inaccessible qui lui échappait tristement.

– José, interrogea Fernand, qu'as-tu à nous dire, camarade ?

L'Espagnol, l'œil sombre, regardait avec une certaine antipathie les délégués syndicaux autour de la table. Il s'exprima dans un français correct, mais avec un accent redoutable. Il ponctuait ses phrases de formules espagnoles, et ses mots cinglaient comme des gifles administrées sans ménagement aux syndicalistes présents :

– En France, les syndicats ont perdu l'envie de secouer le monde, *para sacudir el mundo*. Bientôt, ils feront partie de la vieille société que nous voulons abattre. Ils n'arrivent qu'à faire naître des classes d'ouvriers avantagés, aussi conservateurs que les bourgeois que nous haïssons. Ils ne se battent que pour les intérêts particuliers de leur section, ils ne se battent que pour eux-mêmes ! Moi, je veux me battre pour le peuple ! Nous, les Espagnols, nous ne vous attendrons pas. Chez nous, la révolution est en marche ! Je pleure aujourd'hui le camarade Alonso qui est mort à Charonne hier. Mais nous sommes prêts à donner notre vie à la révolution. Nous, les rouges, malgré la faim, la misère et la peur, malgré nos erreurs et même nos crimes, nous allons envers et contre tout vers la Cité future. La guerre civile ne vise pas une paix juste contre un adversaire légitime, elle vise l'anéantissement de l'ennemi, *la aniquilación del enimigo* !

Un silence pesant s'abattit sur tous les participants. Felipe vibrait aux formules de son compatriote. Il ressentait une telle détermination qu'il lui semblait que toutes ses incertitudes étaient balayées. Il n'avait plus le choix. Il devait sacrifier son existence à la révolution et suivre l'exemple de José Carillo. Pierrot était, quant à lui, déstabilisé. Il n'était pas prêt à tant de violence. La ferveur de José Carillo le troublait et il mesurait, sans pouvoir le formuler clairement, la diversité des formes d'engagement dans la lutte sociale : de la conviction politique au fanatisme guerrier, il y avait un chemin tortueux qui rencontrait bien des carrefours. Pierrot se sentait à la croisée des chemins et restait indécis quant à la route à prendre, conscient que ce choix déterminerait toute sa vie et en entraînerait bien d'autres.

Fernand frappa dans ses mains et mit fin à la réunion :

– Bien ! Nous mesurons, je crois, le travail que nous avons tous à fournir. Toutes les observations qui ont été faites ce soir méritent d'être prises en compte. Je vous invite tous à vous rendre à l'assemblée du C.S.R.[1] qui aura lieu le 20 janvier à la Bourse du travail, 3 rue du Château-d'Eau. Je vous souhaite une bonne journée. Camarades étrangers, je vous retrouve dans une heure rue Charlot ; nous allons essayer de vous trouver de nouveaux logements clandestins. À tout à l'heure.

Tout le monde se leva et quitta la salle de réunion. Fernand retint Pierrot par la manche :

– Alors Pierrot, le métier de révolutionnaire, ça te plaît toujours autant ?

Pierrot, incapable de formuler les idées qui se bousculaient dans sa tête, acquiesça en souriant, sans proférer une parole.

– Je vais te confier une nouvelle mission, Pierrot, mais tu dois savoir qu'elle peut te mettre en danger.

– J'crains pas, m'sieur. J'aime bien travailler avec vous.

– Je voudrais que tu surveilles un immeuble, 11 rue des Saussaies. C'est de là que venaient les policiers qui ont essayé de t'arrêter hier. Tu as bien vu, n'est-ce pas, le visage de chacune des personnes présentes aujourd'hui autour de la table.

– Oui, m'sieur. J'crois que j'les ai bien dans ma tête, surtout ceux qu'ont parlé, mais j'ai bien vu tout l'monde.

– Alors, voilà, tu surveilles du matin au soir, sans te faire repérer, et tu tâches de remarquer si une des personnes présentes aujourd'hui entre ou sort de l'immeuble du 11. Dès que tu as quelque chose, tu viens me trouver. Mais reste sur tes gardes. Surtout ne te fais pas repérer.

---

1. C.S.R. : Comité syndicaliste révolutionnaire.

– Vous faites pas d'mouron, m'sieur. J'sais y faire pour pas m'faire repérer. Mais, avec Felipe, qu'est-ce que j'fais ?

– Ne te soucie pas de Felipe. José Carillo a besoin d'aide, il va le prendre en charge. Un peu comme moi avec toi, mais en espagnol.

– D'accord, m'sieur, mais Felipe, dans Paris, il est complètement paumé et, comme il parle pas un mot d'français... !

– Oui, mais il va repartir en Espagne, Pierrot. C'est là-bas qu'il va aider José. Ne t'en fais pas.

Pierrot sentit son cœur se serrer à l'idée de perdre la compagnie de l'Espagnol.

– C'est dommage, m'sieur, on s'entendait bien et, avec lui, j'me sentais utile.

– Il reviendra, Pierrot, et crois-moi, en accomplissant la mission que je viens de te donner, tu es très très utile !

– Bien, m'sieur. Alors j'y vais.

– Tiens, prends ça et achète-toi un casse-croûte, ne reste pas le ventre vide.

Fernand mit quelques sous dans la poche de Pierrot, ébouriffa sa tignasse et lui donna une bonne claque d'encouragement dans le dos, qui faillit le déséquilibrer. Lorsque Pierrot quitta la salle, il fut saisi par deux sensations contradictoires : au bout du couloir, il voyait Felipe en grande conversation avec José Carillo, mais, provenant d'une salle voisine, des notes de musique résonnaient allègrement. Pierrot s'immobilisa. Ce fut Felipe qui courut jusqu'à lui :

– ¡ *Yo debo partir, Pierrot, yo no te olvidaré*[1] !

Felipe saisit Pierrot par les épaules et le serra contre lui.

---

1. « Je dois partir... je ne t'oublierai pas ! »

– ¡ *Hasta pronto, camarada*[1] ! lui souffla-t-il à l'oreille avant de disparaître dans l'escalier avec son nouveau mentor.

Pierrot essuya d'un geste prompt les larmes qui coulaient sur ses joues et se dit qu'il lui fallait retourner à sa solitude et accomplir ce que lui avait demandé Fernand sans tarder. Il ne put cependant résister à l'envie d'entrer dans la pièce d'où venait la musique, qui désormais accompagnait un chant vigoureux et provocateur. La salle dans laquelle il entra servait de lieu de répétition aux chansonniers de la Muse rouge. Elle était petite, mais joyeusement éclairée par deux hautes fenêtres. Au piano, le musicien frappait les touches avec ardeur, tandis que debout, accoudé au coffrage, Eugène Poitevin, musicien et poète, militant et syndicaliste, cheminot et anarchiste, chantait à gorge déployée une chanson de son cru dont Pierrot adorait le refrain :

Plutôt la mort que la famine !
Repopulons ! Repopulez ![2]

Eugène martelait son refrain avec la fougue d'un jeunot alors que les années ne l'avaient pas épargné. Il aperçut Pierrot et s'interrompit brusquement tandis que le pianiste continuait seul sa cavalcade sonore.

– Entrez, jeune homme ! Entrez. Que me vaut le plaisir de votre visite ?

– J'veux pas déranger… J'ai entendu la musique dans l'couloir et…

---

1. « À bientôt, camarade ! »
2. « Repopulons ! Repopulez ! », musique et paroles d'Eugène Poitevin, 1913.

– Ah ! Jeune homme ! Un jeune homme que la musique aspire… et inspire, par les temps qui courent, si cruels et indifférents, ce ne peut être qu'un jeune homme de grande qualité. Voulez-vous vous asseoir ?

– Non merci, m'sieur. Faut qu'j'y aille… mais j'aime bien vot' chanson. « Plutôt la mort que la famine ! », c'est juste, m'sieur, c'est juste.

Et Pierrot s'éclipsa et disparut tandis que le chansonnier, un peu déconcerté, reprenait le chant là où il l'avait laissé sans se préoccuper aucunement du pianiste, qui dut accomplir quelques cabrioles musicales pour se mettre au diapason.

***

Depuis qu'il avait pris à l'étude un jeune notaire pour le seconder, ayant définitivement renoncé à faire de Victor son successeur, Jean Dessange partageait sa vie entre le manoir du Bois-des-Fresnes, à côté de Montdidier, dans la Somme, et son domicile parisien rue Bonaparte. Par miracle, le manoir n'avait pas été endommagé par les obus et les bombardements. Seule une belle grange en pierre avait été détruite.

Ce mardi 13 janvier, le patriarche tenait un conseil de famille. La nouvelle du naufrage de l'*Afrique* l'avait durement accablé et tous les membres de la famille étaient bouleversés. Dans le salon lourdement meublé de fauteuils Louis-Philippe recouverts de velours damassé vert et dont les murs étaient tendus de tapisserie du siècle dernier, Clémentine Dessange, née du Plessis, servait le café avec toute l'élégance requise. Edmond, assis près de lui, tentait de réconforter son père. Son épouse, en grand deuil, s'évertuait à canaliser l'énergie des enfants, les siens et ceux de Victor, qui avaient bien du mal à prendre en compte la gravité du moment. Victor, debout près de la porte-fenêtre qui donnait sur le jardin intérieur, une tasse de café à la main, contemplait avec morosité les arbres rabougris et privés de feuilles, la pelouse hirsute des gelées de l'hiver. Il faisait gris. Un ciel bas et lourd écrasait Paris. Pas un souffle de vent. Edmond sermonnait son père :

– Mais enfin, père, il m'est impossible de vous accompagner aujourd'hui. J'ai une audience cet après-midi au tribunal et une autre demain. Je ne peux absolument pas m'absenter.

– Edmond, je perds aujourd'hui une belle-fille ravissante et deux de mes petits-enfants. Je ne peux pas rester là sans rien faire. Je dois aller à Bordeaux, au moins pour tenter de rapatrier les corps ! Nous devons les enterrer. Je n'accepterai pas que des étrangers s'occupent de leurs dépouilles. Georges ne peut pas être là, il est à des milliers de kilomètres. Il m'a envoyé un télégramme en me chargeant de cette tâche et je dois le faire.

Jean Dessange tendit le télégramme qu'Edmond lut d'un œil distrait.

– Père, je comprends que Georges fasse cette requête, mais nous ne sommes même pas certains de pouvoir récupérer les corps. D'après ce que je sais, quelques-uns sont rejetés par la mer sur les côtes voisines de La Rochelle, mais la plupart sont impossibles à identifier et cela peut prendre des semaines, des mois peut-être, avant que tous soient ramenés à terre. Attendez au moins quelques jours que les autorités portuaires et la police aient déjà

avancé leurs recherches et puissent être plus pré-
cises dans leur analyse de la situation.

– Mais, Edmond, je ne veux pas analyser la
situation, je veux retrouver les corps de mes dis-
parus ! Je dois y aller au plus vite et amorcer les
démarches. Je veux également comprendre ce qu'il
s'est passé et discuter avec ceux qui vont être en
charge de l'enquête. Parce qu'il va y avoir une
enquête, n'est-ce pas ? Comment expliquer que, sur
les trente-trois rescapés, il n'y ait qu'un seul civil ?
Pourquoi l'équipage a-t-il réussi à s'en sortir alors
qu'aucun passager n'a survécu ? Non, je dois aller
là-bas et éclaircir certains points !

– Vous n'éclaircirez rien du tout, père. Vous
ne ferez que gêner les autorités et vous rendre
malade d'énervement et de fatigue. Vous n'êtes pas
raisonnable.

– C'est ce drame qui n'est pas raisonnable,
Edmond. Cesse de m'importuner. J'ai pris ma décision. Je pars cet après-midi, avec ou sans toi !

Victor, toujours à la porte-fenêtre, avait suivi la
conversation. Il se retourna et annonça :

– Je vais accompagner père, je vais aller là-bas
avec lui.

– Toi, Victor ? s'exclama Edmond, mais tu es en
pleine enquête !

– Oui, c'est vrai, mais je peux demander deux
jours au commissaire Blandin. Il s'agit tout de
même de ma belle-sœur et de mes neveux. Il com-
prendra. Et Max peut travailler sans moi pendant
quarante-huit heures.

Jean Dessange posa un regard reconnaissant sur
son fils cadet, dont il n'aurait pas attendu le soutien. Victor sourit au vieil homme, qui avait pris dix
ans en une nuit. Et Victor comprenait. Les décès de

ses proches jalonnaient la vie de Jean Dessange : sa femme, son unique fille, un de ses fils et maintenant deux de ses petits-enfants. Le bilan commençait à être lourd et Victor mesurait combien son père devait ressentir de chagrin. Chaque épreuve s'ajoutait à la précédente et en rouvrait toutes les plaies.

Jean Dessange reposa sa tasse de thé sur le guéridon d'une main tremblante. Comme il avait vieilli, ce père si fringant et si autoritaire avant la guerre. Pourtant sans cesse en conflit et en désaccord avec lui, Victor ne parvenait pas à lui en vouloir. Il avait mené sa vie et celle des siens conformément à ce qu'il pensait être juste. Le vieux monde auquel il appartenait s'effondrait et disparaissait petit à petit. Le malheur frappait aveuglément sa famille, mais il était toujours là, présent, ferme sur ses positions, toujours prêt à l'action. Et Victor ressentait une tendresse immense pour ce père dont le chagrin le touchait davantage que la disparition d'une femme et de deux enfants qu'il ne voyait jamais qu'en de rares occasions, lors de fêtes de famille qu'il tenait, lui-même, à éviter le plus possible.

– Bon, si vous vous y mettez tous les deux, je n'ai plus qu'à m'incliner, reprit Edmond. Alors Victor, tu pars avec père cet après-midi et moi je vous rejoins dans deux jours après mes audiences. Ainsi, Victor, tu pourras rentrer à Paris, et père ne restera pas seul là-bas.

– Parfait, confirma Victor. Ça me va très bien. Mais, père, là tout de suite, il faut que j'aille travailler. J'ai à faire une démarche importante dans le cadre de l'enquête et je ne peux pas laisser Max s'en charger tout seul. De toute façon, il faut aussi

que je passe au 36 prévenir Blandin et lui demander son aval.

– Oui, bien sûr, mon fils. Le train pour Bordeaux
est à seize heures trente. Donnons-nous rendez-
vous à la gare d'Orléans. J'aurai pris les billets, tu
n'auras qu'à attraper le train en gare.

– Très bien, père. Je serai là à temps. Vous pouvez compter sur moi.

– Je te remercie du fond du cœur, Victor.

Victor embrassa ses fils, fit un signe à Clémentine,
salua son frère et sa belle-sœur et se précipita hors
de cet appartement dans lequel il avait tant de mal
à respirer librement.

**

Aucune voiture n'étant disponible au 36, Victor
et Max avaient pris le métro, que Victor détestait.
Il avait chaque fois l'impression de descendre dans
un monde grouillant et nauséabond où toute indi-
vidualité disparaissait. Il n'avait qu'une hâte, c'était
de se retrouver à l'air libre, le ciel au-dessus de sa
tête et le brouhaha familier de la ville dans ses
oreilles. Même les stations aériennes le mettaient
mal à l'aise.

Sans doute le souvenir atroce de la mort d'un
de ses camarades de classe dans l'incendie de la
ligne 2 en 1903 déterminait-il fortement cette répu-
gnance pour le métropolitain, que nombre de ses
contemporains considéraient bien au contraire
comme une des somptuosités les plus époustou-
flantes de Paris. Survenue peu après le double décès
familial, cette tragédie avait profondément marqué
Victor et largement contribué à lui faire envisager
tout nouveau progrès technique avec beaucoup de

circonspection. Il se sentait ainsi douloureusement
divisé entre deux tensions intimes, psychiques et
physiques, qui le tiraillaient sans cesse et que la
guerre n'avait fait qu'accentuer : d'un côté, le désir
d'innovation et d'ouverture, la volonté de réussite
et de prospérité, de changement, de débat, de prise
de risque, la foi dans le droit et la justice, la curiosité multiculturelle et la conviction européenne ;
de l'autre, le désir de stabilité, l'attachement aux
valeurs, aux symboles, le respect de l'ordre établi,
l'amour des traditions, de la nation et de l'armée
– jusqu'à la volonté de domination et d'appropria-
tion. Et cette dualité l'épuisait, se manifestait partout jusque dans l'organisation même de sa vie,
comme une oscillation constante et contradictoire
que mettait en exergue le parcours régulier entre la
rue Bonaparte et la rue Mouffetard, le grand écart
affectif entre Clémentine et Marie, qui incarnaient
respectivement le recto et le verso de sa personne.

Victor et Max émergèrent avec bonheur de la
station aérienne Jean-Jaurès, au-dessus du boulevard de la Villette, qu'ils empruntèrent allègrement jusqu'à la place du Combat. Arrivés en bas
des marches de la rue Asselin, Max, qui avait le nez
dans son plan et dans ses notes, s'écria :
– Là ! Inspecteur, c'est là que le corps de Gabie
a été trouvé. Juste au coin, à quelques mètres du
café, là…
Max s'éloigna du trottoir et se renversa en arrière
pour voir le nom du café, qu'il vérifia sur le document qu'il avait en main.
– C'est bien ça. Le café de la Renommée du
Piccolo d'Auvergne… Vous parlez d'un nom de
café !

– En effet !… Max, va interroger le cafetier, moi, je frappe au 6 ; c'est bien là qu'habite celui qui a signalé le cadavre ?

Max se replongea dans ses papiers :

– Attendez… Oui… 6 rue Asselin ! C'est ça ! Un certain Firmin Dubreuil, né le 28 novembre 1845. Veuf, un seul enfant, mais son fils est mort le 25 août 1914, au cours de la bataille de la trouée des Charmes en Lorraine, fantassin dans la 2e armée. Une balle en pleine tête. Firmin était bœuftier aux abattoirs de la Villette, aujourd'hui à la retraite, mais il fait encore des petits boulots aux abattoirs, où il a ses entrées. C'est tout ce que mentionne le P.-V.

– Parfait. Merci Max. J'y vais.

Victor frappa à la porte, qui s'entrouvrit à peine. La tête du vieux Firmin passa par l'entrebâillement :

– C'est pour quoi ?

– Bonjour, monsieur Dubreuil, Victor Dessange, inspecteur à la Criminelle. Je voudrais vous poser quelques questions sur le corps que vous avez trouvé la semaine dernière.

Firmin, rassuré par l'identité de son visiteur, ouvrit grand la porte :

– Entrez, m'sieur l'inspecteur. Faites pas attention au désordre. Maint'nant qu'j'vis seul, j'raffin'pas la déco. Y a une chaise là, enl'vez c'qu'y a d'ssus et calez-vous.

Victor mit de côté les vêtements qui encombraient la chaise en paille que lui avait désignée Firmin, et jeta un coup d'œil circulaire dans la pièce chichement meublée. Au mur, aucune décoration autre que des photos placées dans des petits cadres rococo et représentant le fils décédé en uniforme, arborant un fusil rutilant et une mine réjouie. Firmin surprit le regard de Victor et crut bon d'expliquer :

– Il a l'air content sur les photos, mon Bernard, 'pas ? Mais vous savez, il est mort trois semaines après son incorporation, alors il a pas eu l'temps d'souffrir beaucoup, pauv'gars ! Pour sûr qu'en 18 z'avaient plus la même tronche, nos soldats !

Sur la table traînaient des restes de saucisson et des miettes de pain, quelques tasses sales et deux morceaux de sucre dont la blancheur contrastait avec la couleur fade et terne de la toile qui la recouvrait.

– Vous voulez un café, m'sieur l'inspecteur ?

– Non merci, monsieur Dubreuil. Je ne vais pas vous déranger longtemps. Vous connaissiez bien Gabie ?

– Oh ! m'sieur l'inspecteur, ici à la Moujol, les femmes, on les connaît toutes ! Les boulangères, les cavettes, les échassières, les primeures, les croissants de la veille, les siroteuses ou les boiteuses, on les connaît toutes ! Et puis, j'suis seul, m'sieur l'inspecteur, alors j'm'prive pas : j'monte à la Moujol et j'fais ma p'tite affaire. Ça marche plus aussi bien qu'avant mais… comprenez ?

– Oui, oui, je comprends, monsieur Dubreuil, et Gabie, elle appartenait à quelle catégorie ?

– Ah, Gabie, c'était une insoumise, m'sieur l'inspecteur, elle entrait dans aucune catégorie comme vous dites. Pas d'carte, pas d'mac, enfin de c'que j'en sais, j'l'ai toujours vue toute seule et faisant la nique à tout l'monde ! Elle v'nait aux 56 Marches. Elle avait ses entrées. Mais m'est avis qu'c'était pas tant pour la gaudriole… mais pour quoi ? Ça, j'sais pas. Mais si faut choisir, j'dirais qu'c'était plutôt une cavette.

– Une cavette ?

– Ah oui ! Vous y connaissez pas grand-chose à c'que j'vois ! Forcément, dans vot'monde, on les paye pas, les greluches, 'pas ? Non, Gabie, c'était pas… comment dire, c'était pas une pro… j'vous l'ai dit, j'sais pas pourquoi elle v'nait, mais j'ai toujours imprimé qu'c'était une cache, quoi…

– Une couverture, vous voulez dire ?

– Voilà, c'est ça, une couverture. Elle avait pas l'gingin d'une tapineuse. Mais c'est Louison la Pierreuse qu'faudrait asticoter, m'sieur l'inspecteur. Elle en sait plus que moi sur Gabie, pour sûr.

– Louison la Pierreuse, qui est-ce ?

– La taulière des 56 Marches. Une sacrée bonne femme, pour sûr, mais un roc, m'sieur l'inspecteur. Des rocs comme ça, y en a plus.

– Bien, je vais aller la voir. Une dernière question, monsieur Dubreuil. Quand vous avez trouvé le cadavre, vous n'avez rien remarqué de particulier ?

– À part qu'elle avait pas cassé sa pipe tout'seule, non. Croyez-moi, m'sieur l'inspecteur, elle a pas oublié d'respirer, la gamine, elle a pas camardé[1] tout'seule, et la saloperie d'chourineur[2], il a déguerpi aussi sec. J'ai rien vu, pour sûr. Même que les guignols[3], y z'ont jamais trouvé l'coupe-sifflet[4]. Ensuite, c'que j'ai vu, c'est l'emballeur[5], quand il l'a mise sur la trotinette à macchabées.

– Je vous remercie, monsieur Dubreuil, je vais suivre votre conseil. Je vais monter aux 56 Marches.

Victor se leva et salua le vieil homme, qui aurait bien poursuivi la conversation :

1. Camarder : mourir.
2. Chourineur : assassin.
3. Guignol : gendarme.
4. Coupe-sifflet : couteau.
5. Emballeur : croque-mort.

– Bonne chance, m'sieur l'inspecteur, j's'rais bien gai d'savoir qu'vous avez chopé l'gazier qu'a fait ça !

Victor retrouva Max en bas de la rue Asselin, puis tous deux gravirent les marches de l'escalier envahi par les mauvaises herbes et dont les pavés se descellaient sous l'effet de l'usure et de la vétusté. Max regardait autour de lui, le paysage sinistre des vieux immeubles insalubres.

– Quel horrible quartier, inspecteur ! s'exclama Max. Quelle misère tout de même. Comment peut-on supporter de vivre ici ? Et ces filles, elles doivent vivre un enfer. Je crois que je commence à comprendre ce que vous m'expliquiez l'autre soir aux Deux Palais. Quelle déchéance ! Ça m'fait froid dans l'dos !

– Ravale tes états d'âme, Max. S'il y a une chose que ces filles ne supportent pas, c'est la pitié. Tu fais comme si de rien n'était. Et laisse-moi parler.

Max n'eut pas le temps de répliquer. Louison la Pierreuse avait vu arriver les deux policiers. Elle ne manquait pas de flair. Elle savait d'instinct de qui il s'agissait et pourquoi ils étaient là. Elle alla à leur rencontre sans chercher à esquiver l'entretien.

– Entrez, messieurs, j'vais vous servir un café. Installez-vous.

Louison dirigea Victor et Max vers la salle de repos des filles, qui s'égaillèrent aussitôt comme une volée de moineaux.

– Vous venez pour la mort de Gabie, n'est-ce pas ?

Victor et Max s'assirent à la table qui trônait au centre de la pièce et acquiescèrent d'un signe de tête.

– Absolument. J'ai besoin de quelques renseignements sur elle. Vous la connaissiez bien ?

– Pas si bien qu'ça. On l'appelait Gabie, mais ce n'était pas son vrai nom. Et je n'ai jamais su comment elle s'appelait en réalité. Elle ne venait ici que très occasionnellement, et je n'ai jamais su ce qu'elle faisait entre-temps, ni où elle tapinait.

Max observait Louison pendant qu'elle parlait. Il mesurait aux plis de son visage le poids de la fatigue, des soucis, des renoncements. Cette femme l'impressionnait. Sous son apparence vulgaire et grossière, il y avait, devinait-il, une élégance intérieure enracinée dans un passé moins sordide que sa vie actuelle. Max s'essayait à deviner ce qu'elle avait pu être autrefois et frissonnait d'effroi en imaginant ce qu'il avait fallu de malheurs et de catastrophes pour qu'elle se retrouvât ici, dans cet hôtel de passe miteux, crasseux et indécent, vêtue de haillons galeux et obscènes, le visage recouvert d'un masque de plâtre qui se fissurait lorsqu'elle souriait. Imperturbable, Louison poursuivait :

– J'ai pourtant appris un jour, par inadvertance, qu'elle fréquentait les milieux anarchistes. Ne me demandez pas qui ni où. Elle ne m'a jamais parlé de rien. J'ai su cela par personne interposée. Et cela ne m'a pas surprise. Gabie avait tendance à prendre la défense de tous les miséreux. Elle nous en amenait parfois à nourrir ou à héberger. Le cœur sur la main, Gabie. Mais ça ne lui a pas porté chance.

– Les milieux anarchistes, vous dites… et Violette, ça vous dit quelque chose ?

– Violette ? Alors là, c'est une autre histoire. Oui, Violette est venue quelques fois aux 56 Marches. Mais je l'ai virée avec perte et fracas !

– Et pourquoi ?

– Eh bien, Violette, elle venait pas faire des passes, elle venait voler tout ce qu'elle pouvait

trouver. Et lorsqu'elle prenait un client, c'était
pour le détrousser et disparaître aussitôt. J'tiens
pas une maison close, inspecteur ; les 56 Marches,
c'est un pauv'bordel sans prétention. On y boit pas
d'champagne et les passes durent pas plus d'un
quart d'heure. Mais y a quand même un minimum
de réputation à tenir. Elle nous faisait du mal, la
Violette, et puis elle était méprisante, avec nous
autant qu'avec les clients. Elle avait la grosse tête et
répétait à qui voulait l'entendre qu'son mac gagnait
plein de pognon rien qu'en claquant des doigts et
qu'sa sœur vivait dans la dentelle. Alors j'lui ai dit
d'aller épater la galerie ailleurs et de ne plus mettre
un pied ici.

— D'accord, et c'était quand, ça ?

— Oh ! c'est pas bien vieux ! Un peu avant la mort
de Gabie, la veille ou l'avant-veille. J'sais plus très
bien. Parce qu'en plus elle cherchait des noises à
Gabie ; elle voulait toujours savoir ce qu'elle faisait, où elle allait, quand elle viendrait à la Moujol.
Gabie l'envoyait paître, mais ça dev'nait pénible.
Et depuis la mort de Gabie, on ne l'a plus revue !

— Tiens, tiens, c'est très intéressant, ça...

— Vous pensez que Violette pourrait avoir quelque
chose à voir avec sa mort ?

— C'est trop tôt pour le dire, mais c'est une piste
qui peut être intéressante. Pouvez-vous me donner
le nom de la personne qui vous a parlé des milieux
anarchistes ?

Louison frémit. Une ombre d'angoisse passa dans
ses yeux, son regard se voila et tout son corps se
raidit :

— Non, ça j'peux pas, inspecteur. Me d'mandez
pas ça. Même si vous m'menacez des pires tortures,
j'vous l'dirai pas.

Victor décida de ne pas brusquer Louison. Il reviendrait plus tard sur ce point, mais il était certain que ce mystérieux informateur était une des clés de l'enquête.

– Je vais vous laisser mes coordonnées. Surtout promettez-moi, si vous apercevez Violette dans les parages, vous me prévenez immédiatement. Glissez-moi un message dans la boîte aux lettres à cette adresse.

Louison prit le papier sur lequel Victor avait noté son nom et son adresse rue Mouffetard. Il se doutait que Louison n'avait pas accès à un téléphone et qu'elle n'aurait guère envie d'entrer au Quai des Orfèvres ; mieux valait lui donner cette adresse que nul ne connaissait en dehors de Marie et Max. Sur ce, ils prirent congé et quittèrent la Moujol. Max frissonnait :

– Elle me fait froid dans le dos, cette femme, inspecteur. Le monde dans lequel elle vit me paraît effrayant et à des années-lumière de moi.

– La misère est toujours effrayante. On peut se réjouir de ne pas la connaître, mais on peut aussi prendre conscience qu'elle est tapie partout, et que n'importe qui peut y sombrer, à n'importe quel moment de sa vie. On n'est jamais à l'abri du malheur, Max, jamais à l'abri d'une perte totale du contrôle de sa vie. C'est peut-être ça qui est le plus effrayant. Être conscient de ça.

Max enfonça les mains dans ses poches et regarda ses pieds fouler le trottoir, intimement convaincu que son chef avait raison.

Victor jeta un œil à sa montre.

– Max, il faut que je me dépêche ! Il est presque quinze heures. Je te laisse. Je dois passer chez moi prendre quelques affaires et filer à la gare.

Je serai à l'hôtel de Bordeaux. Tu m'appelles en
cas de problème. Je rentrerai jeudi dans la journée. En attendant, tu réceptionnes les dossiers de
Quimper et Nantes, et tu les examines par le menu
avec Chassaing.

– Entendu, inspecteur. Pas de problème.

– Ah ! Une dernière chose : tu peux prévenir
Marie de mon départ à Bordeaux. Je ne voudrais
pas qu'elle s'inquiète.

– Je m'en occupe. Bon courage pour Bordeaux
et à jeudi.

Max partit prendre son métro à Jean-Jaurès et
Victor monta dans un taxi sur la place du Combat.

***

Pierrot surveillait assidûment le numéro 11 de
la rue des Saussaies depuis la fin de la matinée.
Cela faisait plusieurs heures qu'il guettait les allées
et venues constantes, caché dans l'angle de la
porte cochère de l'immeuble d'en face. À plusieurs
reprises, il avait dû s'esquiver pour ne pas se faire
remarquer en se glissant dans la cour intérieure
de la maison voisine sans perdre de vue la four-
millante entrée du 11. Il commençait à désespérer.
Aucun visage ne lui était familier, aucune silhouette
ne lui évoquait le moindre souvenir. Il redoutait
d'avoir laissé passer quelqu'un sans le reconnaître.
Il envisageait de revenir le lendemain et sautait
d'un pied sur l'autre pour se réchauffer. Et soudain, la carcasse longiligne d'Albert Singer apparut.
L'homme était engagé dans une discussion animée
avec d'autres comparses au gabarit impressionnant,
parmi lesquels Pierrot reconnut ceux qui lui avaient
couru après au cimetière de Cambronne.

Pierrot resta figé, comme paralysé. Albert Singer n'était pas quelqu'un avec lequel il était en contact à la Muse rouge, mais il le connaissait suffisamment pour savoir qu'il y était fortement impliqué et qu'il participait activement à toutes les réunions qu'organisait Fernand Jack. Le voir là, au milieu des agents de la Sûreté, en parfaite intelligence avec eux, c'était particulièrement troublant. Albert Singer serra la main à ceux qui semblaient bien être ses collègues et leva la tête. Son regard tomba sur Pierrot, interdit et pétrifié. L'espace de quelques secondes, leurs regards se croisèrent. Électrisé, Pierrot finit par sortir de son apathie et prit ses jambes à son cou. Albert Singer, tout aussi éberlué, resta planté au milieu de la chaussée.

Pierrot, lorsqu'il fut certain de ne pas avoir été suivi, ralentit sa course. Il devait se rendre rue Charlot et prévenir Fernand Jack de toute urgence. Fort de cette décision, il se dirigea vers la rue Saint-Honoré pour prendre le métro à la Madeleine. Il devait faire au plus pressé. Pas question de lanterner dans les rues de Paris.

***

– Lorsque nous avons appris le naufrage de l'*Afrique* au ministère, ce fut un véritable branle-bas de combat. Pour nous, c'est une terrible catastrophe : nous avons perdu cinq administrateurs expérimentés, trois pour l'A.O.F. et deux pour l'A.E.F., dont le gouverneur du district de Pointe-Noire qui est actuellement en pleine ébullition en raison des oppositions multiples que nous rencontrons. Mais nous avons aussi perdu une réserve de fonds importante destinée à lancer le chantier de la construction du port et à démarrer celui de la voie ferrée, et sans aucun espoir de récupérer quoi que ce soit. Tout est englouti et sert de nourriture aux poissons par quarante-huit mètres de fond !

Henri Simon, ministre des Colonies, recevait à dîner dans les salons de l'hôtel Montmorin. La table, magnifiquement dressée, réunissait seize convives triés sur le volet et stratégiquement choisis par un ministre tourmenté et plongé dans un marasme politique, économique et diplomatique fort préoccupant. La perte des fonds destinés à l'A.E.F. entraînerait nécessairement une mise en suspension de l'inauguration du chantier. L'Assemblée n'allait pas manquer de se saisir de cette tragédie pour renforcer l'opposition déjà virulente à ce projet de voie ferrée reliant Brazzaville et Pointe-Noire. Il avait la poisse, ce projet. Tout semblait s'allier pour contraindre à y renoncer. Henri Simon avait pourtant rêvé pendant un temps, dès sa nomination, de l'ériger en fer de lance de son action au ministère. Soutenu tacitement par Clemenceau, déjà président du Conseil, et par Stéphen Pichon, ministre des Affaires étrangères jusqu'au printemps 1919, il avait bien cru y parvenir. Mais, trop absorbés par la conférence de la paix et le traité de Versailles, trop investis dans la défense de la Banque industrielle de Chine contre le consortium de la Banque d'Indochine, ses soutiens l'avaient lâché en exigeant que l'étude du dossier soit reportée. Avec les élections et la constitution imminente d'un nouveau gouvernement, Henri Simon voyait s'éloigner toutes ses espérances. Le naufrage et la perte de tous les fonds qu'il avait pu réunir en quelques mois lui faisaient même entrevoir l'hypothèse d'être totalement exclu de toute fonction gouvernementale. Il allait devoir se reconvertir prestement. Il ne manquait pas de pistes, mais il devait bien reconnaître que quitter l'hôtel Montmorin lui fendait le cœur.

Face à lui, à l'autre extrémité de la longue table ovale recouverte d'une nappe crème en fin damassé satiné, son épouse, Ludivine Simon, vêtue d'une ample robe bleue à corset aux parements dorés, étalait ses volutes de taffetas. Impassible et souriante aux propos de son mari, Ludivine Simon tourna légèrement la tête, qu'elle inclina courtoisement vers son voisin de gauche, Alexandre Millerand, ministre des Affaires étrangères et promis aux fonctions les plus prestigieuses, qui prit la parole avec beaucoup d'égards et de précautions, car le moindre écart de langage, le moindre faux pas, pouvait avoir des conséquences fâcheuses :

– Mon cher Henri, personne ne peut vous faire porter la responsabilité d'un tel drame.

– Je sais bien. D'ailleurs, une enquête va être ouverte afin d'examiner les éventuelles erreurs commises par la Compagnie de chargeurs réunis ou par l'équipage lui-même. En tout cas, il est de notoriété que le commandant de bord s'est comporté avec une noblesse et un courage irréprochables. Il est resté à son poste jusqu'à la fin et a coulé avec son bateau sans faiblir.

– Oh ! Mon Dieu ! s'écria Jeanne Millerand. Quelle horreur !

– Que ces dames me pardonnent…, reprit Millerand, confus. Je voulais seulement rassurer notre hôte quant au déroulement du naufrage. Je ne sais que trop bien que les politiques de haut rang comme nous sont en première ligne pour servir de cible à la vindicte populaire et à la presse dès qu'un cataclysme survient.

Profitant de la diversion, Ludivine Simon fit signe au maître d'hôtel. On enleva le consommé de homard et on lança la présentation du saumon. Le maître sommelier entama le service du sauternes, tandis que deux serveurs présentaient aux deux femmes à la gauche et à la droite d'Henri Simon un plat sur lequel s'étalait un saumon entier, l'œil mort, les ouïes et les nageoires tremblantes de gelée.

Lorsque arriva son tour, monsieur Du Boïs, homme d'affaires imposant et précieux investisseur dans les colonies, faillit commettre une bévue qui l'aurait fortement discrédité : son assiette dûment servie, il saisit par mégarde la fourchette à viande. Par bonheur, il s'aperçut aussitôt de son erreur, la reposa discrètement et s'empara avec vivacité de la digne fourchette à poisson. Mais sa voisine de gauche, Luce Murois, épouse du directeur de l'Agence économique de l'A.E.F., Alfred Murois, femme discrète mais observatrice, qui connaissait bien le sieur Du Boïs et en avait déjà évalué les contours, et qui n'avait ni les yeux ni la langue dans sa poche, avait surpris la manœuvre et ne put réprimer un sourire espiègle.

On desservit le poisson et on servit les cailles.

Louis-Lucien Klotz, ministre des Finances, crut bon de prendre la parole :

– Tout cela est bien triste. J'ai été bouleversé par ce naufrage, car un de mes bons amis, Jean Dessange, notaire à Paris et propriétaire à Montdidier, y a perdu trois membres de sa famille, dont deux de ses petits-enfants. Sa belle-fille était venue passer les fêtes à Paris et repartait rejoindre son mari en Afrique. Ce pauvre Jean aura bien du

mal à se remettre de cette disparition, d'autant
plus que les corps semblent perdus à jamais dans
l'Atlantique. Il n'en demeure pas moins que la perte
des fonds coloniaux est une bien ennuyeuse péri-
pétie. Cet argent aurait été bien utile dans d'autres
secteurs. Et on ne manquera pas de nous reprocher
de l'avoir affecté à un projet très contesté et encore
nébuleux.

Puis, se tournant vers Alfred Murois :

– Je pense que vous n'êtes pas sans vous poser
des questions cruciales sur la nécessité d'abandonner ou de poursuivre ce projet. D'autant que
les indigènes en Afrique sont en ébullition et qu'il
est à craindre, dans les semaines qui viennent, des
révoltes et des émeutes qui seraient bien domma-
geables pour tout le monde.

Alfred Murois, occupé à décortiquer une patte de
sa caille, répondit sans lever les yeux :

– La ligne Brazzaville–Pointe-Noire est une
nécessité économique primordiale qu'il faut réaliser quel qu'en soit le prix. Les grandes compagnies
concessionnaires sont prêtes à investir, et ce ne sont
pas des accidents dus à la fatalité ou des révoltes
disséminées et faciles à mater qui les feront reculer.
Après, le choix politique n'est pas de mon ressort,
mais il me semblerait bien incohérent que l'État,
qui affirme sans cesse tenir plus que tout à valori-
ser ses colonies, se départe de cette responsabilité.
Vous en conviendrez, n'est-ce pas ?

Nul n'envisagea de contredire le directeur de
l'Agence commerciale. Millerand, bon enfant, tenta
de faire riper la conversation sur un terrain moins
glissant. Albert Du Boïs, resté silencieux jusqu'ici,
décida de prendre le taureau par les cornes et de

relancer la sulfureuse question des colonies avec
la ferme intention de mettre dans l'embarras tout
ce beau monde qui ne l'invitait que par intérêt et
le traitait en goujat – ce qu'il était, mais ne voulait
pas paraître.

– La politique coloniale en Indochine connaît
quelques flottements, aux yeux des investisseurs en
tout cas. Le Quai d'Orsay semble vouloir soutenir
coûte que coûte la Banque industrielle de Chine
alors que le ministère des Finances souhaiterait
de toute évidence que le consortium de la Banque
d'Indochine, désormais amputé de l'Allemagne et
de la Russie, se rétablisse et retrouve son rayonnement d'avant-guerre. En tant qu'investisseur en
Indochine, je trouverais réconfortant que la situation s'éclaircisse, car il me semble que l'alliance
entre la BIC et le gouvernement chinois n'est pas
au beau fixe. Je me trompe peut-être ?

La déclaration d'Albert Du Boïs, comme il s'y
attendait, jeta un froid. Ce fut Millerand, passé
maître dans l'art de noyer le poisson, qui monta
au créneau :

– Dans les circonstances actuelles, en attente d'un
nouveau gouvernement, il me semblerait super-
fétatoire de vous donner une réponse, monsieur
Du Boïs, même si je comprends vos inquiétudes.

De l'extrémité de la table, Henri Simon fit un
signe à son épouse afin qu'elle fît diversion et
sauvât de l'impasse le Quai d'Orsay et le palais
du Louvre, où la plupart des services centraux du
ministère des Finances résidaient. Ludivine s'exécuta sur-le-champ :

– Avez-vous lu le dernier Goncourt, chers amis ?
Je ne sais pas ce que vous en pensez, mais, pour

moi, Marcel Proust est le premier génie littéraire du XXe siècle.

– Oh, j'ai trouvé ça d'un ennuyeux ! s'exclama Jeanne Millerand, venant docilement soutenir l'effort de son hôtesse.

Les ministres laissaient parler ces dames et se détendaient en dégustant le dessert. La maîtresse de maison se leva et entraîna ses hôtes au salon, où le café était sur le point d'être servi accompagné de fruits exotiques, fraîchement arrivés des colonies.

Ces dames rejoignirent en babillant le salon Louis XVI au parquet en chêne massif recouvert d'un immense tapis d'Aubusson à décor floral sur fond rouge. En chemin, Jeanne Millerand et Ludivine Simon avaient pris quelques instants pour réajuster leur coiffure et échanger quelques confidences :

– Ce Klotz est difficilement supportable, et sa femme est d'une prétention ! Vous avez vu sa robe ! Montrer ses genoux ainsi, quelle impudence ! souffla Jeanne.

– Mais ma très chère, ils sont juifs ! Tous deux. Elle est née Schwartz. Juifs alsaciens, c'est tout dire... Ils ne pensent qu'à exhiber leur argent et accumuler le plus de biens possible. Juifs jusqu'au bout des ongles, je vous dis !

– Ah ! Mais vous avez raison, Ludivine ! Il faudra bien un jour qu'on éloigne du pouvoir et des finances tous ces Juifs ambitieux et avares. Mon Dieu, que les temps sont durs !

Et Ludivine Simon se précipita au salon vérifier que tout son petit monde avait bien en main sa tasse de café, ses sucreries pour les dames, son cognac pour les messieurs, qui étaient prêts à se retirer au fumoir. Car il est bien certain que les temps étaient durs pour tous ceux qui, comme ces convives, passaient des soirées aussi éprouvantes.

Chapitre 8

Chausse-trappes

Pierrot, après s'être éclipsé et avoir quitté la rue des Saussaies, s'était réfugié dans la station fantôme, où il avait passé la nuit. Il lui fallait impérativement contacter Fernand Jack au plus vite. Cette affaire l'écrasait. Il était bien conscient qu'avoir été vu par Albert Singer le mettait en danger, si ce n'était de mort, en tout cas d'arrestation. Il était impossible de rester caché vingt-quatre heures sur vingt-quatre. Il deviendrait fou. La zone auprès de Lulu pouvait être une solution. Mais Pierrot ne voulait pas prendre le risque de mettre en danger sa famille. Grâce avait suffisamment de problèmes. Impossible d'en rajouter. Une autre possibilité était de se cacher à la Moujol, mais, là aussi, c'était risqué. Le tueur de Gabie connaissait la Moujol et l'éventualité qu'il fût lié d'une manière ou d'une autre à Albert Singer n'avait rien de farfelu. Pierrot ne se pardonnerait jamais s'il arrivait quelque chose à Louison ou à l'une de ses filles. Il tournait en rond sur les rails silencieux et obsolètes de sa station quand il s'immobilisa soudain et remonta sur le quai : il devait retrouver Fernand !

Après avoir cherché dans tous les endroits où Jack allait habituellement – de la rue de Bretagne jusqu'au quartier du Temple –, c'est à Montmartre qu'il le trouva, au 6 rue des Abbesses, dans le petit appartement exigu et délabré, deux étages au-dessus de la goguette du Grenier de Gringoire.

– Qu'est-ce que tu fais là, Pierrot ? Viens ! Entre donc, que je te présente à mon ami Samuel.

Le garçon s'exécuta et inclina la tête pour saluer un petit homme chétif mais nerveux et animé d'une ardeur qui semblait dévorer de l'intérieur toute sa personne. Samuel Schwartzbard se leva et s'inclina devant l'enfant de Paris qu'incarnait Pierrot à ses yeux. Fernand expliqua :

– Samuel arrive d'Ukraine. Il nous apporte des nouvelles de la révolution russe. Et ces nouvelles ne sont guère satisfaisantes. Il est passé par Berlin où il a mis la main sur une édition fraîchement sortie des presses d'une pièce de théâtre d'un jeune auteur berlinois totalement inconnu, Bertolt Brecht. Samuel me propose de faire la traduction de *Baal* en français. Formidable, non ? Nous allons nous charger de la diffusion à Paris.

Pierrot observait attentivement l'Ukrainien. L'homme lui paraissait rude. Son bras gauche était mutilé, partiellement inutilisable. Il avait la peau tannée des bourlingueurs, explorateurs de mondes obscurs et sordides, l'œil perçant et mobile des rapaces, toujours prêt à l'attaque, mais toujours sur ses gardes. Le pli qui tirait les coins de sa bouche vers l'arrière révélait une amertume oppressante. L'homme était déçu par ses semblables et avait traversé bien des horreurs et supporté bien des malheurs. Il les portait avec soi comme un fardeau invisible mais accablant.

– Vous connaissez les poètes, m'sieur ?

– Quelques-uns, oui. J'ai toujours apprécié la poésie. Mais ce poète-là, il est impressionnant. Et

crois-moi, petit, il en faut pour m'impressionner.
Sa pièce s'appelle *Baal*, tu connais ce dieu ?

– Pas un poil, m'sieur, mais, moi, la r'ligion, vous
savez, c'est pas mon truc !

– Non, non, je ne te parle pas de religion. C'est
un symbole qu'il faut connaître. Au Proche-Orient,
Baal était le dieu de la fertilité et de la tempête.
Le poète s'y identifie : démoniaque, envoûtant,
libre, asocial et anarchiste. Avec cette pièce, Brecht
pousse un grand cri de révolte dionysiaque. Et c'est
ce cri-là que j'aimerais faire retentir.

Pierrot buvait les paroles de Samuel. Encore un
monde inconnu et troublant qui s'ouvrait à lui. Il en
aurait bien oublié la raison de sa présence. Fernand
le ramena à la réalité :

– Tu m'as cherché, Pierrot, tu avais besoin de
moi ? Parle, ne crains rien. Samuel est un ami
fidèle. Nous nous connaissons depuis longtemps.

– C'est la rue des Saussaies, m'sieur. J'crois qu'j'ai
trouvé qui vous cherchiez : c'est Albert Singer. Il
connaît tout le monde là-bas, c'est comme s'il faisait
partie des gens qui y travaillent.

– Albert Singer ! s'écria Fernand, Mon Dieu !
Mais c'était un des plus virulents hier matin ! C'est
lui, le traître ! Il va falloir faire très attention, car il
sait beaucoup de choses. Il participait à toutes nos
réunions depuis quelque temps. Tu as fait du bon
travail, Pierrot. Heureusement que tu as découvert
ça très vite. Cela va nous éviter bien des ennuis.
Enfin, je l'espère… Il ne t'a pas vu ?

– Si, m'sieur, il a vu que je l'avais r'péré. J'étais
tellement étonné que j'pouvais plus bouger. Vous
pensez qu'il va chercher à m'faire taire ?

Fernand réfléchit quelques instants.

– Tu n'as pas quelqu'un, Pierrot, qui pourrait t'héberger quelques jours au moins ? Le gros gaillard qui était avec toi la première fois que nous nous sommes rencontrés, comment s'appelle-t-il ?

– Ah oui ! Le gros Jacques ! C'était un ami de mon père. Il m'aime bien. Il est cordonnier, et il voulait faire de moi son apprenti.

– Eh bien voilà ! C'est la solution ! Va le voir et accepte sa proposition.

– Mais j'veux pas êt' cordonnier, moi ! J'veux êt' libre et j'veux faire la révolution !

Samuel Schwartzbard éclata de rire en se tapant sur les cuisses :

– Formidable, gamin, tu es formidable ! Mais tu sais, un homme doit avoir un métier, et révolutionnaire, ce n'est pas un métier. C'est un engagement, un don de soi, un sacerdoce, mais pas un métier. Regarde-moi, je sillonne l'Europe de l'Est et je m'investis dans tous les combats, mais j'ai un métier. Je suis horloger. Et aujourd'hui, c'est ce qui va me permettre de vivre à Paris. Crois-moi, c'est indispensable.

Pierrot faisait la moue, la perspective d'enfoncer des clous dans des semelles à longueur de journée ne l'enthousiasmant pas du tout.

– Peut-être que vous êtes horloger, mais vous l'avez faite, vous, la révolution !

– Oui, mais crois-moi, je reviens bien meurtri de ce que j'ai vu en Ukraine et bien déçu de ce qui se passe en Russie. Je suis désolé de t'enlever tes belles illusions, Pierrot, mais la Russie des soviets, c'est une chape de plomb qui est tombé sur la révolution. Elle est en train de générer, à travers un réseau de mouchards et de séides, une classe bureaucratique usurpatrice du pouvoir prolétarien. Ceux qui ont

écrit l'Histoire avec leur sang pour marcher sur les
sentiers de la liberté et de la justice, ceux-là mêmes
sont évincés, bafoués, outragés et assassinés par la
Russie des soviets[1]. Non, une vraie révolution ne
peut être faite que par des hommes libres, lucides,
généreux, qui soient capables de ne pas sombrer
dans le culte d'un chef tout-puissant. Tu as toutes
ces qualités, petit, mais, pour les conserver, il faut
que tu apprennes un bon métier qui garantira ton
indépendance et te donnera la force d'agir et de
penser par toi-même. Tu as raison de vouloir te
battre contre la misère et l'injustice, mais il faut
que tu t'en donnes les moyens.

– Mais Fernand, lui, il est pas cordonnier, ni
horloger. C'est un anarchiste, et il se bat pour la
révolution, et moi, j'veux faire comme lui.

– Il est tailleur de formation, n'oublie pas.
Fernand a choisi une voie difficile, celle de l'art.
Il est poète, comme mon Brecht dont je te parlais tout à l'heure. Ils mettent leur plume au service de la révolution, mais tu ne les verras jamais
prendre un fusil. Ces hommes-là sont des justes et
leur art est aussi leur métier. Ni toi ni moi n'avons
la patience d'écrire et de composer pendant des
heures, n'est-ce pas ?

– Pour sûr, m'sieur, j'sais à peine lire !

– Tu vois. À chacun son métier. Certains
semblent faciles, plus propices à la liberté, mais
c'est un leurre. Chaque métier a ses exigences et
ses contraintes.

– Allez, Pierrot, coupa court Fernand, va trouver
ton cordonnier et mets-toi à l'abri chez lui. Je te

---

1. Samuel Schwartzbard, *Mémoires d'un anarchiste juif*, Syllepse,
2010 p. 223.

contacterai. Dès qu'il n'y aura plus de danger, je te ferai signe. Et ne t'en fais pas, tu vas pouvoir y travailler, à la révolution, fais-moi confiance.

Pierrot quitta la rue des Abbesses confus et perturbé. Il sentait bien qu'il y avait dans le discours de Samuel des vérités importantes qu'il ne pouvait pas négliger, mais il y avait tant de mots qu'ils ne comprenaient pas. Cette colère amère dont il était porteur était troublante. Elle venait confusément s'ajouter aux tensions qu'il avait ressenties entre les anarchistes et les syndicalistes lors de la réunion de la veille. Qu'est-ce qui ne tournait pas rond chez eux ? Il allait bien falloir qu'il arrive à le piger. Il poussa un gros soupir. Il fallait reprendre le métro pour aller rue du Faubourg-du-Temple.

***

Les frères Dupuis vivaient ensemble dans une vieille maison sur l'île Saint-Louis. Le 14 de la rue des Deux-Ponts avait dû, autrefois, être une belle demeure. Le grand porche en forme d'arche, la cour pavée, le vaste escalier et sa balustrade aux quilles de chêne, le petit jardin intérieur avec ses bougainvilliers, ses charmilles, le vieux puits. Mais les lieux étaient délabrés. On pouvait penser qu'aucun travail d'entretien n'avait été fait depuis la construction de la maison au XVIIIe siècle.

En effet, les frères Dupuis laissaient tout en l'état, car ils avaient reçu en 1913 un avis d'expropriation : le côté pair de la rue des Deux-Ponts devait être démoli afin de procéder à un élargissement de la voie. Les deux premières maisons avaient bien été abattues avant la guerre, mais depuis le

chantier était resté en plan. Marcel Dupuis vivait
assis sur son or – la société DU BOÏS & DUPUIS
lui rapportait des fortunes – dans ce logis délabré
et insalubre. Il comptait bientôt investir dans un bel
immeuble de rapport au rez-de-chaussée duquel il
installerait son appartement. En attendant, il partageait ce logis loqueteux, mais plein de charme et de
souvenirs, avec son frère, qui vivait à ses crochets et
dont il allait bien se débarrasser en déménageant.

Fulgence Dupuis portait mal son prénom : ni
audace, ni indépendance chez ce personnage falot,
plutôt triste, introverti mais animé d'une gentillesse
permanente et parfois un peu poisseuse. Fulgence
avait appris à vivre dans l'ombre de son atelier de
peintre aménagé au rez-de-chaussée de la maison,
une vaste pièce encombrée de toiles inachevées, de
pots de peinture, de chiffons, de fioles, de pinceaux
de toutes les tailles et d'un chevalet qui trônait au
centre de la pièce.

Marcel n'aimait pas les œuvres de son frère.
Il trouvait ses paysages ternes et sans âme. Mais
Fulgence s'était lié d'amitié, au cours de ses années
d'apprentissage, avec une artiste méconnue, Jeanne
Hébuterne. Depuis quelques années, cette jeune
femme vivait avec un certain Modigliani, dont les
œuvres semblaient à Marcel d'une originalité fulgurante. « Modi », comme l'appelaient ses proches,
n'était pas très apprécié dans le monde l'art. Il avait
fait scandale dans le sud de la France en expo-
sant des nus et ses tableaux étaient censurés. Mais
Marcel, qui avait l'œil pour repérer les bonnes
affaires, ne doutait pas que ses toiles prissent rapidement de la valeur. D'autant plus que, depuis le
début de l'hiver, Modi était très malade et qu'il était
fort probable, vu la vie qu'il menait, qu'il mourût

assez rapidement. Or, c'était bien connu, les œuvres d'un peintre, une fois qu'il est mort, valent beaucoup plus cher et peuvent même atteindre des sommets faramineux.

Marcel suivait donc avec grand intérêt les efforts démesurés que déployait Fulgence pour aider Jeanne, mère d'une petite fille d'un an et enceinte de huit mois, plongée dans une grande détresse morale et matérielle. Amedeo Modigliani était un artiste au tempérament orageux, alcoolique, séducteur et infidèle, doux comme un agneau lorsqu'il était sobre, mais violent et odieux quand il était ivre, incompris par une société qui ne supportait le dérèglement des mœurs que lorsqu'il était caché, censuré par les autorités. Revenu à Paris en 1919, avec Jeanne enceinte et leur premier enfant, il n'avait pu vendre aucun de ses tableaux et était tombé malade. Ce fut à ce moment-là que Jeanne avait repris contact avec Fulgence, qu'elle avait connu à l'académie Colarossi. Fulgence, aussitôt, avait répondu à l'appel.

Amedeo et Jeanne s'étaient installés dans le quartier Montparnasse, 8 rue de la Grande-Chaumière, où ils pouvaient utiliser l'atelier de Gauguin, qu'ils partageaient avec Soutine. Fulgence s'y rendait quotidiennement, apportait des provisions et des médicaments pour Modi qui tombait fréquemment dans des délires effrayants. Marcel laissait faire son frère et prêtait de l'argent – peu mais régulièrement – avec en tête l'idée qu'au moment venu il réclamerait deux ou trois toiles de Modigliani en paiement.

Ce matin-là, mercredi 14 janvier, Zelinguen s'était installé au bistrot de l'Escale et surveillait, en faisant mine de lire son journal, le trottoir d'en face et plus particulièrement le porche du numéro 14. Il vit sortir Fulgence Dupuis, dont il avait déjà repéré la silhouette. Ce dernier traversa la rue et entra aux bains-douches des Deux-Ponts, son petit nécessaire de toilette à la main.

Les frères Dupuis n'avaient pas installé l'eau courante dans leur maison et se servaient du puits du jardin. L'usage des bains-douches était devenu une pratique quasi quotidienne. Marcel préférait ceux des beaux quartiers. Fulgence avait ses habitudes en face de chez eux.

Quand un autre homme, inconnu, arriva dans la foulée en le suivant de près, Zelinguen sut qu'il tenait quelque chose et régla sa consommation, puis entra à son tour dans l'établissement de bains publics. Après tout, disposer d'informations sulfureuses sur le frère, futur héritier de la fortune de Marcel, ne pouvait pas être inopportun. Ces renseignements seraient précieux et pourraient être vendus un bon prix à son commanditaire. Négligeant les cabines, Zelinguen se dirigea vers les vestiaires et les douches collectives. Il trouva les deux amants en pleine conversation, nus comme des vers et serrés l'un contre l'autre dans un renfoncement entre deux piliers. Zelinguen se tapit dans un coin et tenta de distinguer les paroles qui étaient échangées ; ce qui l'intéressait, c'était de découvrir le nom de l'inconnu. Les deux corps d'hommes s'enlaçaient avec passion. Zelinguen s'éclipsa.

De retour dans la rue des Deux-Ponts, il se glissa derrière le pilier d'une porte cochère et attendit. Fulgence et son ami sortirent l'un derrière l'autre, à quelques minutes d'écart. Fulgence traversa la rue et entra chez lui. L'autre resta sur le trottoir et se dirigea à pas comptés vers le pont Marie pour rejoindre la rive droite. Zelinguen patienta quelque temps, dans l'attente d'une sortie de Marcel Dupuis, car c'était lui, sa véritable cible. Au bout d'un quart d'heure, il vit Fulgence, un sac plein de provisions à la main. Son frère sortit à son tour et lui emboîta le pas en tâchant maladroitement de ne pas se faire voir. Zelinguen riait intérieurement. Marcel Dupuis n'était pas un champion de la filature, et il était clair qu'il suivait son frère en catimini. La situation amusait Zelinguen, d'autant plus que Marcel avait cru bon de se travestir. Il avait enfilé un ample pardessus à carreaux verts trop grand pour lui, et remplacé le chapeau mou par un bonnet de forain.

Ainsi Fulgence Dupuis, suivi par Marcel, suivi par Zelinguen, traversa-t-il le pont des Tournelles et rejoignit la rive gauche pour emprunter le boulevard Saint-Germain. Arrivé à Maubert-Mutualité, il descendit dans les sous-sols du métropolitain. Zelinguen pesta. Il connaissait les difficultés d'une filature dans le métro. Il était douze heures trente et la foule parisienne était dense, pressée d'aller déjeuner. Zelinguen se dit que Fulgence allait sans doute changer de ligne à Odéon et Marcel serait incapable d'assurer la poursuite. Mais, à Odéon, Fulgence resta tranquillement assis, tellement perdu dans ses pensées qu'il ne voyait pas, debout à quelques mètres derrière lui, son nigaud de frère ridiculement attifé, qui, lui-même, ne prêtait aucune attention à l'imposante silhouette de Zelinguen recroquevillé sur un strapontin tout au fond du wagon. Fulgence, tant il était enfoui dans sa méditation, faillit rater la station Notre-Dame-des-Champs et bondit tout à coup alors que la rame était sur le point de repartir. Zelinguen s'était méfié. Il s'était levé et se tenait debout près de la porte depuis deux stations. Il put donc sortir à temps. Mais Marcel réagit trop lentement et Zelinguen put apercevoir par la fenêtre son air déconfit et lamentable.

Fulgence remonta la rue Notre-Dame-des-Champs jusqu'à la rue de la Grande Chaumière. Il entra au numéro 8, dans un atelier de peintre prolongé par une vaste véranda qui donnait sur la cour intérieure. Sur la porte d'entrée était inscrit un nom en lettres capitales :

AMEDEO MODIGLIANI
Peintre et Sculpteur

Zelinguen se glissa dans la cour et jeta un œil à l'intérieur de la véranda. Fulgence discutait avec une jeune femme enceinte de huit ou neuf mois, le visage marqué par les nuits de veille, les larmes et l'inquiétude. Il lui remit le panier de provisions et s'avança à l'intérieur de l'atelier, disparaissant ainsi du champ de vision de Zelinguen, qui se cacha dans une remise attenante. Marcel arriva sur ces entrefaites. De toute évidence, il connaissait l'adresse. Il frappa à la porte avec virulence, énervé sans doute d'avoir dû courir. La femme vint lui ouvrir et appela Fulgence. Les deux frères sortirent et tinrent conciliabule dans la cour. Tel qu'il était caché, Zelinguen ne perdait pas un mot de leur conversation sans prendre le moindre risque de se faire voir.

– Pourquoi m'as-tu suivi jusqu'ici ? demanda Fulgence.

– Tu ne cesses de m'emprunter de l'argent. Et je sais bien que tu ne pourras pas me le rendre. Alors je prends des mesures.

– Mais ce n'est pas pour moi !

– Je le sais bien. Raison de plus. Que tu veuilles aider ces traîne-la-rue, à ta guise, mais avec mon argent, alors là, j'ai tout de même mon mot à dire !

– Mais tu ne sais pas quoi en faire, de ton argent ! Moi, je te donne l'occasion d'en faire un usage bénéfique. Mon amie Jeanne est dans un désarroi extrême. Son compagnon est très malade.

– Très bien. Mais alors, puisque tu me dis qu'il n'arrive pas à vendre ses tableaux, demande à Jeanne de me choisir deux ou trois toiles. Je les prendrai en paiement de la dette. C'est cohérent, non ?

– Si tu y tiens… oui… Je dois pouvoir obtenir ça…

– Parfait ! Et demande des portraits. De ce que j'ai vu, c'est ce qu'il fait de mieux, ton « Modi », de plus original en tout cas. Tu me les ramènes tout à l'heure. Je serai à la maison des Deux-Ponts vers dix-neuf heures. Et je te fiche la paix. Marché conclu ?

– Oh ! Avec toi, il faut toujours conclure un marché ! Mais, d'accord, je vais demander à Jeanne de me donner deux portraits. Ne viens pas en redemander tous les jours, n'est-ce pas !

– Un marché est un marché. De toute façon, je serai absent pendant quelques jours. Je suis chargé de surveiller un arrivage de marchandises au Havre.

Zelinguen, tapi dans sa cachette, jubilait. Il avait tous les renseignements qu'il cherchait. Rien ne serait plus facile que de faire disparaître Marcel Dupuis pendant son séjour au Havre. En outre, il connaissait bien la ville pour avoir passé quelques mois sur les docks avant la guerre, avant d'être envoyé en bataillon disciplinaire.

Les deux frères se séparèrent. Fulgence rentra dans l'atelier, et Marcel repartit vaquer à ses affaires. Zelinguen attendit un peu et sortit de sa cachette, décidé d'aller se restaurer au Dôme.

Il achevait son assiette en fomentant son plan. Vendredi, il travaillait aux abattoirs. Il rejoindrait Le Havre en fin d'après-midi. Le soir même, il agirait. Au pire, le samedi, si les choses se compliquaient. Pour bien faire, il aurait besoin de Violette. Elle ferait une excellente assistante, d'autant plus qu'il allait falloir l'éliminer elle aussi. La police était sur ses traces. Sa gourde de sœur à la Fleur blanche avait beaucoup trop parlé. Agir au Havre était une excellente idée, une façon habile de dérouter l'enquête de police. Quant aux affaires parisiennes, Zelinguen ne doutait pas que le piège qu'il avait manigancé allait bientôt se refermer sur cette ordure de Valentin Daubier. Mais, pour cela, il ne devait prendre aucun risque. Il fallait supprimer Violette. Zelinguen éructa de satisfaction. Rassasié, satisfait, au clair avec son programme, il quitta le café du Dôme. Une bonne sieste dans l'immédiat s'imposait. Ce soir, il mettrait la main sur Violette et peaufinerait son plan havrais tout en se soûlant de sexe. Zelinguen sourit d'aise et s'engouffra dans Paris.

***

À l'hôtel du Midi, l'humeur était à la morosité. La salle était déserte et seuls quelques clients au comptoir marmonnaient dans leur bière. Max tendait l'oreille, guettait le moindre mouvement. Une fille descendit et salua le taulier en sortant, suivie d'un vieil homme au regard lubrique qui vint régler sa passe au comptoir.

Max avait décidé, en l'absence de Victor, de se rendre au point de rendez-vous indiqué à la dernière ligne du message du carnet noir : « RV HOTEL DU MIDI 9 JANVIER 12H 1500F ». Sur les conseils de Chassaing, il avait travaillé son apparence. Dans les placards de la Criminelle, on avait trouvé une casquette d'ouvrier, une vieille veste usée dans un tissu épais et indéfinissable, des galoches à tige de fer. Ainsi vêtu, Max avait toujours fière allure. Alors Chassaing lui avait dessiné des cernes avec une mine de crayon et mouillé les cheveux pour ébouriffer sa coiffure. « Il faudrait des moustaches pour vous vieillir un peu… Vous avez toujours l'air d'un jeune premier… » Qu'à cela ne tienne, Max s'était employé à tacher son pantalon avec de l'encre noire et à froisser une vieille écharpe qu'il s'était enroulée autour du cou. Convaincu d'être méconnaissable et d'avoir réellement l'apparence d'un garnement mal fagoté, il avait pris le métro jusqu'à Barbès et trouvé sans difficulté la rue de la Charbonnière, dans laquelle il s'était engagé en frissonnant.

Mais là, au comptoir du Midi, affalé devant le Picon-bière qu'il avait demandé pour faire plus viril et qu'il n'arrivait pas à boire, il commençait à douter de l'efficacité de sa couverture vestimentaire. Les regards furtifs qu'on posait sur lui se chargeaient de méfiance et de mépris.

– T'es nouveau dans l'quartier, p'tit gars. J'ai jamais vu ta trogne, moi, s'exclama le patron en s'approchant de lui, m'est avis qu't'as encore jamais traîné ton p'tit cul par ici, pas vrai ?

En réponse, Max avala une gorgée de son Picon-bière. L'alcool lui fit du bien et lui donna un peu d'assurance.

– Non, j'suis pas d'ici, mais j'cherche quelqu'un qui vient chez vous d'temps en temps, répondit Max en tentant, sans grand succès, de donner à sa voix les intonations traînantes des gens du peuple.

Le patron se pencha au-dessus du comptoir et approcha son visage tout près de celui de Max.

– Bah ! On n'aime pas trop les gens qui cherchent quelqu'un, nous. Ici, on vient, on sort, et ça r'garde personne, tu vois ? On passe incognito en que'que sorte. Alors, moi, j'te dis d'finir ton verre et d'te casser illico presto. Conseil d'ami.

– En fait, j'cherche une fille… elle s'appelle Violette. Vous la connaissez ?

Le patron se redressa brusquement et regarda Max en plissant des yeux.

– Qu'est-ce que tu lui veux, à la Violette ? Attention ! La Violette, c'est chasse gardée ! Si tu la veux dans ton lit, va falloir payer très cher.

– Non, non, j'veux seulement lui parler. Vous savez où j'peux la trouver ?

– Lui parler ? répliqua le patron en fronçant le nez et les sourcils, l'air mauvais. Elle parle pas, la Violette, p'tit gars, elle baise, c'est tout. Les filles, ici, elles sont pas payées pour jaspiner. Tu t'es trompé d'adresse. Finis ton verre et déguerpis avant qu'on t'casse la gueule !

Max ne se le fit pas dire deux fois et sortit précipitamment sous les rires des piliers de comptoir. Arrivé au coin de la rue, il se dit qu'il pouvait essayer d'attendre un peu. Si Violette venait à l'hôtel du Midi en fin de journée, il pourrait peut-être l'aborder. Il ne l'avait jamais vue, mais il savait que c'était la sœur jumelle d'Irma. Il devrait bien arriver à la reconnaître.

Il s'enfonça dans un recoin de la rue, à proximité de l'établissement. Il vit un des poivrots du comptoir sortir et revenir quelques minutes plus tard, suivi par trois gaillards à la mine patibulaire qui se dirigèrent droit sur lui. Tout alla très vite. Max se sentit soulevé dans les airs, porté sur quelques dizaines de mètres par le col de sa veste et balancé sur le pavé sans ménagement. Alors qu'il se relevait, un coup de poing redoutable le renvoya à terre sur le dos et les coups de pied se mirent à pleuvoir, meurtrissant tout son corps. Six pieds en action dans un furieux élan. Un des trois sbires fit signe aux deux autres d'arrêter et se pencha :

– Tu fous l'camp, d'accord. Et si tu r'viens ici, on s'arrêtera pas. T'es mort !

Et ils disparurent tous les trois aussi vite qu'ils étaient apparus. Max mit quelque temps à reprendre ses esprits. Il était désormais évident que l'hôtel du Midi n'était pas un établissement recommandable, et que ladite Violette avait des protections bien louches. Et Max reprit le chemin du 36.

– Par saint Georges ! s'écria Chassaing, dans quel état ils vous ont mis ! Et pas la peine d'essayer de cacher votre expédition à Victor. L'œil au beurre noir sera toujours visible demain ! On va se prendre une belle danse, l'ami, avec vos idées saugrenues. Se méfier du terrain, Max, je l'ai toujours dit, et jamais seul, ne jamais y aller seul, c'est une règle de base ! Ah ! L'esprit aventureux de la jeunesse ! Quelle foutaise ! Ils auraient pu vous tuer !

– Ça va comme ça, Chassaing, je n'ai rien de grave. Même pas une côte cassée. Les bleus, ça se résorbe tout seul. L'œil au beurre noir aussi, d'ailleurs. Il est fort probable que demain soir, pour le retour de Victor, ce soit plutôt un œil violet avec un peu de jaune autour. J'ai pris une raclée et j'ai compris la leçon. Maintenant, il faut qu'on s'attaque aux dossiers. Vous m'avez dit qu'on les avait reçus…

— Oui, ils sont sur votre bureau, et on a aussi les autopsies de Gemeley pour nos trois cadavres, Li, Apolline et Gabie.

— Bon ! Alors au travail !

Le dossier de Quimper était mince comme une allumette, mais contenait de nouvelles informations déterminantes. Une fiche marquée de rouge signalait un fait nouveau dont l'importance sauta immédiatement aux yeux de Max.

— Mince ! Chassaing, à Quimper, ils ont perquisitionné chez le voleur de voitures et ils ont trouvé l'arme du crime : le marteau, même pas nettoyé, couvert de sang. Ils font procéder à l'analyse. Le gars, un certain Valentin Daubier, est actuellement en garde à vue. Lors de son premier interrogatoire, il a tout nié en bloc et affirmé qu'il n'avait jamais vu ce marteau, qui est d'ailleurs plus une masse qu'un marteau si on en croit le cliché…

— Alors ça ! Qui aurait pensé que Quimper détenait la clé du mystère !

— Attendez, attendez, n'allons pas trop vite. Attendons les résultats de l'analyse du sang sur le marteau, mais l'interrogatoire du gars est tout de même troublant : c'est un ancien légionnaire.

— Je me souviens, reprit Chassaing, que Victor avait suggéré que le code, habile mais tordu, du carnet noir avait sûrement été conçu par un ancien soldat, peu cultivé mais rompu aux secrets militaires. De mémoire, ce sont ses propres paroles.

— Exactement, continua Max, et attendez la meilleure : nos collègues de Quimper n'ont pas pu interroger Daubier avant lundi dernier parce qu'il n'était pas à Quimper. Et vous savez où il était ? Je vous le donne en mille !

– À Paris ?

– Absolument, à Paris. Il a pris le train à Quimper le lendemain du meurtre de Farget, c'est-à-dire le 22 décembre, pour, dit-il, passer les fêtes auprès de sa sœur qui habite dans le quartier de la Chapelle, 12, rue Pajol. Son mari travaille à la Compagnie des chemins de fer de l'Est. Et vous savez comment il s'appelle, ce mari ? Gontran Levivier ! Bien sûr, les collègues de Quimper n'avaient jamais envisagé de lien avec le meurtre de Lucie Levivier puisqu'ils n'en avaient même pas connaissance !

– Mais je croyais que Levivier n'avait pas d'enfant !

– C'est un fils naturel qu'il a eu jeune homme avec une danseuse de cabaret et qu'il a reconnu avant de les abandonner, lui et sa mère, pour partir s'installer à Nantes et reprendre la mercerie familiale dont il héritait à la mort de ses parents. Enfin, c'est ce que mentionne le procès-verbal de l'interrogatoire. Tout cela est à vérifier. C'est dingue, non ? Tout se met en place, comme les morceaux d'un puzzle.

– En effet, c'est ahurissant ! Tout concorde avec les mentions du carnet noir. Et quand est-il rentré à Quimper, ce Daubier ?

– Le 9 janvier, répondit Max en fouillant dans ses papiers. Or, le meurtre de la Moujol a eu lieu le 6 janvier et celui des Moulins, le 8 janvier. Notre bonhomme a eu tout le temps de les exécuter et de prendre tranquillement son train pour rentrer chez lui. Incroyable ! Les collègues de Quimper nous transmettent le plus rapidement possible les analyses de sang et se mettent en contact avec Nantes pour vérifier la concordance avec le meurtre de Lucie. Ils nous demandent de procéder à l'inter- rogatoire de la sœur : Madeleine Levivier. Eh bien, j'en connais un qui va tomber des nues en rentrant. Je ne crois pas qu'il s'attendait à ça !

– Oui, Victor ne va pas en revenir, mais vous aviez raison tout à l'heure. Nous ne devons pas trop nous précipiter. Attendons d'abord les analyses sanguines et prenons le temps de mettre tout à plat et de réfléchir.

– C'est vrai. J'ai le sentiment que tout se bous- cule, et là, pour moi, ça va trop vite.

– Ah ! Serait-il possible qu'un grain de sagesse germe dans cette jolie petite tête d'inspecteur ?

***

Dans la luxueuse et lumineuse salle à manger de l'hôtel de Bordeaux, Jean Dessange dînait en tête à tête avec son fils après une journée éprouvante et désespérante.

Jean Dessange avait loué une voiture en tout début de matinée après avoir rencontré les autorités portuaires. On avait assuré à monsieur Dessange et à son fils que tous les gardes-côtes étaient mobi- lisés pour chercher les corps qui s'échoueraient ou dériveraient à proximité de la côte. Pour le moment, après deux jours de recherche intensive, on n'avait trouvé qu'un canot vide et un radeau avec à son bord deux souliers, trois ceintures de sauvetage et deux couvre-chefs, mais aucun corps. On leur avait également annoncé qu'une opération d'envergure avait été lancée à l'aube : un dirigeable de la Défense de Rochefort survolait toute la zone concernée. Cependant il faudrait des semaines pour que les corps réapparaissent et il était impossible de savoir où... sur les plages, sur les rochers, dans les filets des pêcheurs... ni dans quel état...

Jean Dessange, qui n'en finissait plus de mâcher le morceau de viande qu'il avait en bouche, fit un effort pour avaler et but une gorgée de vin.

– Je serai reçu jeudi par le préfet. Une enquête est en cours concernant l'éventuelle responsabilité de la Compagnie des chargeurs réunis. J'ai aussi rendez-vous avec l'unique rescapé civil. Il n'a pas cru bon de rejoindre les autres rescapés pour subir l'interrogatoire des autorités. Il est venu à Bordeaux dès qu'il a retrouvé la terre ferme aux abords de Royan, et il a donné sa version des faits à *La Petite Gironde*. Mais le journal, prudent, a préféré ne pas publier. Un drôle de sire sans doute, ce type, mais il peut peut-être nous donner des informations importantes.

– À quelle heure avez-vous rendez-vous ? demanda Victor.

– À dix heures, demain matin. Je lui ai dit de venir au bar de l'hôtel et de demander monsieur Dessange.

– Vous êtes sûr qu'il viendra ?

Jean Dessange haussa les épaules.

– Je ne suis sûr de rien. Je l'ai croisé sur les quais ce matin pendant que tu discutais avec les gendarmes. Il avait l'air un peu perdu. Je ne sais pas ce que vaut son témoignage, mais c'est au moins quelqu'un qui a vécu le drame. Il est vrai qu'il voyageait en troisième classe. Il n'a peut-être pas vu madame Georges Dessange et ses enfants.

– Père, vous pourriez tout de même l'appeler par son prénom, vous ne croyez pas ?

– Je ne prononcerai jamais plus ce prénom. Je me le suis juré et je m'y tiendrai. Je sais que ma belle-fille en souffrait, mais c'est ainsi.

Jean Dessange se renfrogna et s'attaqua à nouveau à son entrecôte, qui lui parut encore moins appétissante que lorsqu'on la lui avait servie.

– Père, il faudra bien un jour pourtant que vous acceptiez le suicide d'Élizabeth et que vous tourniez la page. Ce n'était pas la faute de votre belle-fille si elle portait le même prénom !

Jean Dessange resta silencieux et mâchait consciencieusement la nouvelle bouchée qu'il avait enfournée. La viande l'écœurait d'autant plus qu'elle était désormais à peine tiède. Il appela le maître d'hôtel et demanda qu'on lui réchauffât son assiette.

– Je n'ai pas entendu ce que tu as dit. Passons à autre chose, veux-tu.

– Mais vous ne pouvez pas faire comme si tout ce qui vous blesse n'existait pas !

– Oh ! répondit Jean avec virulence, mais je ne nie pas tout ce qui me blesse, mon cher fils. Je suis bien obligé par exemple de prendre en compte tes frasques quand tu assures à ta femme que tu passes deux jours avec moi dans un lieu où je ne suis pas et où, de toute évidence, tu ne mets pas les pieds !

Victor se sentit rougir jusqu'à la pointe des oreilles. C'était bien la méthode de son père, d'attaquer par surprise. Il n'avait pas vu le coup venir, mais il reconnaissait que c'était habile de sa part, même si le moment était vraiment mal choisi. On ramena à Jean Dessange son assiette réchauffée. Le vieil homme n'y toucha pas et regardait son fils d'un œil fixe et accusateur.

– Écoutez, père, je sais que c'était maladroit et grossier de ma part. Mais j'aime profondément

Marie et n'ai pas l'intention de mettre fin à cette liaison. J'ai épousé la femme que vous exigiez que j'épouse. J'assume mon rôle d'époux et de père autant que je le peux, et je l'assumerai jusqu'au bout. Vous ne pouvez pas m'en demander davantage. Je garde mon jardin secret et je ne laisserai personne m'en priver.

— Tu assumes, tu assumes… c'est bien vite dit, mon fils. Pour l'instant tes enfants sont petits. Ils ne sont pas trop regardants. Clémentine fait preuve d'un calme et d'une patience remarquables. Mais cela ne durera pas. Et que feras-tu quand tes fils te poseront des questions, quand ils t'accuseront de délaisser leur mère et de la faire souffrir ?

— Clémentine ne souffre pas. Elle trouve simplement que mon comportement n'est pas convenable. C'est, en tout cas, tout ce qu'elle a trouvé à me dire dimanche soir.

— Ne t'y trompe pas, Victor. On peut parfois préférer cacher son désespoir derrière un mur d'indifférence et un respect désespérant des convenances. Les conventions sociales et les règles de courtoisie et de moralité ne sont pas là uniquement pour contraindre à l'hypocrisie. Elles sont aussi un appui précieux, un cadre qui vous tient debout. Qui peut mieux que moi le savoir, n'est-ce pas ? Mais il y a tant de dangers à laisser libre cours à sa sensibilité et à sa sincérité.

— Quels dangers ?

— Les plus terribles à mes yeux, celui de perdre le contrôle de sa vie et celui de voir le mépris dans les yeux des autres, de ses proches et des moins proches.

— Le regard des autres m'indiffère.

– Tu ne diras peut-être pas toujours cela, et ce jour-là, tu repenseras à notre conversation de ce soir. Mais il sera trop tard.

Jean Dessange et son fils firent desservir le plat auquel ils avaient à peine touché et optèrent pour un cognac en guise de dessert, qu'ils allèrent prendre dans les larges fauteuils du bar de l'hôtel.

– Je ne suis pas certain, dit Jean Dessange en s'asseyant et en prenant son verre en main, que cela soit très raisonnable, mais j'ai vraiment besoin d'un remontant et l'entrecôte ne passait pas.

– Sur ce point, je vous rejoins tout à fait.

Jean Dessange regarda son fils avec affection.

– Je te remercie, Victor, d'être avec moi ce soir et d'écouter mes propos de vieillard. Je supporte bien mal l'air du temps et cette modernité qui applaudit à toutes les perversions et à tous les dérèglements. Mais je ne suis pas idiot. Je sais bien que, quoi que j'en pense et en dise, c'est elle qui imposera sa loi. Le monde est inéluctablement poussé vers son destin, mais je redoute, aujourd'hui, l'avenir.

– J'entends bien vos craintes et vos amertumes. Je conçois que ce soit pénible pour vous de voir disparaître l'ancien monde dans lequel vous avez vécu, ce monde d'hier qui vous est si cher. Je peux comprendre que le monde de demain vous effraie. Je ne prétends pas d'ailleurs ne ressentir aucune inquiétude. Mais je voudrais, malgré les malheurs qui nous frappent, que vous fassiez l'effort de profiter du présent qui nous reste à partager. C'est d'ailleurs la raison essentielle de ma présence à vos côtés ce soir. Et ce ne sont pas les convenances qui m'ont fait faire ce choix, mais bien l'affection et le respect que je vous porte.

Jean Dessange s'abîma dans la dégustation de son excellent cognac Courvoisier Fine Champagne vingt ans d'âge, et Victor crut apercevoir, bien que son père tînt les paupières baissées, une larme perler au coin de son œil gauche.

***

Dans la salle de réunion de la rue Charlot, Fernand Jack était entouré des membres les plus actifs de la Muse rouge. L'équipe, animée d'une effervescence chaleureuse, préparait dans l'urgence l'édition d'une revue qui devait être imprimée dans la nuit et paraître le lendemain matin. Fernand, Henri Chassin, Sébastien Faure, François-Henri Jolivet et Charles d'Avray[1] retenaient pour cette publication des textes de poèmes et de chansons agrémentés des dessins de Maximilien Luce et de jeunes artistes militants. On avait prévu de tirer à cinquante mille exemplaires ce numéro exceptionnel, et des chauffeurs-livreurs devaient venir récupérer de stocks de journaux rue Charlot pour les transporter dans les grandes villes de France. Pierrot, en observateur, regardait, fasciné, le travail des artistes. Au centre de la grande table de travail, les pages se construisaient peu à peu tant bien que mal. Il fallait remettre la maquette avant minuit. Il était presque onze heures. Jules, l'imprimeur en chef, était déjà arrivé et préparait ses presses et ses encres avec deux ouvriers dans l'atelier du rez-de-chaussée. Charles d'Avray positionnait son éditorial, tandis que Maximilien Luce achevait

---

1. Personnalités historiques ayant fondé et animé la Muse rouge.

tout juste le dessin de couverture. Tout en haut du cadre, la devise anarchiste des anciens, « Ni dieu ni maître », en lettres noires et majuscules. Sous le titre du numéro une citation de Louise Michel en belles anglaises calligraphiées : « *Je voudrais que tout le monde fût artiste, assez poète pour que la vanité humaine disparût.* »

Les ouvriers étaient au taquet. On avait fermé les volets qui donnaient sur la rue. On se servit un café qu'on était allé chercher dans la soupente. On plaisantait. On échangeait des anecdotes de militants. Et, soudain, le temps se figea.

Des coups frappés aux fenêtres. La porte d'entrée enfoncée. Une horde de fous furieux qui entre dans l'atelier et se met à tout casser à coups de barre de fer en poussant des cris sauvages. Tout vole en éclats, les plaques métalliques sont tordues, les lampes brisées en mille morceaux, l'encre est renversée et souillée. Deux hommes s'acharnent sur la rotative, d'autres débusquent les deux ouvriers, qu'ils frappent en continu. Jules parvient à se réfugier dans la soupente, mais il est poursuivi. Il tente de se protéger avec ses bras, mais les coups pleuvent avec une telle force qu'il se retrouve à terre et perd connaissance. Au premier, le boucan infernal du saccage interrompt les dernières touches de la mise en pages. Mais les anarchistes n'ont guère le temps de réagir ou de se préparer. Une tornade les emporte. La maquette est déchirée, broyée, la table est fracturée en deux, les chaises volent à travers la pièce, les fenêtres sont fracassées, la grande bibliothèque est démantibulée et les livres sont piétinés. Les vandales, vêtus entièrement de noir et cagoulés jusqu'aux yeux, se déchaînent et crachent leur haine à grand renfort de cris inarticulés et rauques. Fernand Jack, assommé, gît inconscient dans un angle de la pièce désormais ravagée.

Aussi rapidement qu'ils étaient entrés, sur un signe de leur chef, les vauriens enragés disparurent, laissant derrière eux comme un champ de ruines. En partant, l'un d'eux lança dans la salle une grenade suffocante à l'acide bromoacétique. Un autre, en quittant le local, jeta in extremis deux bouteilles remplies d'essence et prolongées d'une mèche en tissu imbibé préalablement enflammée.

Pierrot avait réussi à se cacher dans un placard du couloir et sentit aussitôt la fumée qui montait par l'escalier. Dans la salle de travail, les camarades toussaient et pleuraient sans parvenir à reprendre leur respiration. Pierrot descendit en trombe. Par miracle, l'une des bouteilles ne s'était ni brisée ni enflammée. Il la saisit et la jeta dans l'évier de la soupente. L'autre avait éclaté sous la vieille rotative, dont la structure en fonte résistait au feu qui démarrait. Mais la réserve de bobines de papier à proximité, prêtes à être posées sur les enrouleurs, commençait à prendre feu. Pierrot se précipita, attrapa une vieille couverture qui traînait par terre et entreprit d'éteindre le départ de feu en le piétinant.

À l'étage, Fernand avait repris connaissance. L'atmosphère dans la salle était irrespirable malgré l'air froid qui entrait par les fenêtres brisées. Il fit sortir tout le monde, et on porta le pauvre Maximilien Luce toujours inconscient. Clovis Poirier fulminait et crachait ses poumons en même temps que le venin de sa colère. Eugène Bizeau avait le visage en sang et quelques côtes cassées. Il avançait péniblement en se tordant de douleur.

Charles d'Avray avait l'épaule démise et le nez cassé. Fernand achevait d'évacuer sa troupe quand il prit conscience tout à coup que Pierrot n'était pas parmi eux. Il descendit à grandes enjambées malgré les éclairs de douleur qui martelaient son crâne. Il vit Pierrot en pleurs piétinant avec rage le feu qui refusait de s'éteindre.

– Ne reste pas là, Pierrot, sors, on va appeler les secours !

– Jules est dans la soupente. Il est salement amoché. Et si le papier s'enflamme, tout va brûler ici ! J'peux pas m'arrêter !

Fernand, dévasté par l'état de l'atelier, était encore plus meurtri par le visage couvert de larmes de Pierrot, avec lequel il s'était un peu fâché en début de soirée parce qu'il ne voulait pas que l'enfant quittât la rue du Faubourg-du-Temple où il s'était réfugié. Il prenait conscience que, si la maison de la rue Charlot ne finissait pas en cendres, ce serait grâce à lui, à son courage et à son entêtement. Il appela un des ouvriers pour l'aider à transporter Jules à l'extérieur, puis il revint prêter main-forte à Pierrot en utilisant la grande pèlerine que lui avait passée Charles d'Avray. Les secours arrivèrent au bout d'une heure, alertés par un voisin qui avait couru jusqu'au poste de police le plus proche. Le feu fut rapidement maîtrisé. On emmena Jules à l'Hôtel-Dieu. Son état était sérieux, mais sa vie n'était pas en danger.

Un peu plus tard dans la matinée, on apprit qu'une expédition du même genre avait été menée à Montmartre dans les locaux de l'imprimerie du journal hebdomadaire des syndicalistes. *La Bataille syndicaliste*[1] ne paraîtrait pas non plus. Et l'imprimerie avait été ravagée encore plus durement, car les syndicalistes n'avaient pas de Pierrot dans leurs rangs, et l'immeuble dans lequel se trouvait l'imprimerie avait en grande partie brûlé.

Pierrot et Fernand, misérablement assis sur le seuil du 8 rue Charlot, le visage encore marqué par le noir de fumée, les traces de larmes et les traces de coups, se réconfortaient en se disant qu'eux, au moins, avaient toujours leur local. Pierrot partit finalement pour la rue du Faubourg-du-Temple afin de ne pas être en retard à son travail. Le Gros Jacques, s'il était prêt à laisser à Pierrot une certaine liberté, ne plaisantait pas avec les horaires. Fernand serra contre lui son jeune militant et le regarda s'éloigner en retenant les sanglots qui l'assaillaient.

Ce fut la 1re brigade mobile qui fut dépêchée sur les lieux. L'inspecteur Pierre Lesure arriva vers onze heures, accompagné de deux brigadiers à moustache. Il posa quelques questions, nota quelques réponses sur un carnet de cuir rouge, exigea de voir les documents officiels relatifs au 8 rue Charlot : identité du propriétaire, bail, activité de l'association, liste des membres, etc. Le tout sur un ton rogue qui masquait bien mal le mépris dans lequel il tenait les anarchistes, et l'indifférence qu'il concevait pour le drame qu'ils venaient de vivre. Ce fut Clovis Poirier qui se chargea de répondre à ses questions. Il fut convoqué rue des Saussaies l'après-midi même afin de présenter les papiers

---

1. *La Bataille syndicaliste* : quotidien de 1911 à 1915, hebdomadaire à partir de 1919 ; organe officieux de la CGT.

qu'il n'avait pas sous la main. L'inspecteur Lesure
fit le tour des locaux sans grande conviction. Il prit
soin, cependant, de ramasser la grenade dans la
salle du premier et de la subtiliser discrètement. Il
interrogea encore quelques militants restés auprès
de Fernand.

– Avez-vous vu vos assaillants ? Pouvez-vous les
décrire ?

Un jeune militant, dessinateur et caricaturiste,
se fit le porte-parole de tous :

– On les a vus, ça oui ! Mais vous les décrire,
impossible. Ils portaient des cagoules ! Des grands
gaillards, bien costauds. C'est tout ce qu'on peut
dire. Ils avaient des barres de fer pour cogner et des
bouteilles incendiaires. Pour sûr que c'était prémé-
dité, m'sieur l'inspecteur. Et d'ailleurs, la grenade
qu'ils ont lancée dans la salle du premier, j'sais pas
c'que c'était, mais c'était une belle saloperie. À s'demander où ils ont eu ça...

Pierre Lesure hocha la tête et ne saisit pas la
perche dans l'espoir que l'ignorance des anarchistes
sur cette grenade à gaz suffocant, utilisée exclusi-
vement dans l'armée, leur fît négliger ce détail ;
de toute façon, il en avait récupéré la preuve
matérielle.

– Bon, il faudra qu'au moins l'un d'entre vous
vienne signer une déposition rue des Saussaies,
et je suppose que monsieur Poirier voudra porter
plainte. Mais, je vous préviens, comme aucune description n'est possible, ce sera difficile de mettre la
main dessus. Vous soupçonnez quelqu'un ?

Lesure avait posé la question pour la forme. Il
connaissait la réponse. Fernand Jack répondit d'une
voix blanche :

– Oui, nous soupçonnons très clairement les Camelots. Il n'y a bien qu'eux à Paris capables de faire ça et de nous viser tout particulièrement.

– Ah ! Ça, c'est vous qui le dites. Mais comme vous n'avez aucune preuve, ça ne vaut pas grand-chose. D'ailleurs, des vandales dans Paris, aujourd'hui, ça ne manque pas. Bien malin qui peut savoir ce qui leur passe par la tête. Je vous salue, messieurs. Je compte sur vous pour venir déposer le plus rapidement possible.

Et la 1re brigade mobile quitta les lieux.

Chapitre 9

Spéculations

Marie sortit du métro boulevard de l'Hôpital et entra dans la gare d'Orléans[1]. Elle traversa d'un pas pressé la cour et pénétra dans le pavillon des arrivées. Le rapide en provenance de Bordeaux était annoncé avec un peu de retard. Marie souffla. Elle avait craint de ne pas être à l'heure, mais finalement elle avait quinze minutes à attendre.

Quelques Parisiens, venus attendre un proche, commençaient à se presser à l'entrée du quai. Marie les rejoignit et se faufila en tête. Elle ne voulait surtout pas prendre le risque de manquer Victor.

Et, tout à coup, le sifflement de la locomotive retentit au loin, comme un appel strident lancé dans le froid de la nuit. Le train entra en gare dans un vacarme de crissements et de grincements de ferraille. Marie eut l'impression qu'il n'allait pas s'arrêter. Il s'immobilisa finalement tout contre le butoir de sa voie et relâcha les soupapes. Les voyageurs descendaient des voitures, auréolés d'une épaisse fumée blanche qui leur donnait une apparence quasi surnaturelle. Victor émergea d'un wagon de première classe, élégant, raffiné, l'allure à peine altérée par les neuf heures et demie de voyage. Avec une courtoisie bien à lui, il se précipita pour aider

---

1. Ancien nom de la gare d'Austerlitz.

une femme d'un certain âge à porter une grosse
valise qui semblait transporter sa vie. La dame se
laissa faire avec soulagement et montra du doigt
à Victor un homme plus jeune qui attendait au
bout du quai et s'avança pour prendre la valise en
remerciant son bienfaiteur, dont la claudication ne
lui avait pas échappé. Elle remercia à son tour,
et Victor la salua en soulevant son chapeau et en
s'inclinant légèrement. Il se redressa et releva la
tête. Son regard croisa aussitôt celui de Marie, qui
se précipita dans ses bras. Il chercha les coins de
peau nue pour y poser goulûment ses lèvres ; le
corps chaud et ferme de Marie le ravissait toujours.
Il mit son nez dans ses cheveux, respira son odeur
d'eau de Cologne et de savon à la lavande, effleura
le satiné de ses joues, le soyeux de son cou, lui
mordilla l'oreille tandis qu'elle riait, roucoulait, frissonnait et papillonnait gaiement. Finalement, leurs
deux bouches se rencontrèrent et Victor glissa dans
l'antre intime de Marie, chaude, suave, fluide, et
une bouffée de désir le saisit tandis qu'elle s'aban-
donnait tout entière dans ses bras. Sans doute leurs
deux corps enlacés durent surprendre ou choquer le
contrôleur du train, qui remontait la rame sa lanterne à la main, car il n'hésita pas à leur demander
de partir après avoir tapoté, d'un geste qui se voulait discret, l'épaule de Victor. Les deux jeunes gens
pouffèrent de rire et s'exécutèrent en s'esclaffant.

— On a scandalisé les chemins de fer !

— Et encore, ils ne savent pas tout ! surenchérit
Victor.

— Tu as un peu de temps, mon chéri ? Le buffet
de la gare ne ferme qu'à onze heures. On peut aller
prendre un thé et bavarder cinq minutes. J'avais

tellement envie de te voir… Je n'ai pas pu résister à venir te surprendre à ton arrivée !

– Tu as bien fait, mon ange, tu ne pouvais pas me faire plus plaisir. Je n'ai pas beaucoup de temps. Je peux arguer d'un retard du train, mais je ne peux pas trop tirer sur la corde. Allons prendre quelque chose en vitesse, mais ton thé… J'opterais davantage pour un bon cognac ! Après neuf heures de voyage en train, il me faut au moins cela pour me revigorer !

Victor et Marie n'avaient pas l'intention de dîner. S'ils avaient faim, c'était l'un de l'autre et de rien d'autre. Aussi décidèrent-ils de se contenter de la buvette au niveau des quais.

– Dis-moi, comment cela s'est passé à Bordeaux ? Vous avez réussi à obtenir des informations ?

– Non. Rien. Ils sont totalement dans le brouillard au sens propre comme au figuré.

– Je n'ai pas beaucoup d'affection pour ton père, mais je le plains. Ce doit être atroce d'être ainsi dans l'incompréhension de ce qui a pu se passer.

– Oui, père est très affecté. Edmond est arrivé en fin de matinée pour me remplacer auprès de lui. Et toi, ça va ?

– Oui, mon Victor, moi je vais bien. David Pachkine commence déjà à me faire travailler. Et ça me plaît à la folie ! À ses côtés, je vais apprendre plein de choses. Tu sais, il avait une maison de couture à Saint…

– Saint-Pétersbourg.

– Oui, Saint-Pétersbourg. Il habillait les princes et la grande aristocratie, avant la révolution. J'ai une chance inouïe de travailler avec lui. Je commence lundi.

– Tu as donné ton congé à la Belle Jardinière ?

– Oui, et sans état d'âme !

– Ils ne t'ont pas posé de problèmes ?

– Non, je démissionne. Ils me remplacent. Le tour est joué. Il y a plein de filles qui cherchent du travail. Ils ne sont pas en manque de personnel.

– C'est formidable, Marie.

– On se voit quand, mon Victor ?

– On se voit là, non ?

– Je veux dire, on se voit quand vraiment ?

– Ah ! Tu appelles ça « se voir vraiment »…

Victor sourit, embrassa Marie en défroissant les petites lèvres fripées qu'elle arborait à dessein. Toutes ses résistances fondirent et elle se pelotonna contre lui avec délice. Il était plus de onze heures. Le serveur de la buvette mettait les chaises à l'envers sur les tables en faisant le plus de bruit possible pour bien signifier aux amoureux qu'il était temps de partir. Ils finirent leur verre et quittèrent la gare d'Orléans. Lorsqu'ils se séparèrent boulevard de l'Hôpital, Victor murmura à l'oreille de Marie :

– Je t'aime.

Et Marie s'éloigna en lui faisant un signe d'adieu sans se retourner.

***

Victor, avant de se rendre au 36, passa voir le docteur Gemeley à l'I.M.L. pour clarifier quelques points et le tenir au courant de la découverte des messages du carnet noir. Ces informations pouvaient éclairer les observations du légiste, et Victor avait une entière confiance en lui. Lorsqu'il arriva au troisième étage juste après Max, il posa des questions sur le jaune et le violet de son œil et sur sa démarche bancale. Max donna quelques explications et fut soulagé, car Victor ne se mit pas en colère, mais conclut qu'il était impératif de trouver cette Violette. Max ne mit pas long-temps à lui restituer les données des dossiers de Nantes et de Quimper. À peine le compte rendu achevé, le monophone se mit à vibrer. Le capitaine Lascouët de Quimper transmettait à la Brigade Criminelle le résultat des analyses du sang sur le marteau découvert chez Valentin Daubier. Il y avait des points de concordance entre le sang de Levivier et celui relevé sur le marteau. Mais, plus étrange encore, il y avait aussi des traces d'un sang compatible avec celui de Farget, ce qui impli-quait que Daubier pût être l'assassin des deux vic-times. Et c'était bien ce qu'amenaient à penser les notes chiffrées du carnet noir. Si on suivait cette logique, Daubier était bel et bien le tueur à gages qui avait sévi en Bretagne, en Vendée et à Paris. Victor, perplexe, lisait et relisait les fiches des deux dossiers. Max était excité comme une puce.

— Inspecteur, on tient notre tueur ! Avec ces élé-ments, le juge Blanchot ne pourra plus ignorer les affaires de Quimper et de Nantes. Tout se met en place parfaitement !

— Oui, répondit Victor en se frottant la tête, un peu trop parfaitement peut-être. Il y a quelque chose qui ne colle pas...

— Mais quoi donc ? Ce type est à Paris exac-tement au moment des meurtres ! Tout coïncide avec les informations du carnet noir, que voulez-vous de plus ?

— En tout premier lieu, il faut que nous inter-rogions la fameuse sœur, Madeleine Levivier. Ensuite, je retourne chez le juge Blanchot ; avec ces nouveaux éléments, il ne pourra pas refuser d'associer aux trois meurtres de Paris ceux de Quimper et de Nantes. Une fois que j'aurai son aval, j'appellerai le commissaire Rougier et le capitaine Lascouët. Si on s'en tient à cette hypothèse, il faut transférer Daubier à Paris et procéder à une reconstitution des meurtres. Au-delà, il va bien falloir attaquer le problème des commanditaires. Si Daubier ne se met pas à table, on va être bien emmerdés ! Excusez-moi, messieurs, mais cet imbroglio me rend grossier.

Max s'était mis en quête de l'adresse de Madeleine Levivier. Victor restait dubitatif. Il passait en revue les différents documents dont il disposait et retournait le carnet noir dans tous les sens.

Chassaing l'observait en souriant :

– Qu'est-ce qui vous chiffonne, inspecteur ?

– Plusieurs choses, Chassaing, plusieurs choses. Primo, nous n'avons toujours pas élucidé l'histoire du ou de la cartouche. De quoi s'agit-il exactement ? Était-ce sur le corps de Gabie ? Quelle en était la fonction ? Si on l'a tuée pour récupérer ce truc, c'est bien qu'il avait une importance qui nous échappe ! Et quand j'examine le compte rendu de la perquisition chez Daubier, il n'en est pas fait mention. Deuxio, la dénommée Violette est un élément clé des deux meurtres de la Fleur blanche. Et nous ne la trouvons nulle part. L'épisode regrettable qu'a vécu Max est bien la preuve qu'elle est fortement impliquée. A priori rien ne la relie à Daubier, et ça, c'est un sacré grain de sable dans l'usine à gaz bien huilée que nous sert le carnet noir. Tertio, le carnet noir oublié dans la chambre Renaissance de la Fleur blanche, abandonné sur la scène de crime,

c'est quand même un peu fort. Comme si le véritable assassin avait mis tout en œuvre pour nous
envoyer sur une fausse piste. Parce qu'un assassin, tueur à gages, donc en principe spécialiste du
crime, qui perd sur les lieux de son dernier forfait
le carnet sur lequel il a tout noté et, cerise sur le
gâteau, qui laisse chez lui, dans son atelier, au
milieu de ses outils, le marteau qu'il a utilisé pour
les deux premiers meurtres sans même l'avoir nettoyé, ou c'est un abruti fini et son statut de tueur
à gages ne tient pas, ou il a complètement perdu
les pédales ! Non ! Plus je passe en revue tous
ces détails et plus je suis convaincu que quelque
chose ne colle pas.

– Qu'est-ce que vous comptez faire, inspecteur ?

– M'en tenir pour l'instant au plan que j'ai
annoncé tout à l'heure. Il faut que j'obtienne du
juge Blanchot une commission rogatoire pour
l'hôtel du Midi et il faut impérativement trouver
Violette. De deux choses l'une, ou elle est dange-
reuse, tueuse elle-même et en tout cas complice,
ou elle est en grand danger, car si l'assassin
prend conscience que nous la cherchons, il y a
de grandes chances pour qu'il décide de la sup-
primer. Elle est le seul élément objectif qui peut
nous permettre de démonter le stratagème qu'il a
magistralement mis au point. Et la bévue de Max
hier risque d'avoir des conséquences fâcheuses. Il
y a de fortes chances pour que l'assassin ait été
mis au courant.

– Vous m'impressionnez, inspecteur ! Votre rai-
sonnement est brillant, vraiment brillant !

Max fouillait dans le dossier et brandit soudain
l'adresse de Madeleine Levivier en s'écriant :

– Ça y est ! Je l'ai ! 12, rue Pajol, dans le quartier de la Chapelle. Bouh ! Je n'ai pas un bon souvenir de ce quartier ! Mais enfin, on a l'adresse.

– Bon ! On y va, lança Victor d'un ton sec. Chassaing, vous me faites une recherche pointue sur ce Valentin Daubier. Je veux tout savoir sur lui : l'âge auquel il a eu sa première dent, c'qu'il mange au petit-déjeuner, tout ! Ramassez-moi aussi tout ce que vous pouvez trouver sur Violette et lancez immédiatement un avis de recherche et pas seulement à Paris, sur toute la France. Demandez à Gemeley de passer au 36 cet après-midi. Je voudrais lui demander ce qu'il pense des analyses de sang faites à Quimper. Il faut absolument que je lui parle.

Victor enfilait son manteau tout en parlant. Il mit son chapeau et sortit, entraînant Max dans son sillage. Les deux hommes quittèrent le 36 en boitant de concert, l'un à gauche, l'autre à droite, dans une symétrie cocasse.

La rue Pajol, dans le quartier de la Chapelle, commençait place de la Chapelle et coupait la rue Philippe-de-Girard. Le numéro 12 se situait juste à l'angle des deux rues. Victor et Max pénétrèrent dans un entresol assez sombre d'où une femme sans âge s'apprêtait à sortir. Elle portait un grand panier rempli de linge humide qu'elle comptait étendre dans l'arrière-cour.

– Madame Levivier ? Inspecteur Dessange, Brigade Criminelle. Nous aurions quelques questions à vous poser.

La femme dévisagea Victor, puis Max, qui se présenta à son tour. D'un ton rogue, en montrant son linge d'un coup de menton, elle répondit :

– Si c'est pour Gontran, il est pas là, il est au ch'min d'fer. Y travaille à c't'heure-là, pardi ! Et moi, j'suis occupée, vous voyez !

– Nous n'en avons pas pour très longtemps, madame, mais, si vous préférez, nous pouvons vous convoquer au 36, quai des Orfèvres.

Madeleine Levivier soupira, posa son panier de linge sur le seuil et fit entrer les deux policiers. C'était une femme imposante, à la large face, au teint couperosé et à l'œil un peu glauque.

– Que'qu'c'est-y qu'vous voulez savoir, inspecteur ? maugréa-t-elle entre ses dents jaunes ou plombées.

– Votre frère, Valentin Daubier, est bien venu chez vous pendant les fêtes de fin d'année, n'est-ce pas ?

– Val ? Oui, l'était là pour la Noël. Et l'31, on est allés au bal du Casino Cadet. Même qu'on y a passé la nuit et qu'on était fin soûls quand on est rentrés l'matin. C'est Val qu'a tout raqué. Un bon fêtard, mon frangin. Y v'nait pas à Paris pour effeuiller les marguerites ! Ça, j'vous l'dis ! Il avait d'l'oseille plein les poches, l'Val ! Mais me d'mandez pas d'où il le sortait… j'préfère pas savoir… alors j'pose pas d'questions…

– Et pouvez-vous me dire s'il était chez vous dans la nuit du 5 au 6 janvier dernier ? L'avez-vous vu le matin du 6 janvier ?

– Ouh ! Mais, inspecteur, j'lui colle pas aux basques, moi ! Y fait la vie, c'est pas mon affaire ! Pourquoi qu'vous m'demandez ça ? Il a fait qu'qu'chose de mal, le Val ? Y lui est arrivé qu'qu'chose ?

– Donc, vous ne l'avez pas vu chez vous dans la nuit du 5 au 6 janvier. Vous confirmez. Savez-vous où il était ?

– Mais j'chais pas, moi ! Faudrait d'mander à Gontran, il en sait p't-êt'plus, pa'ce que, pour aller faire la bamboula, il est pas l'dernier. Et même que quand j'râle, il y va quand même. D'tout'façon, Val, y dormait pas ici. Voyez pas, c'est trop p'tit ! On s'march'rait d'ssus ! Non, il avait pris une piaule en face, à l'hôtel, un meublé tout confort, c'est qu'il a les moyens, l'Val ! Si vous voulez des horaires précis, faut aller d'mander au Norbert. C'est lui qu'est gardien d'l'hôtel… enfin, la nuit.

– D'accord. Nous n'y manquerons pas. Et votre mari, c'est bien le fils naturel d'Alphonse Levivier ? Vous voyez souvent votre beau-père ?

– Jamais ! Il est accroché à ses picaillons comme la misère au pauvre monde ! Il a tellement la trouille qu'on lui pique ses sous qu'il nous adresse pas la parole. Jamais un mot, jamais une visite. Et sa bonne femme, la Lucie, elle est pire que lui, une vraie tigresse. Un jour qu'mon Gontran s'était rendu à Nantes, histoire de voir son père, elle l'a foutu dehors en lui hurlant à la figure qu'un fils naturel, ça compte pas, et qu'il avait qu'à aller trouver sa pute de mère. Alors, voyez, on a coupé les ponts. Y a pas d'chance qu'on s'parle !

– Pouvez-vous me dire si Alphonse connaissait bien votre frère Valentin ?

Madeleine écarquilla ses yeux globuleux, qui donnèrent l'impression de sortir entièrement de leurs orbites.

– Val et Alphonse ? Non, pardi ! Comment voulez-vous qu'y s'connaissent ? Val, il a jamais mis les pieds à Nantes, qu'j'sache ! Il crèche à Quimper !

– Bien, je vous remercie, madame Levivier. Il est possible que nous ayons besoin de vous poser d'autres questions, nous vous recontacterons. Au revoir.

Victor et Max sortirent du taudis des Levivier un peu précipitamment.

– Elle ne fait pas rêver, cette femme ! s'exclama Max.

– Non. Mais, surtout, elle ne nous a rien lâché. Je suis sûr qu'elle en sait beaucoup plus qu'elle ne le dit sur les activités de son frère à Paris. En revanche, je veux bien croire qu'elle n'ait aucune relation avec Alphonse. Ça sonnait juste, son histoire.

Victor et Max traversèrent la rue et poussèrent la porte de l'hôtel du Département, qui faisait triste mine. De grosses lettres dorées sur fond de faux marbre noir annonçaient le prix des chambres, qui pouvaient être louées à la semaine. Dans l'entrée, le comptoir servant d'accueil était vétuste et délabré. Derrière se tenait un homme âgé qui recomptait avec minutie des billets de banque directement tirés de la caisse enregistreuse, unique objet fringant au milieu de vieilleries recouvertes de poussière. Victor se présenta à nouveau et demanda :

– Vous souvenez-vous d'un client récemment descendu dans votre hôtel : Valentin Daubier ?

Le vieil homme plongea dans son registre :

– Damien, Danton, Dartov... Daubier, voilà, Valentin Daubier. Oui, il est arrivé le 22 décembre. Il a loué une chambre meublée pour deux semaines. Il est parti le 5 janvier au matin, après avoir réglé le solde de son compte. Il a même laissé un pourboire pour le personnel. Et croyez-moi, inspecteur, c'est pas souvent qu'on a des clients qui laissent un pourboire ! Un bon gars qui v'nait d'Quimper, j'crois.

– Il vous a dit quoi en partant ? Qu'il rentrait à Quimper ?

– Ah ça, m'sieur l'inspecteur, j'en sais rien ! Non, il a rien dit. Mais comme il a pris toutes ses affaires et qu'il a tout réglé sans demander de nuit supplémentaire, oui, on peut penser qu'il rentrait chez lui.

– D'accord. Vous pourriez nous montrer la chambre qu'il a occupée ?

– Absolument. Elle est vide en c'moment. Janvier, c'est pas l'mois des meilleures affaires. Suivez-moi, j'vais vous montrer.

L'hôtelier prit un passe dans un de ses tiroirs et s'engagea dans l'escalier, dont les marches étaient recouvertes d'une moquette rouge de mauvaise qualité, déjà élimée à plusieurs endroits. Les murs de la cage d'escalier étaient revêtus d'une toile grise d'une tristesse infinie que venait confirmer un éclairage minimaliste : deux ampoules sur une coupelle en verre poli couverte de poussière. La chambre se trouvait sur le palier, juste en face de l'escalier. Elle était plus triste encore, mais propre et dotée d'un cabinet de toilette avec eau courante. Aucune trace de Valentin Daubier.

Victor et Max remercièrent le vieil hôtelier et quittèrent les lieux.

– Oui, je sais, Max, ce n'est pas le Ritz ! Inutile de commenter. On va retourner chez la mère Levivier. J'ai le sentiment qu'elle s'est bien moquée de nous.

Max se dispensa de tout commentaire et suivit son chef. Madeleine Levivier était dans la cour et étendait son linge.

– Excusez-nous, madame Levivier, mais, en inter-
rogeant à l'hôtel, nous avons appris que votre frère
avait réglé sa note et quitté l'hôtel le 5 janvier dans la
matinée. Pouvez-vous nous dire ce qu'il a fait après ?

Elle posa dans le panier les pinces à linge qu'elle
avait entre les dents et interrompit sa tâche.

– Ben, il est rentré à Quimper, pardi ! Il est
v'nu chez moi. Il a pris un café, m'a dit adieu et
il est parti.

– Nous savons que son billet de retour est daté
au 9 janvier, alors je voudrais savoir ce qu'il a bien
pu faire entre le 5 et le 9 janvier dix heures, heure
de son train pour Quimper. Et je suis convaincu
que vous n'ignorez pas où il est passé pendant
ces quatre jours.

– D'accord, inspecteur. Il a créché chez sa poule.
Il est comme ça, Val. Il les lève un soir et après,
pendant un temps, y peut plus s'en passer. Cette
poule-là, il l'a levée le 31 décembre au bal du
Casino Cadet. Une belle blonde avec des nichons
tout rebondis et un cul comme on n'en fait plus.
Un vrai cul, quoi ! Bien fait pour remplir la main
d'un homme. Pa'ce qu'aujou'd'hui, les gonzesses,
elles sont plates comme des limandes ! Et Val, il est
comme mon Gontran, il aime bien les arrondis…

Victor l'interrompit avec fermeté.

– Épargnez-nous ces considérations, madame.
Connaissez-vous le nom de cette jeune femme ?

– Ah ben non, inspecteur. C'est vrai qu'elle est
venue siroter avec nous. Mais Gontran et moi,
on était déjà beurrés comme des P'tit Lu, alors…

– Et après cette fête mémorable, vous ne l'avez
pas revue, cette fille ?

– Ben non ! Val non plus, d'ailleurs. M'est v'nu
dans la tête qu'il passait du bon temps et qu'entre

deux parties d'jambes en l'air, il avait pas l'temps de v'nir voir sa sœur ! J'lui en ai voulu un peu, mais faut comprendre aussi : Val, c'est un célibataire. Il a b'soin d'détente parfois.

Victor hocha la tête et fit demi-tour, découragé.

Madeleine avait laissé son linge en plan et couru dans sa cuisine, dont elle avait ouvert le grand placard à côté de la porte d'entrée. Elle en avait sorti un litre de vin rouge, dont elle s'était servi un grand verre. Puis elle avait pris un grand sac et s'était précipitée dans la chambre, où régnait un désordre hallucinant. Elle avait entrepris de tout mettre dans le sac : le corset et le porte-jarretelles rouge framboise, les bas couture noirs, le gode-michet, le maquillage, les draps du lit défait, les linges divers qui traînaient par terre et la paire d'escarpins à lanière. Dès que Gontran rentrerait, elle lui dirait d'aller tout brûler à la décharge au bout de la rue du Département. C'était plus prudent si les policiers revenaient pour une perquisition : ils ne pourraient pas se douter qu'une fille venait là régulièrement. Pour Madeleine, c'était un complément de revenu indispensable. Et puis Mauricette était une chic fille. Elle s'occupait bien d'ses clients, et même si elle était pas toujours très r'gardante sur leurs activités, elle s'débrouillait pour les faire cracher. Et Mauricette, elle était pas radine. Madeleine Levivier se demandait bien ce que son imbécile de frère avait pu faire en rentrant à Quimper et le maudissait de faire ainsi entrer la police chez elle et de gâcher une combine qui lui faisait profit.

***

Henri Trudaine avait réuni son état-major dans une arrière-salle au premier étage du café de la Renaissance, à Saint-Michel. Il n'avait convoqué que le noyau dur de son équipe : Étienne de Miserey, qui avait dirigé l'action de la rue Charlot, Emile Cousens, qui s'était chargé de celle de la rue Montmartre, militant actif des Camelots du roi et étudiant en droit, Louis Dumesnil, agent de renseignements à la Sûreté, et Albert Singer, agent de renseignements, infiltré dans le milieu anarchiste. Les pintes de bière s'étaient succédé à un rythme soutenu et les esprits étaient échauffés. Henri Trudaine exprimait sa satisfaction :

– Cette opération est pour nous un franc succès. Même si la rue Charlot n'est pas partie en fumée et que ces ordures de la Muse rouge conservent un local utilisable, ils n'ont pas pu tirer leur feuille de chou, et la publicité pour le rassemblement du 20 janvier est fortement compromise. Quant à la CGT, il lui faudra un certain temps pour retrouver une imprimerie opérationnelle. Le coup de force a bien atteint sa cible. Et nous ne pouvons que nous en réjouir.

– Sans doute, répliqua Louis Dumesnil, mais ils vont être très méfiants désormais. D'autre part, j'ai appris que la CGT de Tours prévoyait d'imprimer *La Bataille* et de venir inonder Paris avec ce torchon samedi ou dimanche.

– On pourrait peut-être improviser des barrages sur la route de Tours et brûler leur cargaison ? Ça ne doit pas être insurmontable.

– Une idée courageuse, Étienne, répondit Trudaine. Mais nous sommes trop peu nombreux. S'ils nous voient, ils feront demi-tour et prendront une autre route. Nous risquons de perdre beaucoup de temps pour aucun résultat. Non, laissons-les faire ce rassemblement et préparons-nous à intervenir s'ils déclenchent des grèves un peu partout ; ce qui est quasiment certain. Il faut prévoir des équipes musclées sur les principaux points de grève et, tant que le 20 janvier n'est pas passé, nous ne pouvons pas connaître les lieux concernés. Nous pouvons tout de même prévoir les gares de chemin de fer à Paris, à Tours et à Orléans. Les cheminots sont déjà en grève pour certains.

– Et tu penses à quoi comme action sur ces points de grève ?

– Stratégie de harcèlement et si possible ménager des passages pour ceux qui refusent la grève. Il y en aura forcément. Mais, attention, il ne faudrait pas qu'une trop grande violence de notre part attire l'attention et fasse basculer l'opinion publique du côté des grévistes. Il ne faudrait pas non plus que la police considère la mise à sac de la rue Charlot et de la rue Montmartre comme les préliminaires d'une action d'envergure contre les anarchistes et les communistes.

– Mais où est le problème, Trudaine ? Rue des Saussaies, personne n'est dupe ! L'inspecteur Pierre Lesure a parfaitement compris qui était derrière tout ça. Et il a fait ce qu'il fallait, sans même qu'on le lui demande.

– C'est-à-dire ? demanda Trudaine.

– Eh bien, expliqua Albert Singer, il a escamoté la seule trace gênante de notre passage en subtilisant la grenade asphyxiante qui avait été lancée au premier étage. Et cela aurait dû parfaitement fonctionner. Ensuite il a classé le dossier en concluant dans son rapport à un règlement de comptes entre bandes d'anarchistes aux idées opposées. Personne n'a contesté quoi que ce soit !

– C'est vrai que le soutien en sous-main de la Sûreté à Paris nous rend de fiers services. C'est un sacré atout, et ça nous laisse les coudées franches. Mais si tout cela aurait dû fonctionner comme tu dis, quel a été le grain de sable ? La grenade n'a pas éclaté ?

– Si ! Bien sûr qu'elle a éclaté, mais il y avait un gamin que nous n'avons pas vu et qui était planqué dans un placard. Il est descendu juste derrière nous, et c'est lui qui a empêché que le feu ne s'étende jusqu'à l'arrivée des pompiers.

– Un gamin ?

– Oui, un gamin, pas plus de douze ou treize ans, mais une sacrée raclure qui me poursuit et qui finit par m'obséder. C'est lui qui m'a détronché l'autre soir. Je suis grillé maintenant à la Muse rouge à cause de lui. C'est lui aussi qui a échappé à Lesure lorsqu'ils sont allés arrêter les Espagnols. Depuis quelque temps, il est partout, dans tous les mauvais coups.

– Ne perds pas trop de temps sur un gamin, reprit Trudaine, concentre-toi sur les opérations à mener dès que les mots d'ordre de grève seront lancés. Pour l'instant, c'est notre priorité.

Étienne de Miserey reprit la parole :

– Avec Émile, on voudrait s'occuper d'un foyer d'Africains qui sème la pagaille à la Goutte-d'Or. Ce sont pour partie des Sénégalais et des Congolais qui cherchent des armes à envoyer à Pointe-Noire pour empêcher la construction du port. Il serait sans doute souhaitable de les rendre inoffensifs eux aussi.

– Attention, Miserey, souviens-toi de ce qui a été dit lors de notre dernière réunion : Félix

Duveyrier nous a bien dit que ce chantier était une folie et qu'il fallait à tout prix l'empêcher. Je suis resté en contact avec lui. Il a été relancé par le ministère des Colonies. Avec le naufrage du paquebot l'*Afrique* lundi dernier, ils ont perdu des fonds importants ainsi que le gouverneur du district de Pointe-Noire. Alors ils ont fait appel à Duveyrier pour qu'il reparte là-bas et mette un peu d'ordre dans la région. Pour l'instant, le chantier est en suspens, faute d'argent. Duveyrier est chargé de faire le point, de calmer les esprits et de proposer un plan cohérent pour faire de Pointe-Noire un véritable port commercial. Ce n'est pas le moment de lui compliquer la tâche. Si des Congolais sont malmenés en métropole, cela peut faire repartir de plus belle les révoltes locales. La situation là-bas est vraiment tendue. Je préférerais que tu transmettes ce que tu sais à Duveyrier. Je suis certain qu'il en fera bon usage. S'il a besoin de nous, il le dira.

— Bien. Admettons. Par ailleurs, avec Émile, nous avions un autre point chaud qui nous titille.

— Lequel ? demanda Trudaine.

— Les Russes juifs ne cessent de s'accumuler dans la capitale. Ça a commencé dès 1905, mais depuis que l'armée du Tsar a été anéantie et que les soviets règnent en maître, cette immigration a pris des proportions inquiétantes. Émile a eu des informations intéressantes.

— Oui, en effet, reprit Émile, j'ai su qu'un certain Samuel Schwartzbard était arrivé à Paris il y a quelques jours à peine. C'est un Ukrainien juif qui a pris une large part à la révolution russe. Son parcours est édifiant : il est né à Ismaël en 1886, horloger de son état. Il a été proche de

Lénine en 1905. Après des années tumultueuses
au cours desquelles il a mené une vie de gangster,
il s'installe à Paris comme horloger et se mêle aux
milieux anarchistes. En 1914, il s'engage dans la
Légion étrangère. Gravement blessé en 1916, il
est démobilisé en 1917. Il repart alors en Russie
et s'engage comme garde rouge à Petrograd. En
1919, il intègre un bataillon spécial de la Tcheka
qui est envoyé en Ukraine et se bat contre les
nationalistes ukrainiens qui massacrent toute
sa famille. Et, aujourd'hui, le voilà à nouveau à
Paris. Pour quelle raison ? Avec quels objectifs ?
Vient-il de son propre chef ou est-il envoyé par
les soviets ? Cet homme est dangereux, c'est un
bandit de grand chemin doublé d'un soldat aguerri
et révolutionnaire.

Impressionné par le récit d'Émile, Étienne de
Miserey intervint :

– Il est clair qu'il faut agir. C'est notre devoir
de protéger notre pays de ce genre d'individu !

– Et que préconisez-vous ? demanda Trudaine.

– Une élimination pure et simple, répondit
Miserey.

– Vous savez les risques que vous prenez si vous
échouez ou si vous êtes blessés ou tués au cours
de votre opération. Nous ne pourrons aucunement
couvrir votre échec. Aux yeux de tous, vous serez
de potentiels assassins qui ont raté leur coup. Et
si vous réussissez, nous ne vous couvrirons pas
plus. L'Action française ne prendra sûrement pas
à son compte une élimination de ce type. Même si
la plupart de nos membres applaudiront en secret,
il vous faudra assumer seuls et n'attendre aucune
reconnaissance officielle.

Albert Singer prit la parole :

– Les Russes juifs déferlent en France, souvent
déçus par la révolution, c'est vrai. Mais ils se
détestent entre eux. Ils constituent de petites com-
munautés rivales qui se haïssent : les partisans du
Tsar qui ont perdu tous leurs biens détestent les
révolutionnaires déçus par Lénine et les soviets.
Les nationalistes en tous genres détestent et les
blancs et les rouges et les règlements de comptes
vont bon train.

– Sans compter, ajouta Dumesnil, que la Russie
des soviets envoie régulièrement des espions chargés d'observer leurs faits et gestes et, au besoin,
de les éliminer.

Singer continua :

– Ne serait-il pas plus judicieux de les laisser
s'entretuer ? Ce serait vraiment regrettable de se
mettre à dos l'opinion publique alors que le mal
se propage tout seul et qu'ils s'autodétruisent ?

– Je pense vraiment, reprit Miserey, que ces
Juifs russes et révolutionnaires sont une plaie
pour notre patrie, Schwartzbard en particulier,
mais ce n'est pas le seul. Tous ces Juifs qui pul-
lulent dans Paris m'indisposent, qu'ils soient révolutionnaires ou non. Le Juif est une figure de la
corruption et de la rapacité sournoise. Il faudra
bien un jour envisager sérieusement le problème !
L'élimination de Schwartzbard serait un exemple
et un coup de semonce salutaire.

Trudaine reprit la parole en cherchant à calmer
le jeu, la virulence de Miserey l'inquiétait. Il avait
de plus en plus de mal à canaliser son agressivité,
et ses prises de position, de plus en plus violentes
et essentiellement antisémites, le gênaient dans sa
conception de l'action politique.

– Mes amis, tous vos arguments sont solides, et je les reçois avec beaucoup de conviction, mais je répète que notre priorité aujourd'hui doit être de nous opposer aux mouvements de grève qui sont en train de s'organiser. Si ces grèves prennent de l'ampleur, elles peuvent fortement déstabiliser le pays et donner aux communistes l'illusion qu'une révolution est possible en France.

– Mais, tenta encore Miserey, déstabiliser le pays ne serait pas forcément une mauvaise chose ! Faire tomber la IIIe République, n'est-ce pas notre rêve à tous ? Si ces grèves déclenchent réellement un souffle révolutionnaire, n'est-ce pas notre intérêt de les entretenir secrètement ? N'est-ce pas le meilleur moyen de faire naître une réaction puissante et de donner à l'extrême droite l'opportunité de prendre le pouvoir ? N'est-ce pas ce qui se profile en Italie ?

Trudaine prit un air accablé :

– Et tu vois dans nos rangs un type de l'envergure de Mussolini qui pourrait réaliser cela en France ? Toi, peut-être ?

– Non, bien sûr que non, répondit Miserey, pas moi !

– Alors, fais-moi confiance. En France, ce n'est pas le moment. Le pays doit soigner ses blessures. Elles sont nombreuses et graves. Tout désordre révolutionnaire ne fera que plonger la patrie dans le chaos. Alors on se serre les coudes, on remonte nos manches et on fonce pour empêcher cela.

Les cinq hommes se levèrent et entrechoquèrent leur pinte de bière en prononçant un vigoureux « Vive la France ».

***

Marcel Dupuis était arrivé au Havre la veille au soir. Il avait passé cette journée du vendredi 16 janvier entre la Bourse, sur la place Jules-Ferry, la gare maritime sur l'avant-port, le quai de Saïgon à l'est, sur le bassin Bellot, où était amarré son bateau, et les docks entrepôts où était déposée la marchandise en attendant l'arrivée des wagons qui la transporteraient le lendemain jusqu'à Paris. Le système était bien rodé. Logiquement, Marcel n'aurait pas dû avoir besoin de venir superviser cette arrivée, mais c'était la première fois que la société DU BOÏS & DUPUIS affrétait, seule, un navire. Jusque-là, les marchandises importées n'étaient pas assez importantes pour qu'il fût rentable de procéder ainsi. Cela faisait plusieurs années que les produits, achetés en Indochine et revendus en France par leurs soins, étaient acheminés par une compagnie commerciale qui gérait tout jusqu'à Paris. Mais, cette fois, Du Boïs avait vu grand. Il avait souhaité élargir son champ d'intervention et diversifier sa marchandise : acheter beaucoup plus à moindre prix et revendre tout mais beaucoup plus cher. Cette stratégie pouvait lui permettre de gagner énormément d'argent, mais elle impliquait de gérer en totale autonomie l'acheminement. Il s'agissait de produits de luxe manufacturés sur place et vendus au prix fort sur le marché parisien : des meubles exotiques, des tissus, essentiellement du coton, des objets de décoration divers, mais aussi des alcools, des huiles, des savons, des tonnes de riz et, de plus en plus prisé, du caoutchouc, qui constituait désormais un véritable trésor.

À dix-huit heures, Marcel avait réglé l'essentiel de ses problèmes. L'atmosphère sur les docks était survoltée. Les dockers multipliaient les concertations et les conciliabules pendant les pauses et menaçaient de se mettre en grève. Marcel n'avait pas très bien saisi les raisons de cette colère et n'avait pas posé de questions. Il avait réuni une poignée de Marocains auxquels il avait promis une paye supérieure au tarif en vigueur sur les docks afin d'être sûr qu'ils ne lui feraient pas faux bond. Il ne lui restait plus qu'à vérifier le bon embarquement des caisses dans les wagons qui n'attendaient plus que d'être chargés puis raccrochés à une locomotive qui les emmènerait jusqu'à la gare de marchandises de Saint-Lazare ; là, ce serait Chapier qui prendrait les choses en main. Les ventes étaient d'ores et déjà négociées. Il n'y avait plus qu'à livrer les clients et encaisser.

Satisfait de sa journée et du déroulement de l'ensemble des opérations, Marcel Dupuis s'apprêtait à passer une soirée de détente au Havre. Il se disposait à rentrer au Grand Hôtel moderne, au 81 boulevard de Strasbourg, juste en face de la rue de Fontenelle et à côté de la sous-préfecture. Un bâtiment un peu tape-à-l'œil, construit dans le style Exposition 1900. Marcel avait obtenu une chambre vaste et luxueuse au deuxième étage d'une des deux tours en forme de cône. Il avait l'intention de faire un bon dîner et d'aller s'encanailler ensuite dans le quartier Notre-Dame où, lui avait-on dit, on trouvait des maisons de passe à chaque coin de rue.

Arrivé à son hôtel, il monta dans sa chambre pour se changer, profita une petite heure du confort étonnant de son appartement, en particulier de la douche en mosaïque, sous laquelle il resta de longues minutes. Puis il descendit à la salle à manger. On lui proposa le menu composé par le chef pour la clientèle de l'hôtel, et on lui apporta une bouteille de lalande-de-pomerol, qu'il goûta avec délectation. Ce fut en reposant son verre qu'il la vit : elle était magnifique, ceintrée dans une robe rouge grenat à bretelles, audacieusement décolletée. Ses cheveux bruns et soyeux tombaient sur des épaules de nacre. Elle s'assit à la table qui se trouvait juste à côté de la sienne. Le maître d'hôtel s'approcha et lui demanda si elle attendait quelqu'un. Elle fit un élégant signe de tête pour signifier que non.

— Alors, mademoiselle, je suis désolé, mais nous n'allons pas pouvoir vous servir. Une femme seule n'est pas acceptée dans cette salle.

— Oh mon Dieu ! Mais vous êtes encore au temps de la préhistoire, mon ami ! Les femmes sont indépendantes aujourd'hui. Nous n'avons plus besoin de chaperon !

— Désolé, mademoiselle, mais je vais devoir vous demander de quitter la salle de restaurant.

— Mais je suis cliente de l'hôtel, voyons ! Ne m'obligez pas à faire un scandale !

Le maître d'hôtel était rouge de confusion et jetait autour de lui des coups d'œil désespérés dans l'espoir de trouver le soutien de sa hiérarchie. Alors Marcel se lança :

— Puis-je, mademoiselle, vous inviter à partager mon dîner. Je pense que si vous êtes à ma table, les bonnes manières seront préservées.

Elle accepta en rosissant de plaisir :

— Oh ! Merci, monsieur, vous me tirez d'un fort mauvais pas. Je ne sais comment vous remercier.

— Mais en acceptant ma compagnie, mademoiselle.

À la deuxième bouteille de pomerol, la conversation devint très chaleureuse. Marcel déployait des
trésors d'imagination pour distraire sa compagne
de fortune. Elle mangeait avec un bel appétit, riait
à chacune de ses plaisanteries, prenait des pauses
étudiées qui révélaient plus encore les charmes
de son décolleté, laissait tomber l'une ou l'autre
des bretelles pour que son vis-à-vis pût avoir une
idée précise de la rondeur et de la fermeté de ses
seins, et la réajustait aussitôt.

Marcel était aux anges. Il remerciait intérieurement le ciel de sa bonne étoile, qui l'avait amené
dans cette ville, dans cette salle, à cette table pour
devenir le chevalier servant d'une demoiselle esseu-
lée. Au fromage, les deux convives s'appelaient par
leur prénom. Au dessert, ils se tutoyaient. Violette,
de son pied finement chaussé, osa même quelques
approches sous la table contre le mollet frétillant
de Marcel. Le pomerol avait mis aux joues de la
jeune femme un rouge diaphane particulièrement
séduisant. Marcel commanda deux calvados pour
accompagner les cafés et signa sa note avec un
style grotesque de grand seigneur. Ce fut Violette
qui proposa une promenade en ville. Elle connaissait un endroit fort plaisant et un peu moins for-
mel, plus « décontracté », dit-elle en riant. Marcel
fut aussitôt emballé. Ils partirent bras dessus, bras
dessous sous l'œil offusqué et sévère d'un portier
à qui on ne la faisait pas et qui avait bien cerné
le manège de la demoiselle.

Marcel s'était aventuré à prendre Violette par
la taille et se frottait à sa hanche avec délice. Ils
contournèrent le jardin public ainsi enlacés. Place
Gambetta, il entreprit de lui caresser les seins,

libres sous l'étoffe de la robe et tellement appétis-
sants, affriolants depuis le début du dîner. Place
Richelieu, il s'arrêta pour l'embrasser et saisit goulûment ses lèvres charnues, qu'il pressa maladroitement, avec une fougue de jeune homme. Elle le
repoussa avec douceur et ils poursuivirent leur
chemin rue de Paris. Marcel n'en pouvait plus
de désir. Il sentait son membre durci gonfler son
pantalon de façon indécente. Violette considéra
qu'il lui fallait le soulager si elle voulait poursuivre
sans encombre la stratégie soigneusement mise au
point avec Zelinguen, et qui, jusqu'à présent, avait
parfaitement fonctionné. La rue était sombre et
sale, un vrai coupe-gorge. Quelques marins émé-
chés étaient affalés à même le pavé et buvaient
à la bouteille en lançant de temps en temps de
grossières invectives. Violette choisit une encoi-
gnure bien obscure et plaqua Marcel contre le mur
humide et froid. Elle fit glisser les deux bretelles
et libéra sa poitrine, que Marcel se mit à malaxer
avec ardeur. Elle glissa sa main dans le pantalon
et le caleçon de Marcel et saisit son membre.

Quelques pressions bien ajustées suffirent.
Marcel éjacula en gémissant, la tête dans les seins
de Violette, immergé dans un monde extatique
où disparaissait totalement le décor sordide de
la rue Saint-Julien. Mais Violette le contraignit à
reprendre rapidement ses esprits. Elle le rajusta,
lui accorda un petit baiser léger, lui tapota les
joues et l'entraîna au numéro 8 de la rue. Marcel,
soumis et définitivement asservi, suivit dans
l'espoir tenace de retrouver rapidement les délices
du corps de Violette.

La salle du rez-de-chaussée de la maison de tolérance de la femme Auzouf était pleine à craquer

de noctambules avinés, avides de sexe, d'alcool et de jeux. On jouait au tric-trac, aux dés, à la belote. On fumait à s'étouffer, on criait, on lançait des rires sonores et hoqueteux, on buvait, on laissait aller ses mains sous les jupes ou dans les corsages des tapineuses, on se bousculait, on se frappait parfois jusqu'à la rixe qu'on allait achever dehors, encouragé par les cris des parieurs haletants, impatients de voir couler le sang.

Marcel, peu accoutumé à ce genre d'ambiance, clignait des yeux, toussait et affichait un air ahuri d'ivrogne assommé par l'alcool. Violette l'installa sur une banquette au fond de la salle et partit chercher à boire. À la table voisine, Zelinguen fumait un cigare, impassible et imperturbable. Il mesura d'un coup d'œil l'état de Dupuis et se dit que Violette était vraiment efficace. C'était bien dommage de devoir s'en séparer. Il était minuit passé. La nuit battait son plein et promettait d'être immodérée. Violette revint avec un pichet d'absinthe qu'elle avait soutiré en douce à la taulière contre le mot de passe fourni par Zelinguen. Marcel se jeta inconsidérément sur la boisson et en quelques verres perdit tout contact avec la réalité. Il marmonnait des paroles inaudibles et balançait la tête de gauche à droite sans plus avoir conscience de quoi que ce soit. Même Violette lui paraissait inaccessible, nimbée dans une brume épaisse qui lui donnait des airs d'ange déchu.

Zelinguen, décidant alors que Marcel avait besoin de prendre l'air, le traîna dans la ruelle. Par égard pour la femme Auzouf, avec qui il avait fait affaire en début de soirée, il porta presque Marcel jusqu'à la rue des Galions, où, saisi par l'air froid du port, celui-ci vomit contre un mur et s'écroula. Zelinguen assena une dizaine de coups de couteau sur le torse du malheureux, prenant soin, pour le premier coup, de viser le cœur. Les neuf autres coups, c'était pour le plaisir de lacérer la chair de cette pauvre loque. Il prit son porte-feuille, qu'il trouva bien garni – un bonus –, enleva la chevalière, la montre et la médaille de baptême que, curieusement, Dupuis gardait au cou sous sa chemise, fouilla ses poches, souriant en voyant la tache humide et poisseuse sur le devant du pan-talon. Sans même se retourner, il le laissa là et partit retrouver Violette rue Saint-Julien.

Impatiente, elle l'attendait. La dernière phase de l'« opération Dupuis » lui avait été pénible. Ce pauvre type n'était franchement pas attirant et si vite abruti par l'alcool que ce n'était même plus amusant de le manipuler. Mais Zelinguen lui avait fait miroiter un tel profit avec cette affaire qu'elle n'avait pas hésité à la mener rondement, d'autant que le pigeon était facile à plumer. L'argent qu'elle allait gagner lui permettrait de réaliser son rêve : être embauchée à Paris dans une grande maison. Violette visait le Chabanais, rêvait des belles toi-lettes, des beaux messieurs, princes ou grands bourgeois, des poudres et élixirs réservés aux pensionnaires, des vins fins et des mets délicats. Sortir enfin de ces bouges infâmes qui sentaient la sueur d'hommes grossiers et malpropres, le mauvais alcool et surtout la misère. Violette ne supportait plus cette odeur et croyait fermement que Zelinguen était la chance de sa vie. Elle assu-mait avec résignation ses exigences au lit et à la ville, la cruauté de ses propos et de ses pratiques, parce qu'elle voyait en lui le moyen de sortir de sa condition et de pénétrer les hautes sphères de

la société par le chemin le plus aisé de son point
de vue : celui du sexe. Consciente de ses atouts
et de son opiniâtreté dans la recherche du plaisir,
elle acceptait tout de Zelinguen, qui, en retour, lui
garantissait des gains substantiels et une sécurité
rassurante.

Lorsque Zelinguen revint à la table, Violette leva
les yeux vers lui :

– Et maintenant ?

– Maintenant, on monte. J'ai besoin de me
délasser. Vois avec la femme Auzouf et rejoins-moi
avec une ou deux autres filles.

Zelinguen, cette nuit-là, s'en donna à cœur joie.
Les filles que Violette lui avait amenées étaient
alertes et expertes. Et Violette, incontestablement
soûle, se prêta activement à tous les jeux qu'il lui
plût d'inventer. Finalement, il renvoya les deux
filles et laissa Violette s'endormir comme une
masse. Il contempla longuement son corps plein et
rebondi. Il ne pouvait se résigner à le massacrer.
Alors il saisit sa ceinture, la passa autour de son
cou et l'étrangla avec l'aisance d'un boucher. Elle
résista à peine et mourut en quelques minutes.
Zelinguen prit dans ses affaires un grand sac en
toile de jute, y enferma le corps inerte et descendit, sans la moindre gêne, avec son fardeau sur
le dos. En quelques enjambées, il fut sur le quai
de Southampton. Dans un coin, un tas de grosses
pierres, préparé par ses soins dans la soirée, l'attendait. Il les enfourna dans le sac et jeta le tout
dans l'eau noire de l'avant-port. Puis il disparut
dans la nuit havraise, sans étoiles et sans larmes.

Chapitre 10

Controverses

En ce matin du samedi 17 janvier, Victor, installé devant son bureau, buvait l'insipide et amer café de Chassaing en lisant le journal. La soirée de la veille avait été divine. Marie lui avait préparé une délicieuse blanquette de veau. Le brouilly, léger et frais, qu'ils avaient bu en la dégustant avait aidé Victor à lui faire honneur et les avait mis d'excellente humeur. Ils avaient fait l'amour avec la délicatesse d'amants chevronnés, et Victor s'était éclipsé une fois Marie endormie. Il lui avait laissé un petit mot tendre qui lui donnait rendez-vous le lundi suivant pour une soirée qu'il espérait tout aussi savoureuse. Comme l'entrevue avec le juge Blanchot s'était plutôt bien passée, il était impatient d'en raconter les détails à Max, qui tardait à arriver, ce que Chassaing ne manqua pas de souligner :

– Dites donc, inspecteur, il me semble que notre jeune brigadier arrive de plus en plus tard !

– Oui, je trouve aussi qu'il se fait désirer, répondit Victor.

– Il a peut-être fait la noce hier soir et n'arrive pas à avoir les idées claires ce matin.

– Je ne crois pas, Chassaing. Hier, c'était l'anniversaire de la mort de sa grand-mère. Il a peut-être voulu aller sur sa tombe, quoique cela m'étonne qu'il n'ait pas préféré y aller demain, c'est dimanche.

– Elle est enterrée où, sa grand-mère ?

– En Normandie, près de Bernay, je crois, c'est là que vivent ses parents, qui ont gardé la ferme.

Victor était toujours plongé dans son journal, dont la lecture décousue qu'il en faisait ne parvenait qu'à l'exaspérer. L'imminente élection de Paul Deschanel à la présidence de la République par le Congrès et les commentaires qui accompagnaient ce constat l'irritaient au plus haut point.

Max entra sur ses entrefaites.

– Ah ! Te voilà tout de même, l'ostrogoth ! Tu as vu l'heure ? Cela fait plus d'une heure que je t'attends !

– Oui, oui, je sais, mais j'ai eu des… perturbations.

– C'était quoi, ces « perturbations » ce matin ? l'interrogea Victor d'un air pincé en repliant son journal.

– Rien de très grave. C'est mon voisin. Il vit seul avec sa petite fille, une gamine de neuf ans. Et elle a trouvé le moyen de jouer avec des allumettes en se cachant dans sa chambre. Moyennant quoi, elle a failli mettre le feu à l'appartement et à l'immeuble tout entier. Le couvre-lit a pris feu. J'ai donné un coup de main à Hector avant l'arrivée des secours et ensuite, comme grâce à nos efforts conjugués il n'y avait pas trop de dégâts, il a voulu m'offrir un coup à boire. Bon, à neuf heures du matin, le coup de gnôle, c'est pas c'que j'préfère, mais j'pouvais pas refuser !

– D'accord, Max le bon samaritain ! Qui ne peut pas refuser un coup de gnôle à neuf heures du matin ! Quelle abnégation, inspecteur !

Victor riait gaiement tandis que Chassaing levait les yeux au ciel. Il reprit plus sérieusement :

– Bon ! Je vous raconte ma visite chez Blanchot ?
Figurez-vous que j'ai été très surpris. Il était beaucoup plus à l'écoute que lors des entretiens pré-
cédents, attentif et positif. En fait, je crois avoir
deviné pourquoi. Il a vu le préfet Raux hier, et notre
cher préfet a sans doute considéré que l'hypothèse
d'un tueur en série ayant sévi en province avant de
tuer à Paris était une hypothèse tout à fait convenable. Évidemment, ce cher monsieur n'est pas au
courant du carnet noir et je n'ai toujours rien dit
à Blanchot, ni à Blandin d'ailleurs.

– Là, inspecteur, vous prenez des risques
inconsidérés.

– Non. Je ne crois pas. J'ai mon idée à ce sujet.
Nul n'est obligé de savoir que nous avons, grâce à
vous, Chassaing, déchiffré le texte en à peine plus
de quarante-huit heures ! Je choisirai le moment
opportun pour révéler ces informations cruciales,
et j'excuserai le retard en mettant en avant les difficultés rencontrées pour élucider le texte. On ne
peut pas nous reprocher de buter sur un chiffrement aussi décalé et atypique. Il n'y avait que vous,
Chassaing, pour réussir cela aussi rapidement.
Mais ça, ces messieurs, commissaire, juge, préfet
et autres officiels, ne le savent pas !

– C'est bien vous, ça, de cacher mon génie à tout
le monde !

– Oh ! Chassaing, vous savez bien que si on
avait tout divulgué tout de suite, non seulement,
il y aurait eu des fuites et des données mises sous
le manteau, mais encore ces messieurs se seraient
attribué toute la gloire de ce succès et vous n'en
auriez même pas reçu quelques miettes.

– Je sais bien, inspecteur, je plaisantais. Continuez.

– Donc, grâce aux objectifs du préfet, Blanchot considère désormais l'affaire dans son ensemble. Nous sommes, du coup, rentrés dans ses bonnes grâces. Il est d'accord pour transférer Daubier à Paris et veut procéder aux reconstitutions au plus vite ; il a fixé la date du mardi 20 janvier, dans trois jours. Il contacte lui-même le juge de Quimper et celui de Nantes pour récupérer les dossiers, et il nous charge d'organiser le transfert avec le capitaine Lascouët de Quimper à Paris.

– Formidable ! On le tient, ce fumier ! s'exclama Max.

– Du calme, Max, n'oublie pas que ce Daubier n'est peut-être qu'une fausse piste. Mais il va falloir en apporter la preuve. Pour l'instant, je préfère jouer le jeu. Chassaing, avez-vous pu glaner des informations intéressantes sur ce type ?

Chassaing se leva, mit son crayon sur son oreille gauche et, les sourcils froncés, fouilla sur son bureau.

– Voilà ! Valentin Daubier, né en 1882. Son père était pêcheur, et sa mère travaillait dans une usine de poissons, à Concarneau dans le Finistère, à 26 km de Quimper. C'est le dernier de six enfants. Vous connaissez l'aînée : Madeleine Levivier, qui vit à Paris. Les deux fils suivants sont morts pendant la guerre ; l'un à Verdun, l'autre au ravin du Gros-Chêne, au cours de l'offensive de l'Aisne en 18. En quatrième position, il y a une fille, Angèle, morte de la grippe espagnole en 18, juste avant l'armistice. Le cinquième, Lucien, vit dans un hospice pour malades mentaux près de Brest. Valentin a fugué et a quitté le domicile familial en 1892, à l'âge de dix ans. Arrêté par la police de Quimper, il a été envoyé au bagne pour enfants des Hauts-Murs,

en Charente. Il en est sorti à dix-huit ans pour
s'engager dans la Légion étrangère. Il est parti en
Afrique, au sud du Maroc, et s'est battu dans le
Sahara contre les tribus rebelles, les moudjahidine.
En 1914, à la déclaration de guerre, il a été envoyé
à la frontière du Congo français pour prendre le
Cameroun aux Allemands. Il a fait toute la guerre
là-bas. Il a été démobilisé et libéré seulement en
avril 1919. Il est alors revenu en Bretagne. Ses deux
parents étaient morts l'un après l'autre pendant la
guerre et enterrés dans la fosse commune du cimetière de Concarneau. Valentin Daubier a payé un
enterrement à l'église, ainsi qu'une pierre tombale
avec leurs deux noms gravés dessus. Le curé qui
m'a renseigné s'en souvient bien. Cela l'avait frappé,
car Valentin n'avait pas l'air de rouler sur l'or et
ce transfert coûtait cher. Il a voulu une messe de
funérailles à laquelle il a assisté tout seul. Une fois
ses parents décemment enterrés, il s'est installé à
Quimper, où il vit depuis le mois de juillet dernier.
Il était surveillé par la police locale, soupçonné de
vols de voitures et de trafics de pièces détachées.
Cette surveillance s'était relâchée depuis deux ou
trois mois en raison d'un manque d'effectifs et
d'une surcharge de travail pour l'équipe du commissaire Rougier. Cela explique qu'ils n'ont aucune
idée de ses faits et gestes depuis le début du mois
de novembre. Évidemment, tout cela fait un parfait
profil pour notre meurtrier.

– Bravo, Chassaing ! Ça, c'est un profil complet
en tout cas. Tentons de décoder : ce monsieur a une
enfance difficile, des années certainement pénibles
au bagne des Hauts-Murs, des fréquentations peu
recommandables. Ensuite, à la Légion, il apprend
la discipline, mais surtout à tuer ; et vu ce que

nous savons de la guerre du Maroc, ça n'a pas dû
être très joli, même chose pendant la guerre au
Congo. Ce soldat est rentré chez lui pour enterrer ses parents. Ensuite, il s'installe à Quimper,
vole des voitures, trafique des pièces détachées
et, à partir de novembre, se met à tuer à tour de
bras. Pendant les fêtes de fin d'année, mû par son
amour de la famille, il vient voir sa sœur à Paris,
Madeleine Levivier, que nous avons interrogée et
qui peut tout inspirer sauf la tendresse fraternelle.
Grâce à cette sœur, nous savons également que,
pendant son séjour à Paris, il a dépensé beaucoup
d'argent liquide qu'il avait sur lui. Pendant une
bonne semaine, tout en assassinant à la Moujol
et rue des Moulins, il entretenait une poule avec
laquelle il menait la grande vie. Cela vous semble
cohérent ?

Chassaing précisa :

– J'ai oublié un détail, mais votre récapitulatif
m'y a fait penser. Lorsqu'il s'est installé à Quimper
cet été, il est allé à Brest, à Gouesnou exactement,
à huit kilomètres de Brest, rendre visite à son frère
Lucien. Ce sont des nonnes qui tiennent l'hospice,
la communauté des Sœurs de Marie. J'ai pu contacter l'une d'entre elles, sœur Marie-Joseph, elle se
souvient de cette visite parce que Valentin a remis
à l'hospice une somme d'argent conséquente, trois
cents francs, en demandant aux sœurs de s'en servir pour améliorer l'ordinaire de son frère. Je vous
le précise parce que ce gazier, tout légionnaire et
assassin potentiel qu'il soit, fait preuve d'une fidélité
familiale assez étonnante.

– Tout à fait, Chassaing, et ces démarches ne
collent pas avec le profil d'un tueur, encore moins
d'un tueur à gages, mais on peut également se

demander d'où il sort tout cet argent. Ce n'est pas
son petit trafic quimpérois qui a pu lui fournir tout
cela, d'autant plus que l'enterrement des parents
et la visite à Brest se situent avant ses activités
de trafiquant. Mais c'est important d'avoir mis au
jour toutes ces contradictions. Nos questions n'en
seront que mieux ciblées au cours de l'interrogatoire. Et Violette, Chassaing, a-t-on du nouveau sur
Violette ?

— Pour l'instant, l'avis de recherche n'a strictement rien donné. Et je n'avance pas. Je n'ai rien de
plus que les informations que vous avez obtenues
avec Irma. À croire que cette fille est un fantôme !

— Bon ! Le juge Blanchot doit nous envoyer par
coursier une commission rogatoire pour aller jeter
un œil à l'hôtel du Midi. Nous irons avec Max, lundi
à la première heure.

Max leva un sourcil.

— L'hôtel du Midi ? Je pense qu'il serait prudent d'emmener quelques renforts bien costauds.
J'aimerais éviter de reprendre une dérouillée !

— Oui, c'est prévu. Rousseau nous accompa-
gnera avec des agents. Il faut qu'on farfouille de
ce côté-là et qu'on interroge le patron de l'hôtel. Il
sait forcément des choses sur cette Violette. Elle
doit bien vivre quelque part ! Et Gemeley, Max, il
est en vadrouille ?

— Oui, inspecteur, ce bon docteur court le guilledou à Lyon.

— « Court le guilledou », décidément, s'offusqua
Chassaing, vous avez des expressions à dormir
debout ! Courir le guilledou… !

— Oh !, reprit Max, c'est délicieux comme for-
mule. Mais non, en fait, ce n'est pas du tout le
guilledou après quoi Gemeley court à Lyon. Il est

allé rencontrer son ancien professeur de médecine légale, Edmond Locard, une sommité. Il ne sera pas là avant lundi. Il a prévu de rentrer dimanche soir par le train de nuit. Il veut discuter de « l'art de faire parler les corps » avec un vrai spécialiste, a-t-il dit. Et il compte nous faire profiter de ce qu'il va glaner auprès de ce grand homme.

– Parfait. Donc, lundi, après avoir perquisitionné à l'hôtel du Midi, nous nous jetons sur Gemeley. Max, tu prépares l'intervention, tu réunis et tu informes l'équipe de Rousseau. Je veux aussi un scientifique. On passera l'hôtel du Midi au peigne fin comme une scène de crime. Demande à Lantier de venir avec nous. Il est impeccable en matière de relevé d'empreintes.

– C'est noté, inspecteur.

– Dernier point : le juge Blanchot, sous la pression du préfet, demande que l'on procède à la réouverture de la Fleur blanche. Il est cependant convenu qu'il fallait attendre la reconstitution de mardi. Mais, mercredi 21, la Fleur blanche doit ouvrir ses portes. D'autre part, le juge est d'accord pour ne retenir aucune charge contre Irma. Il a signé sa relax. En revanche, il demande que le petit Léon soit placé en famille d'accueil. Il a saisi la commission hospitalière de l'hôpital des Enfants-Malades pour garantir la protection judiciaire de l'enfant et désigner une nourrice. Il nous charge de régler l'affaire avec Irma et l'Assistance publique.

– Ça n'est pas vraiment notre boulot, répliqua Max.

– Non, c'est vrai. Mais j'ai accepté. Irma aura besoin de soutien et d'explications, et puis je lui ai promis mon aide. Ce n'est pas une mauvaise chose de garder un œil sur les choix de l'A.P. et de valider ou non la nourrice.

– D'accord, inspecteur. Finalement, le bon samaritain, c'est vous !

***

Rue Charlot, en cette matinée du samedi 17 janvier, on s'était activé pour réparer les dégâts et remettre le local en état. Au premier étage, Fernand Jack, aidé de trois syndicalistes militants révolutionnaires, ouvriers dans le bâtiment, achevait de poser les dernières lattes de parquet quand surgit un Günter désespéré qui répétait en boucle :

– *Es ist ein Fiasko ! Ein totaler Misserfolg*[1] *!*

Fernand se précipita vers lui :

– De quoi parles-tu, Günter ? Que se passe-t-il ?

Günter, la voix tremblante et des larmes dans les yeux, se lança dans une explication à tiroirs que Fernand résuma en quelques phrases pour les autres camarades qui entouraient le Berlinois avec sollicitude.

– La manifestation à Berlin devant le Reichstag, qui a eu lieu mardi dernier et sur laquelle nos amis allemands faisaient porter tous leurs espoirs, a échoué. Le gouvernement a fait intervenir la troupe, qui a tiré dans la foule et a fait quarante-deux morts. Günter a reçu ce matin un courrier de ses camarades lui conseillant de rester en France quelques jours de plus, le temps que la chasse aux sorcières se calme. La République de Weimar affirme donc clairement son opposition au communisme et au socialisme. C'est une grande déception pour nous tous !

---

1. « C'est un fiasco, un échec total ! »

– *Wir werden nicht aufgeben ! Wir werden bis zum Ende kämpfen !*[1]

– Günter affirme qu'ils se battront jusqu'au bout. Et nous ne pouvons que souhaiter être capables de suivre leur exemple, et…

Fernand s'interrompit brusquement et resta bouche bée, les yeux écarquillés : en haut de l'escalier se profilait la petite silhouette dégingandée d'Amédéo l'Africain qu'il croyait englouti dans l'océan Atlantique au cours du naufrage de l'*Afrique*.

– Amédéo, mon frère ! Tu es vivant !

– Tout ce qu'il y a de plus vivant : affamé, assoiffé et épuisé ! Ni plus ni moins épuisé !

– Mais nous étions tous persuadés que tu étais mort ! La presse ne signalait qu'un seul civil rescapé, et ce n'était pas toi !

– Oui, je sais, mais, en fait, je me suis mêlé aux tirailleurs sénégalais, et le radeau sur lequel j'ai réussi à monter a pu rejoindre la côte, non sans mal, ni sans pertes ! Au début, on était plus de trente là-dessus, mais seulement dix à l'accostage. Les tirailleurs m'ont couvert à l'arrivée et m'ont fait passer pour un des leurs qui avait été emporté par les flots. C'était parfait pour moi, maintenant je ne suis plus rattaché à aucun maître, je suis totalement libre et je n'existe plus aux yeux des autorités, qui ne tenteront pas de me chercher. Et ça, c'est vraiment formidable !

Fernand envoya Raoul chercher à boire pour tout le monde, et à manger pour Amédéo. Raoul ne se le

---

1. « Nous ne baisserons pas les bras ! Nous nous battrons jusqu'au bout ! »

fit pas dire deux fois. Il prit l'argent que lui tendait Fernand et fila comme une flèche. Fernand s'écria :

— J'en connais un qui va être aux anges de savoir que tu vas bien et que tu es à Paris.

— J'parie qu'tu parles du p'tit bonhomme que j'ai vu au Lutetia.

— Oui, Pierrot, notre mascotte. Tu lui as fait un effet bœuf. Il parle de toi comme d'une espèce de gourou aux pouvoirs magiques. Savoir que tu t'en es sorti, ça va le conforter dans cette idée !

— Oui, oui, le courant est bien passé entre nous. C'est un chouette petit bonhomme que vous avez là. Il m'a bien plu aussi. Mais il ne faut pas qu'il me surestime. Je ne suis qu'Amédéo. Mais, aujourd'hui, je suis un Amédéo totalement libre !

— Dis-moi, comment es-tu revenu à Paris ?

— Oh ! Ce fut une épreuve ! J'ai mis quatre jours et j'ai beaucoup marché. Ma peau noire ne m'a pas aidé. Personne ne voulait s'arrêter pour me faire faire un p'tit bout d'chemin. Les Français sont obtus : lorsque je m'arrêtais dans un village pour boire à une fontaine ou pour quémander un morceau d'pain, les gens me regardaient comme si j'étais le croque-mitaine et me parlaient dans un jargon censé me faciliter la compréhension, mais qui relevait plus de l'ânonnement débile que du langage véritable. Et j'avais un mal fou à leur faire comprendre que je parlais français aussi bien qu'eux ! J'ai dormi dans des granges, j'ai chapardé du lard et du pain, j'ai même volé un cheval dans un pré en Vendée, et puis j'ai eu la chance d'être pris par un livreur d'Orléans qui montait à Paris. Et me voilà !

— Et sur l'*Afrique*, ça n'a pas été trop dur ?

– Si ! Horrible ! On n'a pas compris ce qui se passait. Même encore maintenant, je ne sais pas. Au début, la tempête ne nous a pas effrayés plus que ça. Le paquebot semblait solide et capable de résister au gros temps. On mesurait pas bien les changements de route. Tu sais, moi, je suis pas un marin. Alors, la navigation, j'y connais rien. On a commencé à s'inquiéter quand les machines sont tombées en panne et qu'on n'a plus eu d'électricité. Et, un peu après, on a entendu des grands boums, plusieurs fois. À partir de là, ça a été la panique. Moi, j'étais dans la cabine du maître Buringer. Il s'est précipité sur un gilet de sauvetage et il est descendu sur le pont de l'équipage. J'ai suivi. Il a bousculé tout le monde pour être dans les premiers à quitter le navire. Quel imbécile ! La première baleinière dans laquelle il a sauté a été maladroitement mise à l'eau. Il faut dire que ce n'était pas facile, mais ils l'ont lâchée contre le vent, alors elle s'est tout de suite renversée et tous ceux qui étaient dedans sont tombés à la mer et ont été avalés par les énormes paquets d'eau que les vagues projetaient à une hauteur incroyable. Pftt… plus de Buringer ! C'est à ce moment-là que moi, j'ai rejoint les tirailleurs sénégalais sur le pont de troisième classe. Ensuite, ils ont fait attention à laisser filer les baleinières dans le vent, mais cela restait très effrayant et très risqué. Les passagers avaient trop peur, ils refusaient de monter dans les baleinières. Mais nous, les Sénégalais, on s'est dit que si on restait sur le bateau, on allait couler avec lui. Ça commençait déjà à piquer vers le fond. Alors, on a avisé trois radeaux, on les a mis à la mer et on est montés dessus comme on a pu. Si on avait une toute petite chance de s'en sortir, c'était sur un radeau. Et me voilà sain et sauf ! J'ai vraiment cru ma dernière heure arrivée !

Amédéo, essoufflé d'avoir tant parlé, s'assit sur le parquet. Raoul était revenu avec des bières, un gros pain et un saucisson. Amédéo se jeta dessus, et les autres trinquèrent à sa résistance et à son courage. Après avoir englouti quelques tranches de saucisson que lui avait découpées Fernand, il demanda :

– Et vous, tout va bien ? Quand on arrive ici, on a un peu l'impression que vous avez, vous aussi, essuyé une tempête ! En bas, tout est sens dessus dessous.

Fernand soupira et raconta le tragique épisode du mercredi soir en mettant l'accent sur le rôle salutaire qu'avait tenu Pierrot.

– Il est vraiment bien, ce p'tit bonhomme. Ça m'ferait plaisir de le voir.

– Tu l'verras demain soir, Amédéo. Il sera sûrement au Grenier. Il adore écouter Maud chanter. Toi, tu vas dormir chez moi en attendant qu'on te trouve un logement. Il faut qu'on te fasse faire des papiers et que tu te trouves un boulot. Ce sera la meilleure façon de te protéger. Je vais prévenir Diallo que tu es là. Il va nous aider.

Amédéo acquiesça et reprit avec vigueur son sandwich au saucisson. Que le pain était bon ! Que la solidarité était rassurante ! Il avait bien fait de revenir à Paris. Ailleurs, tout seul, il n'aurait pas pu s'en sortir. Après quelques bouchées, il reprit :

– Merci pour tout, Fernand. Bien sûr, ce naufrage est une catastrophe pour mes frères du Congo. Diallo en saura sans doute plus, mais je suppose que la révolte contre le chantier du Congo-Océan est suspendue ?

– Oui, Amédéo, mais le naufrage n'a pas seulement envoyé vos armes au fond de l'océan. Il a aussi perdu les fonds que ton maître Buringer apportait à Pointe-Noire. De ce que nous savons, le chantier lui-même est en suspens. Avec les élections qui ont lieu en ce moment, nous allons avoir un nouveau gouvernement, donc un nouveau ministre des Affaires étrangères et un nouveau ministre des Colonies. On verra bien, mais il se peut que le chantier soit mis entre parenthèses, au moins pour quelque temps. Il ne fait pas l'unanimité chez les politiques.

– Oui, mais il ne faut pas s'leurrer. Dans cette histoire, comme dans beaucoup d'autres d'ailleurs, ce ne sont pas les politiques qui prennent les décisions, et les compagnies concessionnaires veulent à tout prix cette ligne de chemin de fer qui peut leur permettre d'intensifier le commerce de caoutchouc et gagner beaucoup d'argent. La pression des lobbies, Fernand, c'est elle qui détermine les choix des politiques et c'est pour cela que vos démocraties battent de l'aile. Il vaudrait mieux anticiper et profiter de ce temps mort, qui ne durera pas longtemps, pour organiser des révoltes efficaces. Je verrai tout cela avec Diallo demain. C'est lui le mieux placé pour prendre ça en mains.

Fernand était toujours surpris de la finesse des analyses d'Amédéo. Il avait une compréhension des rouages de la politique française que bien de ses camarades militants n'avaient pas. Il avait fini son sandwich et, après avoir bu une bonne rasade de bière, demanda :

– Et les salauds qui ont tout cassé ici, on ne va pas leur faire un p'tit coucou ?

– Mardi, il y a une assemblée très importante du Comité syndicaliste révolutionnaire. De nombreux mouvements de grève devraient y être votés. Nous pensons que les Camelots vont chercher à empêcher ces grèves. C'est donc là que nous comptons leur tailler un costume pour l'hiver. Nous sommes beaucoup plus nombreux qu'eux et nous avons au moins autant d'énergie et un bien mauvais souvenir en guise de motivation. Mais, si tu veux, tu pourras parfaitement faire partie de nos équipes de piquets de grève. Nous avons besoin de monde. Avoir un camarade africain dans nos rangs, c'est une fierté qui souligne notre combat anticolonial. C'est une très bonne chose. C'est vrai aussi pour vous, camarades berlinois, si vous restez plus longtemps à Paris, vous pouvez très bien participer à ces actions.

– Parfait, s'écria Amédéo, alors le Congo va travailler main dans la main avec Paris et Berlin. Elle existe bien, l'Internationale !

Günter et Jürgen acquiescèrent et tous trinquèrent à la solidarité et à leur entente, bien conscients cependant, chacun en son for intérieur, que cette entente si évidente dans la relation d'homme à homme était une tout autre affaire lorsqu'il fallait la vivre sur le terrain de la lutte politique.

**

L'atelier du gros Jacques était situé rue du Faubourg-du-Temple. Jacques Parmentier soignait sa réputation, et sa femme, Jeannette, tenait boutique à grands frais et aimait dire qu'elle chaussait tout le quartier de Belleville. Il est vrai que sa boutique ne désemplissait pas. On y venait essayer les dernières créations de monsieur Parmentier, mais on y venait aussi discuter, papoter sur les gens du quartier, sur les événements locaux. On allait 76, rue du Faubourg-du-Temple avec entrain, autant pour se distraire que pour se chausser. Le couple Parmentier était heureux et respecté.

L'arrivée inopinée de Pierrot avait un peu déstabilisé le ménage. Le gros Jacques était ravi. Il faisait d'une pierre deux coups : il apportait une protection bien indispensable au fils de son copain de tranchée et récupérait un apprenti, ce dont il avait grand besoin, car les commandes affluaient et il commençait à avoir du mal à les honorer. Il comptait ainsi former Pierrot à la réparation des souliers afin de pouvoir lui-même se consacrer à la création de nouveaux modèles. Mais Jeannette ne voyait pas d'un très bon œil la présence de ce jeune garçon habitué à une autonomie qui n'était pas de son âge et très lié avec des individus qu'elle trouvait peu recommandables et qu'elle soupçonnait, avec une certaine intuition toute féminine, d'être souvent hors la loi et politiquement suspects. Le gros Jacques avait bien tenté de la rassurer en lui rappelant que lui-même était syndicaliste et qu'il se rendait parfois à la Muse rouge, où il avait quelques copains, mais Jeannette restait méfiante.

Dans cet univers confortable mais passablement étriqué et terriblement petit-bourgeois, Pierrot n'était guère à son aise. Intimidé par l'importance que Jeannette accordait aux bonnes manières, aux règles d'hygiène, de courtoisie et de bienséance, auxquelles le gros Jacques se pliait avec une docilité quasi enfantine, Pierrot n'osait trop ni bouger, ni parler. À table, il avait adopté une tactique efficace : il attendait que Jeannette commence à manger – ce

qu'elle prenait pour une marque de courtoisie –
et l'imitait soigneusement. Cela lui donnait une
allure un peu raide et guindée qui contrastait avec
sa chevelure sauvageonne et ses vieux vêtements
usés. Jeannette avait d'ailleurs déclaré qu'elle avait
prévu de demander à sa voisine de venir lui couper
les cheveux et qu'il fallait aussi songer à habiller
correctement l'apprenti. Pierrot avait frémi, mais
s'était tu.

À l'atelier, les choses étaient plus simples. Seul
avec le gros Jacques, Pierrot pouvait se détendre.
Il n'avait plus à surveiller son langage ni la façon
dont il se tenait. Le travail était fastidieux, mais
l'artisan donnait des explications très claires, et
Pierrot découvrit, non sans satisfaction, qu'il était
particulièrement habile de ses mains et qu'il avait
une mémoire gestuelle infaillible. Le gros Jacques
était content de lui et, en contrepartie, ils s'accor-
dèrent tous deux pour laisser à Pierrot une liberté
totale après ses heures de travail, sous réserve qu'il
n'oublie pas de prévenir Jeannette de son absence
au dîner.

En cette matinée du dimanche 18 janvier, Pierrot
avait endossé son tablier d'apprenti et s'était remis
au travail à l'atelier, car il avait deux paires de
godillots à ressemeler qui devaient être prêtes pour
le lendemain. Il ne voulait pas prendre le risque
de contrarier Jeannette. Le gros Jacques entra en
vociférant :

– Mais Pierrot, c'est dimanche, p'tit ! Tu dois
prendre du repos. Et puis j'ai pensé qu'ça s'rait bien
qu't'ailles à la Moujol voir Louise. J'suis sûr qu'elle
sait pas qu'tu travailles ici. Ça lui f'ra plaisir, pour
sûr ! J't'ai préparé un panier pour les filles avec des
p'tites douceurs et des vieilles chaussures pas trop

abîmées qu'elles peuvent garder. Le dis pas à la
patronne, elle aime pas trop que j'm'occupe de la
Moujol, pardi ! C'est un secret entre nous, pas vrai ?

Pierrot sourit, délaça son tablier et l'accrocha à
sa patère. Il prit le panier en le remerciant et sortit
par la porte de l'atelier, qui donnait directement
sur la rue Saint-Maur et remonta vers Belleville.

En arrivant dans la cour de la Moujol, devant
l'hôtel des 56 Marches, il eut l'étrange impression
de découvrir ce décor misérable pour la première
fois. Il avait vu tant de choses depuis dix jours, fait
tant de découvertes, rencontré tant de gens éton-
nants, sa vie avait tellement changé que cet endroit
familier où il avait passé son enfance lui semblait
ce matin étranger, comme s'il y revenait après un
long voyage et qu'il n'y reconnaissait rien. Son cœur
se serra et il sentit des larmes lui monter aux yeux.
Il voulait grandir, découvrir de nouveaux horizons,
expérimenter, lutter, vaincre, mais il ne voulait pas
perdre ses racines.

Ce fut habité par ces pensées qu'il pénétra dans
l'hôtel des 56 Marches. Dans la grande salle, les
filles prenaient leur petit-déjeuner. Pierrot posa
son panier sur la table et sortit ses trésors : un
pain tout frais doré à point, un pot de confiture de
fraises et de belles pommes bien mûres. Les filles
se précipitèrent pour l'embrasser et s'emparèrent
en gazouillant de plaisir de toutes ces friandises
inespérées qui venaient agrémenter leur premier
et souvent unique repas de la journée. Lorsque
Pierrot exhiba les chaussures, elles applaudirent
de contentement. Les filles achevèrent leur repas en
babillant et partirent en courant à leur toilette. Elles
avaient prévu une promenade en ville et mouraient

d'impatience d'étrenner leurs nouvelles chaussures sur les boulevards.

Pierrot resta seul avec Louison, qui l'observait avec une certaine retenue. Pour elle, voir Pierrot leur apporter à manger et de quoi s'habiller, c'était le monde à l'envers. Elle le trouvait changé : plus grand, plus fort, plus distant, avec au visage cet air particulier qu'ont les hommes mûrs quand ils veulent s'imposer. Était-il possible que son Pierrot, son tout petit garçon perdu dans la grande ville, ait grandi si vite, en quelques jours ?

Pierrot s'approcha de Louison et la prit dans ses bras avec tendresse. Elle se dit alors qu'assurément Pierrot avait passé un cap, il était devenu un petit homme. Il ne venait plus se lover contre elle, c'était lui qui la prenait dans ses bras ; il ne venait plus quémander un verre de lait, c'était lui qui apportait de quoi nourrir les filles. Bientôt il n'aurait plus besoin d'elle, et elle ne ferait plus que décrépir dans ce bouge sinistre sans plus aucun objectif pour tenir le coup. Pierrot sentit dans son cou les larmes de Louison. Il l'écarta pour l'observer attentivement :

– Que se passe-t-il, Louison ?

– C'est à toi qu'y faut d'mander ça.

– Mais, Louison, je vais bien. C'est le Gros Jacques qui vous envoie tout ça. J'ai accepté la place d'apprenti. J'travaille dans son atelier depuis trois jours et ça s'passe bien.

– Toi ? Apprenti ! Chez l'Gros Jacques ! Sainte Mère ! Mais tu voulais pas en entend'parler ! Tu disais qu'tu voulais rester libre et qu'tu voulais pas t'enfermer dans un atelier comme tous les larbins !

– Oui, mais j'ai changé d'avis.

– Nom de d'là ! J'en ai l'estomac tout r'tourné.
Sainte Mère ! Mon Pierrot apprenti ! Alors le Ciel
est avec nous ! Mais tu vas d'venir un monsieur !
Tu vas plus vouloir de Louison !

– Sois pas bête ! Je suis apprenti chez un cordonnier. Pour l'instant, je gagne mon gîte et mon
couvert et quatre francs par semaine. J'suis pas un
« monsieur », et toi, tu restes ma Louison. Rien ni
personne ne pourra me séparer de toi.

Tout en parlant et en la cajolant, il prenait
conscience de ce qu'était réellement la misère et
songea aux autres femmes qui l'avaient subie et
la subissaient encore. Il pensa à Grâce, la mère de
Lulu, enlisée dans la zone, à Gabie massacrée au
printemps de sa vie, à Albertine séquestrée à Saint-
Lazare, à sa mère et à sa terrible agonie sur son gra-
bat de Charonne. Il murmura à l'oreille de Louison :

– Tu verras, je réussirai à te sortir de là. Un jour,
je viendrai te chercher et je t'emmènerai dans une
vraie maison, dans notre maison…

Louison se laissait faire et recevait chaque mot
comme une promesse d'un monde meilleur auquel
elle ne croyait pas, mais qui la faisait rêver. Or, il
y avait bien longtemps qu'elle avait cessé de rêver.
Tout à coup, elle se raidit et sembla se concentrer
sur quelque chose de très important.

– Pierrot, maintenant, tu risques plus rien avec
la poulaille, pas vrai ! Tu risques plus la maison
de correction ?

– T'as raison, j'ai un patron maintenant, une
adresse et un travail. Même que l'Gros Jacques
y veut m'faire des « papiers d'identité », qu'y dit.
Non, j'risque plus d'être traité comme un gamin
des rues. J'irai pas au bagne pour enfants, c'est sûr !

– Alors j'vais t'parler d'que'qu'chose. Faut qu'tu réfléchisses bien. J'te d'mande pas d'macaroner, t'as compris ?

– Qu'est-ce que tu m'chantes, Louison ? De quoi tu parles ?

– Voilà, l'aut'jour, y a deux argousins[1] qui s'sont pointés la gueule enfarinée. Ils enquêtent sur l'assassinat de Gabie. Y voulaient des tuyaux sur elle. Maintenant qu't'es blanc comme un angelot pour les poulagas, tu peux p't-êt' leur parler. Le plus âgé est boiteux et il a bien l'air malin. C'est pas un estampilleur[2] comme d'autres. Y m'a r'filé une adresse où j'peux laisser un mot. Tu crois pas qu'tu devrais lui jacter deux-trois trucs ?

– Mais j'sais pas grand-chose, et puis c'est risqué, non ? J'peux pas tout dire d'tout'façon !

– Mais pour Gabie, faut bien qu'on mett'la main sur son chourineur, non ?

– Si bien sûr. Mais j'irai pas au burlingue[3] ! Ça, non !

– Alors, écoute, j'vais lui glisser dans la boîte un message en lui disant d'venir à la Moujol un soir après l'travail. Mercredi, c'est bien, mercredi. Tu pourras t'débrouiller ?

– D'accord, Louison, faisons comme ça.

– Dis donc, t'as un peu d'temps là ? Tu viendrais pas avec moi à Saint-Lazare voir Albertine ? La pauvrette, elle en bave, et c'est qu'le début !

– Bien sûr, j't'accompagne. Prends-lui l'pot d'confiture. Elle en a plus besoin qu'les autres. J'en ramènerai pour vous.

1. Argousin : policier.
2. Estampilleur : qui trompe, qui dupe.
3. Burlingue : commissariat.

Et Louison partit au bras de Pierrot. Tous deux descendirent, en bavardant tendrement, les escaliers de la rue Asselin.

***

Ce matin du dimanche 18 janvier, Victor appela un G7[1] pour se rendre à la ménagerie du Jardin des plantes. Cette sortie en famille était suffisamment exceptionnelle pour engendrer chez chacun une volonté impérieuse et inconditionnelle de faire en sorte que tout se passât bien. Éric et Julien aidèrent à débarrasser la table, car la cuisinière était en repos le dimanche, et se préparèrent sans chahuter et en un temps record. Clémentine mit son plus beau chapeau et afficha un sourire permanent qui éclairait agréablement son visage habituellement austère et renfrogné. Quant à Victor, il palabrait, tournoyait, donnait sur cette ménagerie des informations historiques que personne n'écoutait, mais qu'on faisait mine de prendre très au sérieux. Le parcours fut de courte durée. Ils descendirent du taxi rue Cuvier, devant la première entrée. Victor se dit qu'au retour ils iraient à pied et longeraient les quais de la Seine jusqu'au quai Malaquais et la rue Bonaparte. Il faisait un temps mitigé, mais la pluie ne menaçait pas et le soleil pointait son nez de temps à autre.

La ménagerie se situait au nord-est du jardin. Elle avait souffert des pénuries infligées par la guerre. Victor se souvenait, enfant, d'avoir été

---

1. En 1913, la banque Mirebaud et Cie racheta la « Compagnie française des automobiles de place » créée en 1905. Le taxi devint le G7 en référence au garage n° 7 à Saint-Ouen.

impressionné par la foule d'animaux de toutes
sortes qui grouillaient dans les volières, les bassins
et les fosses. Désormais, les pensionnaires étaient
beaucoup moins nombreux. Éric et Julien furent,
cependant, fascinés par le bassin des crocodiles du
Nil, délicieusement effrayés par les loges des animaux sauvages, où deux panthères noires de Chine
évoluaient avec un air mauvais. Les fosses n'étaient
occupées que par quelques ours bruns passablement
endormis, mais la grande volière métallique et la
cage aux oiseaux de proie bruissaient du frottement
des ailes des oiseaux qui volaient de perchoir en
perchoir. La promenade s'acheva sur le palais des
singes : les orangs-outans de Bornéo firent la joie
des garçons, alors que l'enclos des tortues géantes
des Seychelles les avait laissés pantois.

Vers cinq heures, une bise se leva qui mordait
les oreilles et le nez. Le jour déclinait. Clémentine
considéra qu'il était temps de rentrer. Victor acheta
un cornet de châtaignes à un grilleur du Jardin des
plantes et entraîna sa petite famille sur les quais.
Une brume légère et translucide planait au-dessus
de la Seine. Sur le quai Saint-Bernard, au milieu
des pigeons, étourdis par les cris des mouettes,
des promeneurs emmitouflés dans leurs écharpes
arpentaient le trottoir. Sur l'eau, quelques péniches
alanguies glissaient avec lenteur, calfeutrant jalou-
sement leur cargaison dans leurs cales. Victor tenait
par la main ses fils et répondait distraitement aux
incessantes questions qu'ils posaient, plus pour
entretenir le bourdonnement familier de sa voix que
pour avoir des réponses. Clémentine marchait un
peu à l'écart, le cornet de châtaignes à la main, élégamment protégée du froid par une large étole de
fourrure que rappelaient les bords de son chapeau.

En arrivant quai des Tournelles, Victor se figea. Sur le pont Sully, avançant vers le boulevard Henri-IV, Marie, coiffée de son drôle de petit chapeau cloche, discutait en riant avec une haute silhouette aux cheveux noirs de jais. L'homme faisait de grands gestes et Marie semblait si attentive, marchait si près de lui qu'ils se touchaient presque. Et Marie, dans un élan que Victor lui connaissait bien, posa sa tête sur l'épaule de l'inconnu, qui se pencha pour l'embrasser. Victor ressentit la morsure douloureuse de la jalousie, violemment, sans nuance, sans retenue, comme une griffe de métal qui lacérerait le cœur jusqu'à le broyer tout à fait.

Éric et Julien s'impatientaient, tiraient à qui mieux mieux sur la manche du manteau de Victor.

– Papa, vous faites quoi ? On y va, papa !

Clémentine les avait dépassés. Elle se retourna :

– Eh bien, Victor, qu'est-ce que tu fabriques ? Quelque chose ne va pas ?

– Non, non ! Tout va bien, j'ai seulement repensé à un détail important pour l'enquête et...

Clémentine se rapprocha, virulente :

– Ne me dis pas que tu vas repartir au quai des Orfèvres ce soir !

– Non, dit Victor, penaud, ça attendra demain.

– Tu es tout pâle... Tu es sûr que tout va bien ?

– Oui, oui, ce n'est rien. J'ai un peu froid, c'est tout. Allons-y. Rentrons. Tiens, donne-moi une châtaigne, ça va me réchauffer.

Chapitre 11

Transferts

Le jour se levait avec frilosité. La rue de la Charbonnière frissonnait d'humidité et de crasse, jusque dans ses recoins les plus sombres. Les piétonnières et les fleurs de bitume étaient déjà sur le qui-vive et interpellaient les passants. C'était l'heure où les travailleurs des chemins de fer et les ouvriers des ateliers partaient au turbin. Les tapineuses cherchaient l'occase, le manteau ou le châle ouvert sur leurs abattis abîmés et fanés, embusquées dans les renfoncements des misérables bâtisses de la Pieuvre[1] aux murs lépreux et suintants. On s'interpellait, on s'invectivait, et les rires qui fusaient çà et là, comme les grincements d'une roue mal huilée, déchiraient le petit matin et mettaient en lambeaux le cœur des oiseaux innocents.

Sur le seuil du 37, Marc Védrine, dit le Marquis, hôtelier, maquereau et fripouille patentée, nettoyait la vitrine du café-hôtel du Midi quand il pinça les fesses d'une de ses habituées, adossée lascivement à la porte qui donnait directement sur l'escalier montant aux chambres. Lucienne repoussa vertement le taulier :

– Bas les pattes, le Marquis, laisse-moi don' turbiner peinard ! Occupe-toi d'ta vitrine !

---

1. La rue de la Charbonnière avait comme surnom « la pieuvre aux vingt tentacules » en raison de sa mauvaise réputation et de ses maisons d'abattage.

Le Marquis reprit sa tâche en rigolant grassement. À l'intérieur, quelques pochetrons étaient
déjà accrochés au zinc et sirotaient un tilleul[1] en
tirant sur des cigarettes de gris qui diffusaient une
fumée âcre et rance. Et tout à coup, la rue s'immobilisa, comme paralysée. Un silence macabre
s'abattit. Puis ce fut la pagaille : on courait dans
tous les sens en hurlant, on faisait disparaître tout
jusqu'à soi-même, et la sirène de la police retentit,
le bruit des moteurs vrombit, tandis que rugissait
le vacarme de la populace en émoi.

Le Marquis avait pris son seau et ses chiffons et
était rentré dans son café, dont il avait fermé la porte
à clé. Seuls, imperturbables et las, les poivrots du
comptoir n'avaient pas bougé et continuaient à boire.
La Delaunay-Belleville s'arrêta brusquement devant
le 37, suivie du fourgon, d'où sortirent six agents
en uniforme, et de deux motocyclettes rutilantes
montées avec panache par le brigadier Rousseau et
l'inspecteur Desnoyers. Victor et Max descendirent
de voiture et firent claqer les portières, imités par
Lantier et un de ses assistants, qui se trouvaient à
l'arrière. Victor plaqua contre la vitre de la porte sa
carte de police. Une vieille femme au pas traînant
et aux cheveux gris en bataille vint lui ouvrir en
marmonnant dans sa barbe. Victor exhiba la commission rogatoire, répartit les hommes dans l'espace
peu engageant du café et demanda à voir le patron.

– L'est sorti, répondit la vieille avec une voix
rauque de fumeuse, et j'sais pas quand y va se
radiner. C'est l'patron !

Victor fit signe à Max de faire un tour du côté
de l'arrière-salle et de la cuisine. Un des poivrots,

---

1. Tilleul : mélange de vin blanc et de vin rouge.

après avoir sifflé son verre, s'ébroua comme un vieux cheval et bredouilla :

– M'est avis qu'y s'est carapaté par-derrière, chef… pa'c'qu'il était là y a deux minutes !

La vieille lui adressa un regard noir en fronçant ses épais et broussailleux sourcils. Cet échange n'échappa guère à Victor, qui s'écria :

– Max ! Il a dû sortir par-derrière… Dépêche-toi ! Rattrape-le !

Max avait déjà repéré la porte de la cuisine, qui donnait sur une cour étroite. Il escalada le mur du fond et se retrouva boulevard de la Chapelle. Au loin, il distingua une silhouette épaisse qui courait aussi vite que le lui permettaient un imposant embonpoint et un souffle court. Max s'élança de sa course légère et nerveuse. Il ne mit pas longtemps à rattraper le Marquis, qui s'affala contre un mur, essoufflé à en vomir et furieux de se voir menotter en pleine rue. Ce fut avec beaucoup de mauvaise grâce qu'il laissa Max l'entraîner et le pousser pour revenir à l'hôtel du Midi. Victor, impatient, faisait le guet dans la rue désormais déserte. La perquisition, pour l'instant, ne donnait pas grand-chose. Victor s'apprêtait à s'attaquer à la paperasse, bien conscient que ce ne serait pas dans les factures de ce misérable établissement qu'il trouverait des traces de Violette. Lorsqu'il vit Max arriver avec le Marquis en bouclier, il fut soulagé. Ils l'installèrent à une table.

– On n'en veut pas à ton business, le Marquis, ton hôtel, on s'en fout. Mais faut qu'tu craches le morceau concernant deux de tes fidèles clients : une certaine Violette et son mac ou équivalent. Qu'est-ce que tu peux nous dire sur eux ?

Le cafetier parut rassuré. Après tout, il n'était pas chargé de protéger ses clients, et ces deux-là, c'étaient pas les plus juteux, des nids à embrouilles plutôt ; la preuve : la police était là à cause d'eux ! En même temps, l'gars chauve, il avait la dent dure et le poing rapide. Fallait quand même se méfier. Alors, le Marquis prit la parole avec une prudence qu'il oublia au fil de l'interrogatoire :

— La Violette, elle vient tapiner ici depuis que'qu'mois. C'est une insoumise. Elle fait un peu c'qu'elle veut. Elle a un mac qu'est un drôle de type, dangereux m'est avis, fort comme un Turc et pas causant. Des fois, y r'trouvait Violette ici, mais c'qui l'bottait, c'était les parties à plusieurs, les partouzes, quoi, avec deux ou trois filles.

— Et tu peux nous le décrire, ce type ?

— La boule à zéro, des cicatrices partout sur le crâne et ailleurs, des tatouages, pas très grand mais râblé et charpenté comme un taureau.

— Tu peux préciser les tatouages ?

— Ben, j'sais pas... Ah si ! J'l'ai vu une fois torse nu en montant d'la gnôle dans la chambre 8. J'ai vu son tatouage dans l'dos : un scorpion et une étoile, juste sous l'omoplate, un beau tatouage, ma foi !

— Et la chambre 8, il la prenait souvent ?

Le Marquis se mordit la lèvre supérieure, qu'il avait épaisse et charnue. Ça, il n'aurait pas dû l'balancer. À tous les coups, ils allaient passer la chambre au peigne fin, ça lui plaisait pas trop... Mais tant pis, valait mieux qu'y mijotent dans une seule piaule...

— Ben oui, il la d'mandait chaque fois qu'y v'nait. C'était sa piaule attitrée en un sens.

Victor appela Lantier :

– Lantier, vous me disséquez la chambre 8, vous ramassez tout : empreintes, poils, cheveux, toutes les traces que vous pouvez trouver.

Lantier, satisfait d'être enfin utile, saisit son matériel et, suivi de son assistant, se précipita dans l'escalier après avoir décroché la clé de la 8 au tableau du comptoir. Victor se retourna vers le Marquis :

– Et ce type, il voyait d'autres gens que Violette et les filles qui montaient dans son lit ?

– Que'qu'j'en sais, moi… Il était pas causant, j'vous dis, pis les autres, y z'avaient peur de lui… Y a bien une fois… Mais j'sais pas…

– Si, si, tu sais. Qu'est-ce qu'il y a eu cette fois-là ?

– J'sais pas trop en fait… Mais y a deux drôles de sbires qui sont v'nus et qu'ont d'mandé après lui, deux gratte-papier, des buveurs d'encre. La première fois, c'était juste après le 1er janvier, le 2 ou le 3, j'sais plus. Y z'ont seulement laissé un message pour lui dans une grosse enveloppe fermée serré. Même que j'ai essayé d'voir c'qu'y avait d'dans, mais j'ai pas pu et j'ai pas osé ouvrir. Si y s'en était aperçu, y m'aurait étranglé, pour sûr !

– Et la deuxième fois ?

– Hein ? Ah ! c'était que'qu'jours plus tard. Y sont arrivés raides comme des cannes d'aveugle. J'les ai installés dans l'arrière-salle quand y m'ont dit qu'y z'avaient un rancard. Quand il est arrivé, ça a pas duré dix minutes, et y sont r'partis comme y z'étaient v'nus.

– Tu pourrais les reconnaître, ces deux types-là ?

– Pour sûr ! J'ai bien vu leurs tronches, des tronches qu'on n'oublie pas, pâles comme des culs et locdues[1] comme des rats.

---

1. Locdu : sournois et dangereux.

– Bon ! C'est bon à savoir, tout ça. Et le mac de Violette, tu peux nous dire son nom ?

Le Marquis se crispa et baissa la tête :

– J'sais pas, moi… C't'un abonné, c'est pas mon pote !

Victor fit signe à Max, qui passa derrière le Marquis, affalé sur sa chaise. Victor insista :

– Tu l'sais forcément, son nom ! Tu lui as remis un message. Alors dis-nous comment il s'appelle !

Le Marquis restait silencieux, puis il geignit :

– J'peux pas… j'peux vraiment pas…

Max, d'un geste immédiat et subit, saisit le Marquis par la nuque et cogna sa tête sur la table. Le choc fit plus de bruit que de mal, mais suffit à délier la langue du Marquis :

– Zelinguen… Y s'appelle Zelinguen, c'est comme ça qu'Violette l'appelait, et les deux sbires aussi.

– Zé-lin-guen, répéta Victor, qu'est-ce que c'est que ce nom ? Il a forcément un autre nom !

– P't-êt', mais j'le connais pas, répondit le Marquis en se frottant le front, où une belle bosse commençait à apparaître, ces mecs-là, y z'ont toujours plusieurs blases, mais moi, j'connais qu'c'ui-là.

Victor relut les notes qu'il avait prises et considéra que, dans un premier temps, ce n'était pas si mal. Il appela Lantier, qui redescendait dans la salle, la mine réjouie :

– Alors là, inspecteur, j'ai fait une sacrée récolte. Il va falloir un peu de temps pour analyser tout ça, mais il y a de la matière !

– Parfait, répliqua Victor. Il faudrait, avant de partir, que vous jetiez un coup d'œil dans l'arrière-salle. Quelques empreintes seraient les bienvenues.

***

Au 36, le docteur Gemeley discutait avec
Chassaing. Il était venu directement de la gare de
Lyon, sans prendre le temps de passer chez lui. Il
voulait, le plus rapidement possible, transmettre
à l'inspecteur Dessange les idées qui lui étaient
venues à la suite de sa rencontre avec Edmond
Locard dans son labo aménagé dans les combles
du palais de justice de Lyon.

Le docteur aimait bien Chassaing et le connaissait
depuis fort longtemps, mais il réservait à Victor les
informations importantes qu'il avait à donner. Les
deux amis discutaient à bâtons rompus. Le légiste
confiait son enthousiasme pour les progrès scientifiques qui ouvraient des perspectives fascinantes
pour l'avenir, tandis que le vieux policier exprimait
son inquiétude face à des bouleversements que la
société était, selon lui, mal préparée à assumer.

Les policiers partis en opération au faubourg
Montmartre revinrent enfin de leur expédition.
Victor fit mettre le Marquis en cellule et se préci-
pita sur le docteur Gemeley :

– Docteur ! Vous êtes là ! Je suis vraiment content
de vous voir et j'ai des questions à vous poser.

– Je sais, Chassaing m'a dit ça. Et moi, j'ai des
propositions à vous soumettre.

– Alors au travail !

Victor alla récupérer dans le dossier les comptes
rendus des analyses de sang réalisées à Quimper
et à Nantes. Il mit les documents sous le nez de
Gemeley, qui chaussa ses lunettes et lut attentivement. Victor lui laissa le temps de prendre

connaissance des résultats et, au bout de quelques
minutes, demanda :

– Qu'en pensez-vous, docteur ? Ces analyses sont-
elles fiables ? Préconisez-vous d'en faire d'autres
dans votre labo ? Est-ce inutile ? Elles parlent de
points de divergence, est-ce suffisant pour considérer qu'il s'agit de deux personnes différentes et
peut-on obtenir une identification plus précise ?

– Non, Victor, malheureusement non. Dans
quelques années, peut-être, mais aujourd'hui, non.
Concernant les analyses de sang, la seule chose que
nous puissions déterminer de façon certaine, c'est le
groupe sanguin. Et cela ne fait que quelques années
que la police scientifique pratique cela[1]. Le groupe
sanguin de la victime de Quimper est B. Le groupe
sanguin de la victime de Nantes est O. Sur la masse,
on retrouve deux sangs de groupes différents B et
O. Nous pouvons donc considérer que la massue
a bien servi à tuer deux individus distincts. Mais
c'est tout ce que nous pouvons déduire de façon
certaine. Aucune identification n'est possible. Ce
qu'il faudrait, c'est retravailler les scènes de crime.
Observer les taches de sang pour reconstituer le
scénario des crimes. Comme nous l'avons fait à la
Fleur blanche. Nous avons compris, en fonction de
ces taches, que le tueur était à cheval sur la victime
et a frappé très violemment, car des taches toutes
petites, à peine deux millimètres, se sont éparpil-
lées sur la tête de lit. Pour Apolline, comme nous

---

1. C'est Karl Landsteiner, biologiste américain, qui a mis
en évidence, pour la première fois, en 1900, l'existence des
groupes sanguins au sein de l'espèce humaine en identifiant
le système ABO ; le système universel de classification des
groupes sanguins établi à la suite de cette découverte a pu
ensuite être utilisé par la police scientifique.

n'avons pas identifié la scène de crime, c'est plus compliqué. Elle n'a pas été tuée dans le jardin. Elle a été déplacée. Mais nous n'avons pas trouvé où elle a été tuée, et ça, c'est un problème. Trouver ce lieu pourrait certainement permettre d'avancer.

– D'accord, mais comment détecter des taches de sang qui ont été effacées et que l'on ne voit plus ?

– Ça, c'est mon travail, en tout cas celui de Lantier. Il faut retourner à la Fleur blanche et utiliser de l'eau oxygénée[1]. Il serait peut-être également nécessaire de demander à vos collègues de Quimper et de Nantes de revisiter leur scène de crime respective et d'affiner leurs relevés. Chassaing m'a montré les dossiers, et je les trouve très succincts. Il y a autre chose qu'il faut cibler : les empreintes. Là aussi, il faudrait demander aux collègues de province de retravailler. Apparemment, ils n'ont fait aucun relevé d'empreintes ! La première chose à vérifier, ce sont les empreintes sur la masse. Si cette masse est un des outils de travail de votre suspect, il y a forcément ses empreintes sur le manche. Et cela, ce n'est pas difficile à vérifier.

– Non, en effet. Je devrais récupérer la masse dès ce soir, en même temps que Daubier. Je vous la ferai parvenir immédiatement.

– Très bien. Je viendrai demain matin à la première heure avec Lantier. On ne sera pas trop de deux pour retravailler les scènes de crime. Et, j'insiste, si mes souvenirs sont bons, votre Apolline n'est pas mentionnée sur le carnet noir. Le tueur n'avait donc pas prévu de la tuer et n'a pas reçu de

---

1. L'eau oxygénée était utilisée depuis très longtemps sur les scènes de crime. Le luminol, qui réagit au fer présent dans le sang en produisant des éclats bleus, sera découvert en 1937 par le chimiste criminologue allemand Walter Specht.

commande pour le faire. Il est donc très probable qu'il ait dû faire face à un imprévu. Apolline serait en quelque sorte un dommage collatéral. Et c'est là qu'il a pu commettre une erreur. C'est cela que nous devons trouver. À moins, bien sûr, que votre suspect soit le bon numéro et qu'il avoue les meurtres et la façon dont il a procédé rue des Moulins. Mais j'en doute fort. À la Moujol aussi, cela vaut le coup d'y retourner. Quelque chose a pu nous échapper. Et j'en viens à la discussion que j'ai eue avec Edmond Locard. Il m'a rappelé l'importance de la dactylo-scopie, mais surtout il m'a fait part d'un principe qu'il a établi et développé dans le livre[1] qu'il est en train d'achever et qui va sortir dans le courant de l'année : le principe de l'échange. Je vous le restitue en quelques mots : « Tout individu qui commet un crime laisse derrière lui les traces de son passage. De même, il emporte avec lui un ou plusieurs indices – si infimes soient-ils – provenant de l'endroit en question. » Les transferts d'indices se font dans les deux sens. Donc, il y a toujours quelque chose à chercher et à trouver. La seule limite, selon Locard, c'est le manque de perspicacité de celui qui cherche. J'ai repensé à cela toute la nuit, dans mon train pas-sablement inconfortable, et je me suis dit que, pour notre affaire, nous n'avions pas suffisamment cher-ché. Nous nous sommes laissé aspirer par le carnet noir et nous avons négligé les scènes de crime. Il faut y revenir et retravailler les indices scrupuleusement.

– Vous êtes épatant, Gemeley. Et je vous remer-cie de votre perspicacité, car vous n'en manquez pas, croyez-moi !

---

1. *L'Enquête criminelle et les Méthodes scientifiques*, Edmond Locard, Flammarion, 1920.

Victor se tourna vers Max. Il était temps de tester le jeune homme, qui était resté silencieux tout le temps de l'entretien et semblait négligemment se contenter de siroter son café.

– Alors, Max ! Tu as entendu tout ce qui s'est dit. Important, non ? Peux-tu nous dresser la liste de tout ce que nous avons à faire en fonction de toutes ces réflexions ?

Max ne se laissa pas démonter. Il posa sa tasse de café, sauta sur ses pieds, saisit une craie blanche et se planta devant le tableau noir fixé au mur face aux bureaux.

– Pas de problème, chef ! J'écris au fur et à mesure :

1. Récupérer la masse dès ce soir et l'envoyer au labo.

2. Demain, aux Moulins, rechercher la scène de crime d'Apolline. Et, là-dessus, j'ai ma petite idée, inspecteur, je pense que nous n'avons pas examiné le cabinet de toilette d'assez près. Nous avons été distraits d'une part par la fresque de Toulouse-Lautrec, d'autre part par la porte dérobée et le passage secret. On n'a pas fait attention au reste de la pièce.

3. Retourner à la Moujol et réexaminer la scène du crime de Gabie.

4. Demander aux collègues de Quimper et de Nantes de réexaminer leurs scènes de crime. Mais là, inspecteur, je pense qu'ils ne le feront pas. Ils vont nous dire que ce n'est plus leur affaire. En plus, il s'est passé trop de temps. On ne trouvera rien d'intéressant. Enfin, c'est mon avis.

5. Examiner Daubier avant son interrogatoire et rechercher des traces des scènes de crime et des victimes. Pour faire un travail précis, il faudrait

que nous ayons une meilleure connaissance des scènes de Quimper et de Nantes.

6. Faire procéder à un réexamen des corps par le docteur Gemeley afin de rechercher d'éventuelles traces de Daubier ou de X… sur les cadavres.

– Bravo, Max ! Je pensais que tu étais un peu distrait pendant notre discussion, mais je m'aperçois que tu as tout retenu. Je n'ai rien à ajouter, si ce n'est… Un septième point qui s'impose à partir de cette liste.

7. Aller à Quimper et à Nantes avec Lantier examiner nous-mêmes les scènes de crime ?

– C'est parfait, Max ! Logique implacable ! Docteur, vous voyez quelque chose à ajouter ?

Max inscrivait le septième point sur le tableau tandis que le docteur Gemeley répondait :

– Non, je crois que nous avons bien cerné les problèmes. Je vais demander à ma hiérarchie de vous accompagner et je laisserai Lantier ici pour le tout-venant.

***

Marie avait quitté son domicile, rue de la Roquette, aux aurores ce matin-là. Elle avait le cœur en fête, le pas léger et volontaire des conquérants. C'était son premier jour aux ateliers d'Aboukir. Elle était impatiente, un peu inquiète et furieusement satisfaite. Il lui semblait qu'elle entamait une vie nouvelle et que, désormais, tout devenait possible. La rue de la Roquette elle-même, pourtant grise et triste en ce matin d'hiver, prenait des allures de décor magnifique pour une aventure pleine de promesses.

Elle avait en tête l'entretien qu'elle avait eu la veille avec David Pachkine. Bien sûr, il avait été un peu trop entreprenant, et Marie avait dû prendre ses distances. Mais cet homme l'émouvait. Il traînait après lui tant de chagrins et tant d'épreuves, il était si attentif à ses moindres désirs, si disponible, si prévenant. Elle l'avait repoussé avec suffisamment de douceur pour qu'il ne se sentît pas totalement éconduit. Et puis, il avait tant de projets en tête que Marie en était étourdie et entrevoyait un avenir lumineux et radieux qu'elle n'avait encore jamais envisagé.

Marie souriait et marchait allègrement, en posant un regard nouveau et plein d'entrain sur l'univers familier de son quartier. Elle passa devant le joueur d'orgue de Barbarie, salua la raccommodeuse de paniers et le balayeur des rues, mit un sou dans la poche du cueilleur de mégots, plaisanta avec le chasseur de rats, se boucha les oreilles au cri du vitrier en posant son pied sur la boîte du cireur de chaussures. Elle traversa ainsi la place de la Bastille et prit l'autobus pour remonter le boulevard Beaumarchais. Le jour peinait à se lever et les pigeons eux-mêmes s'impatientaient de n'y voir goutte. Le moteur ronflant de l'autobus Schneider H[1] emplissait d'un vacarme assourdissant la voiture des voyageurs secoués par les tressautements des essieux sur les pavés. La boutique de David Pachkine se trouvait à l'angle de la rue

---

1. L'autobus Schneider H a été mis en service en 1916 sur la ligne E Madeleine-Bastille, une des premières lignes restaurées après la suppression totale des lignes en 1914 et la réquisition par l'armée des 1045 voitures qui sillonnaient la ville. Fin 1920, Paris retrouvait 38 lignes et 735 autobus Schneider H.

d'Aboukir et de la rue d'Alexandrie. La porte sur la
rue d'Alexandrie s'ouvrait sur un vaste atelier meublé de longues tables autour desquelles s'affairaient
les couturières. Des mannequins d'osier, couverts
d'étoffes en sursis, se pavanaient entre les tables de
travail. Des machines à coudre mécaniques étaient
disposées en rang d'oignons sous les fenêtres qui
donnaient sur la cour. Au fond de la salle, près d'un
évier surmonté d'un robinet en cuivre, des tables
de repassage équipées de gros fers en fonte au bec
pointu étaient arrangées en demi-cercle. Derrière
l'évier, une soupente donnait accès à un escalier
qui desservait l'appartement privé de David et
Marinette. Du plafond pendaient des lampes ajus-
tables qui tombaient au plus bas sur les mains des
ouvrières. Des tringles chargées de cintres vides ou
habillés de vêtements divers couraient sur toute la
longueur de l'atelier.

Lorsque Marie entra en lançant un chaleureux
bonjour à la cantonade, toutes les lampes étaient
allumées et l'atelier bruissait des bavardages et
des virevoltes de ces dames. David, un mètre de
couturier autour du cou, vint à sa rencontre et lui
souhaita la bienvenue. Elle lui demanda si elle pouvait monter embrasser Marinette. Après tout, c'était
d'abord à elle qu'elle devait ce nouveau travail. Elle
tenait à la remercier. Et puis, c'était un bon moyen
de faire comprendre à David la nécessaire distance
qu'ils devaient garder entre eux. David ne fut pas
dupe du sens de sa requête. Il lui sourit et accepta
avec bienveillance de l'accompagner au premier
étage. Marie découvrit Marinette allongée sur un
sofa, le teint gris et les traits tirés, son corps amai-
gri et chétif noyé dans un flou de mousseline. Son
unique main tenait un délicat mouchoir en batiste

sur lequel Marie crut voir des taches de sang. Elle le portait à sa bouche chaque fois que sa poitrine se soulevait pour encaisser une nouvelle quinte de toux, une toux sèche, âpre, impérieuse, de celles qui ne disparaissaient pas une fois qu'elles s'étaient manifestées, une toux morbide et inquiétante. Marie fut bouleversée de trouver Marinette dans cet état. David ne lui avait pas dit qu'elle était si malade. Elle se mit à genoux auprès de son amie, qui lui sourit tristement :

– Ah, Marie, je suis bien aise que tu sois là. Tu vois, moi, je n'en ai plus pour longtemps. David aura besoin d'une aide solide et fiable quand je serai partie.

– Marinette ! Ne parle pas ainsi ! Tu vas guérir ! Que t'a dit ton médecin ?

– Il a été très clair. Je traîne cette vacherie de maladie depuis trop longtemps. Souviens-toi à l'usine, je toussais déjà, et je faisais des accès de fièvre de temps en temps, qui me mettaient par terre. J'ai grapillé quelques années et j'ai eu la joie de rencontrer David et d'en être aimée. Je n'ai pas de regrets. Je partirai en paix.

Marie sentit les larmes couler sur ses joues.

– Et moi qui me faisais une joie de te revoir ! Je suis si désolée, Marinette !

– Non, ne le sois pas et sois la bienvenue ici. Je suis sûre que tu vas faire des merveilles à l'atelier. Tu es faite pour ce métier. Et les établissements Pachkine ont grand besoin de quelqu'un comme toi.

Marie embrassa Marinette, essuya ses larmes et redescendit à l'atelier. Elle comprenait mieux l'empressement de Pachkine la veille et la position qu'il souhaitait qu'elle prît dans son univers. Elle mesura combien cela serait difficile à faire entendre à Victor. En entrant dans l'atelier, elle eut cependant la conviction que sa place était ici et qu'elle avait enfin trouvé le sens de son existence. Après tout, Victor aussi avait privilégié sa carrière avant et après la guerre, elle pouvait bien en faire autant aujourd'hui. Et puis, il avait épousé Clémentine, contraint et forcé, certes, mais on avait toujours le choix. Il se serait brouillé avec sa famille sans doute, et c'était un risque qu'il n'avait pas voulu prendre. Il fallait bien qu'il assume ses choix. Et puis, elle n'avait pas l'intention d'épouser Pachkine ! Il n'avait pas à se plaindre... Tout en déroulant ces pensées, Marie suivait les explications de son nouveau patron. Il la présenta aux autres ouvrières et l'installa près d'une femme d'un certain âge qui travaillait sur une série de robes à smocks pour fillette. L'objectif de Pachkine était clair : il voulait faire de Marie la première d'atelier, mais elle devait faire ses preuves.

En fin d'après-midi, David Pachkine donna le signal et toutes les machines s'arrêtèrent. Une fois la dernière ouvrière sortie, il retint Marie.

– Alors, Marie, tout s'est bien passé ?

– Oui, David. Très bien.

– Les cinq robes de fillettes sont parfaites. Demain, je te placerai à un autre poste de travail. Je voudrais que tu les fasses tous. Une première d'atelier, même pour un atelier modeste comme le mien, se doit de tout connaître, sinon de tout savoir faire. Et la dernière étape se passera avec moi. Je voudrais voir ce que tu donnes en création de modèle. Prends le temps d'imaginer un modèle et, dans dix jours, tu le dessines sur ma planche à dessin. D'accord ?

Marie rosissait de plaisir. Elle n'avait pas de vœu plus cher que celui d'accéder à la création. Elle remercia David chaleureusement et s'apprêtait à s'échapper.

– Marie ?

– Oui, David ?

– Tu as vu, n'est-ce pas, combien Marinette est affectée par sa maladie… J'ai du mal à l'accompagner de façon efficace et rassurante. Je suis encore plus paniqué qu'elle. J'aurai besoin de toi, tu sais.

– Je serai là pour Marinette. Et je serai là pour toi à l'atelier, mais, je t'en prie, ne m'en demande pas plus. Je ne peux rien te donner de plus.

– Oui, je sais. J'ai bien compris qu'il y avait un autre homme dans ta vie. Marinette m'a tout raconté. Mais j'attendrai. La vie m'a appris la patience. Je sais attendre. À demain, Marie.

– À demain, David.

***

Marie arriva rue Mouffetard vers dix-neuf heures trente. En chemin, elle avait fait quelques courses afin d'improviser un dîner pour Victor. Elle avait hâte de le serrer dans ses bras.

Marie fut déçue en constatant qu'il n'était pas encore arrivé. Mais elle se fit une raison et se mit à préparer le repas en chantonnant. Lorsque tout fut prêt, elle commença à s'impatienter, à s'inquiéter même. Il était plus de vingt heures trente… Que faisait Victor ! Elle priait pour qu'il n'eût pas été retenu par son enquête. Elle savait qu'il n'était jamais à l'abri d'un imprévu.

En réalité, Victor était arrivé rue Mouffetard bien avant Marie. Mais il n'était pas monté dans leur refuge d'amoureux. Il avait attendu de la voir s'engouffrer dans l'immeuble et puis il avait tourné en rond. Dévoré par la jalousie, il se sentait ridicule. Conscient que sa propre situation lui interdisait de donner des leçons de fidélité à Marie, il ne savait pas comment aborder le problème qui se posait à lui. Laisser libre cours à sa colère risquait d'avoir des conséquences désastreuses et il ne voulait pas perdre Marie. D'un autre côté, il était incapable de faire comme s'il n'avait rien vu, et savoir que Marie passait désormais toutes ses journées avec cet homme lui était insupportable. Alors, depuis plus d'une heure, il répétait, en faisant le tour du quartier comme un dément, des bribes de discours qu'il effaçait à peine mentalement formulées, et rien ne lui semblait convenir. Il entra même dans un bistrot acheter un paquet de cigarettes. Il fallait qu'il occupe ses mains et son cerveau. Le tabac ferait l'affaire. Il alluma une cigarette dont il ne tira que quelques bouffées, l'écrasa en toussant de dégoût et se retrouva devant l'immeuble. Il se décida à entrer. Au bas de l'escalier, les boîtes aux lettres étaient fixées au mur. Victor s'y arrêta machinalement et fut surpris d'y découvrir une enveloppe non timbrée, libellée à son nom. Il l'ouvrit fébrilement et trouva un mot écrit d'une main laborieuse et incertaine, truffé de fautes d'orthographe :

Mossieur l'inspecteur
Pierro veu bien vous parlé mercredi 19 h
à la Moujol
Louison la Pierreuse

Victor n'en revenait pas. Il n'aurait jamais pensé que Louison répondrait si rapidement à sa requête. Qui pouvait bien être « Pierro » » ? Qu'avait-il donc à lui dire ? Il y avait peut-être là un nouveau fil conducteur qui pouvait être salutaire. Victor plia et rangea le mot dans la poche intérieure de sa veste. L'heure n'était pas à l'enquête. Il lui fallait affronter ses propres démons. Il monta quelques marches et fut soudain pris d'une furieuse envie de faire demi-tour. Fuir comme un lâche, c'était sordide, mais que c'était tentant ! Finalement, il reprit son ascension. Enfin, il fit glisser la clé dans la serrure et ouvrit la porte. Marie se jeta littéralement dans ses bras.

– Oh ! Victor ! Je commençais vraiment à m'inquiéter. J'ai toujours tellement peur qu'il t'arrive quelque chose de grave !

– Marie, je suis désolé. Non, il ne m'est rien arrivé. J'ai seulement un peu traîné. Il fallait que je discute avec Blandin et je n'ai pas fait attention à l'heure.

Marie s'écarta un peu de Victor pour mieux le regarder et s'écria sur un ton de reproche :

– Mais, quand tu as rendez-vous avec moi, tu devrais être tellement impatient que tu ne devrais pas pouvoir oublier l'heure ! Oh, mon chéri, j'ai vraiment eu peur, tu sais. Mais tu dois avoir faim. Viens vite manger. J'ai fait des pâtes à l'italienne, comme tu les aimes, avec de la crème, du jambon et du parmesan.

Victor soupira :

– Non, je n'ai pas très faim. J'ai une boule là, à l'estomac.

– Mais qu'est-ce qui se passe ? Tu as eu un problème au Quai des Orfèvres ? Max a fait une bêtise ?

– Non, non, au 36, c'est la routine. On croule sous le boulot, mais ce n'est pas ça.

– Alors quoi ? Clémentine ? Tes fils ? Dis-moi ce qui se passe, je t'en prie !

– Non, ce n'est pas tout ça, ce qui me tracasse, c'est toi.

– Moi ? Mais qu'est-ce que j'ai fait ? C'est tout de même pas ma première journée rue d'Aboukir qui te met dans cet état !

– Ben, en fait si.

– Oh ! Victor ! Mon chéri ! Mais ce travail, pour moi, c'est une véritable chance, une renaissance ! Je vais enfin pouvoir faire ce dont je rêve depuis toujours ! Ça ne peut pas te rendre malheureux, si tu m'aimes !

Victor restait silencieux. Marie fronça les sourcils et reprit :

– C'est Pachkine, c'est ça, hein ? Tu es jaloux de Pachkine ! Mais c'est absurde, mon chéri. C'est un patron et nous voulons travailler ensemble, c'est tout. Créer des modèles, innover dans la confection. Tu comprends ? C'est tout.

Victor prit un air renfrogné pour demander sur un ton sarcastique :

– Ah oui ! C'est tout ! Et quand il t'embrasse sur le pont Sully, c'est de la couture, ça ? Et quand il te tient par les épaules, serrée contre lui, c'est quoi ? De la création de modèles peut-être ? Tu te moques de moi ! C'est ça, la vérité, et tu essaies de me manipuler lamentablement !

Marie le regarda longuement sans rien dire.

– Comment tu sais cela ? Tu m'as suivie ? Tu me fais suivre maintenant ?

– Bien sûr que non ! J'étais à mille lieues de penser que tu puisses me tromper ! Non, je me suis trouvé par hasard quai des Tournelles. On rentrait du Jardin des plantes avec Clémentine et les enfants. Et je vous ai vus tous les deux, enlacés sur le pont Sully. Et là, j'ai pris un coup à l'estomac !

– Écoute, Victor, sache que des coups à l'estomac de ce genre, j'en prends plusieurs fois par semaine. Parce que, même si je ne vous vois pas, je sais que tu dors avec ta femme toutes les nuits où tu n'es pas avec moi.

– Mais je ne l'aime pas ! Cela ne devrait pas compter !

– Je ne suis pas amoureuse de David Pachkine, Victor. Et je n'ai pas couché ni dormi avec lui. Je lui ai gentiment dit que mon cœur était pris et qu'il ne pouvait pas espérer de moi autre chose que mon investissement dans le travail.

Même s'il affirmait ne pas y croire, les paroles de Marie apaisaient la colère de Victor. Les muscles de son visage se détendaient peu à peu. Il voulait impérativement l'entendre affirmer et réaffirmer ses explications.

– Tu es sûre que tu ne l'aimes pas ?

– Oui, Victor, j'en suis sûre. C'est toi que j'aime, et pour la vie. Mais il me touche. C'est un homme fin, sensible, qui a beaucoup souffert et que j'apprécie énormément, avec lequel j'ai vraiment envie de travailler. Nous ne nous connaissons que depuis quelques jours, et peut-être me décevra-t-il, mais pour l'instant il m'offre une opportunité professionnelle fantastique. Et j'ai bien l'intention de la saisir. Je ne te donne pas le droit de m'en empêcher. Notre relation, telle que tu l'as voulue, car c'est toi, Victor, qui as voulu que les choses soient ainsi, ne te donne pas le droit de m'empêcher de quoi que ce soit, et surtout pas de réussir dans mon métier !

– Oui, je sais cela, je le sais. Ce Pachkine qui te fait des propositions alors que tu n'as même pas commencé à travailler avec lui… Tu ne m'empêcheras pas de penser que ce qu'il veut surtout, bien plus qu'une bonne couturière, c'est te mettre dans son lit !

– C'est un homme, Victor, et c'est un homme seul et malheureux. Marinette va très mal, et son médecin ne lui donne pas plus de deux mois à vivre.

– C'est censé me rassurer ?

– Je ne cherche pas à te rassurer. Je cherche seulement à te faire accepter une situation à laquelle tu ne peux rien. Et même si je devenais un jour la maîtresse de David Pachkine, tu n'aurais toujours rien à dire et tu ne pourrais toujours rien y faire.

Pour Victor, ce fut un choc. Ces mots terribles de Marie provoquèrent un déclic dans sa conscience, et l'homme mûr et sincèrement amoureux prit le dessus :

– Tu es dure, mais tu as parfaitement raison. La seule chose que je peux répliquer, c'est que je t'aime profondément et que je ne veux pas te perdre.

Marie sourit et répondit en le regardant droit dans les yeux :

– Moi aussi, je t'aime et je t'aimerai toujours, et je ne veux pas te perdre.

Les pâtes à l'italienne étaient froides. L'appétit s'était envolé. Victor et Marie se glissèrent sous l'épais édredon et firent l'amour avec passion.

***

Valentin Daubier était arrivé de Quimper en fourgon la veille au soir. Il avait passé la nuit en cellule au 36. Victor n'avait pas jugé opportun de se lancer dans un interrogatoire immédiat. Il préférait le laisser mijoter toute la nuit et enchaîner les deux reconstitutions avant même de l'interroger. Cette stratégie avait provoqué une discussion assez vive avec le commissaire Blandin, qui considérait, avec une certaine logique, qu'il fallait le faire avouer avant de procéder aux reconstitutions.

– Oui, avait répliqué Victor fermement, mais il n'avouera pas ; et pour une raison très simple : il n'est pas coupable. En tout cas, s'il est coupable de certains crimes, il n'est pas l'assassin de la rue des Moulins ni celui de la Moujol.

– Dans ce cas, avait bougonné Blandin, si vous en êtes convaincu, pourquoi procédez-vous à ces reconstitutions ?

– Pour plusieurs raisons, commissaire. La première, c'est la nécessité de le déstabiliser et de le convaincre que nous le croyons coupable. Car s'il est innocent, en revanche il sait peut-être beaucoup de choses qu'il ne veut pas dire et qui nous seraient pourtant très utiles. La deuxième raison, c'est de répondre aux attentes du juge Blanchot et du préfet. Et la troisième, c'est de nous donner le temps et l'opportunité de réexaminer les scènes de crime. Avec le docteur Gemeley, nous sommes convaincus d'avoir loupé des indices déterminants.

– Admettons, inspecteur, mais je reste perplexe quant aux raisons qui vous ont permis de faire le lien avec Quimper et Nantes, et je ne comprends toujours pas pourquoi, après vous être échiné pour obtenir la saisine des deux affaires, vous considérez que le suspect, qui en émerge de façon évidente, n'est pas l'assassin !

– Ah ! Commissaire, cette conviction est toute neuve. Nous venons tout juste avec Max et

Chassaing de prendre connaissance des informations chiffrées que nous avions récupérées dans la chambre Renaissance de la Fleur blanche.

Victor avait ouvert son dossier et montré au commissaire Blandin les quatre textes énigmatiques et leur traduction issus du carnet noir. Blandin, interloqué, s'exclama :

– Mais d'où sortez-vous ça ? Vous ne m'en avez jamais parlé !

– Jusqu'à maintenant, ce document était inexploitable, mais la patience et la perspicacité de Chassaing ont fini par en venir à bout. Et je vous le montre aussitôt.

– Admettons, avait repris le commissaire, sceptique. Je vous soupçonne malgré tout d'avoir gardé ça sous le coude pendant un certain temps. Vous en seriez tout à fait capable ! Mais laissons cela... de toute façon, je ne vous suis pas : en quoi cela innocente Daubier ? Je dirais plutôt le contraire : cela confirme sa culpabilité !

– À première vue peut-être. Mais, quand on y regarde de plus près, ça ne colle pas. Comment un assassin, aguerri et professionnel, laisserait traîner un document pareil sur la scène de crime ? Par ailleurs, il y a certains détails qui ne correspondent pas, et d'autres qui, au contraire, correspondent trop bien. Sans ce document, nous n'aurions jamais eu même l'idée de prendre contact avec Quimper et Nantes. Je ne peux pas m'empêcher de penser que le tueur, le vrai, voulait nous envoyer là-bas.

– Tout ce que vous me dites me conforte bien dans l'idée que vous avez déchiffré ce document bien plus tôt que vous ne le reconnaissez. Et ce serait un coup monté contre Daubier ?

– Oui, pour l'envoyer derrière les barreaux jusqu'à la fin de ses jours et classer l'affaire. Daubier condamné, le véritable assassin peut jouir d'une totale impunité et ne risque pas d'être inquiété. C'est pour cela qu'il faut faire peur à Daubier. Il faut qu'il parle et c'est dans son histoire que nous trouverons les clés pour comprendre cette série de meurtres.

– Vous êtes conscient qu'il va falloir prouver tout cela ? Le juge Blanchot n'est pas au courant bien sûr ?

– Non, j'attends les reconstitutions et l'interrogatoire de Daubier pour l'en informer, avoua Victor.

– Parce que, dans votre document, il y a quelques mots-clés qui laissent pantois : « Sûreté », « Finances », tout cela risque de nous attirer beaucoup d'ennuis, et je doute que Blanchot s'en délecte !

– J'en suis conscient, commissaire. J'ai bien l'intention d'agir avec grande prudence.

Ce fut ainsi que Daubier, après une nuit fort inconfortable, sans être encore passé sur le gril, fut emmené à la Moujol dans le fourgon de la Brigade Criminelle. Victor et Max étaient déjà sur place avec Lantier et le docteur Gemeley. Il y avait beaucoup de passage sur l'escalier qui montait à la Moujol. Les traces de pas se superposaient les unes aux autres et n'étaient guère exploitables. Firmin, le locataire-témoin que Victor avait interrogé une semaine auparavant, écarta le rideau de sa fenêtre et s'amusa à observer les policiers à quatre pattes au bas de l'escalier, juste devant chez lui. Il se dit que la police avait d'étranges méthodes. On aurait dit des chiens r'nifleurs, pensait-il, mais au moins ils ne laissaient pas tomber l'affaire !

Soudain, Max poussa un cri et brandit une espèce de cordon en tissu noir. Victor se précipita :

– Tu as trouvé quelque chose ?

Max lui montra sa trouvaille après l'avoir débarrassée de la boue et des feuilles mortes qui s'y étaient agglutinées.

– Et c'est quoi ça ?

– C'est un cordon… Et si elle portait un cartouche autour du cou ?… Ce pourrait être le cordon du cartouche ! Vous savez bien, ce fameux cartouche que mentionne le carnet noir, dont on n'a jamais compris la fonction et qu'on n'a jamais retrouvé. Eh bien, ça, ce pourrait être le cordon qui suspendait le cartouche au cou de Gabie.

Victor examina l'objet avec curiosité et le remit à Lantier avec toutes les précautions d'usage. Le docteur Gemeley hocha la tête et commenta :

– Intéressant… On pourra au moins confirmer qu'il a bien appartenu à notre victime. En revanche, pour les empreintes de pas, c'est raté. Il aurait fallu faire ce relevé immédiatement après le crime. Il y a trop d'allées et venues ici. On ne trouvera rien d'utile. Mais j'ai quand même pris quelques échantillons de terre, de cailloux et d'herbes. Car le tueur a pu en emporter sur les semelles de ses chaussures. Et le gravillon, ça s'incruste. Le principe de l'échange de Locmard, c'est exactement ça. Bon ! On ne trouvera plus rien ici. On vous devance à la Fleur blanche et on y passe au crible le cabinet et le jardin. Et, dans ce jardin, il n'y a aucun passage. Même s'il a plu, j'ai bon espoir de trouver des empreintes de pas.

Le fourgon de la Brigade Criminelle arrivait, suivi de la voiture du juge Blanchot, accompagné d'un secrétaire qui semblait directement sorti des bureaux de la préfecture. Daubier, menotté, tête basse, la démarche pesante, fut placé au bas des marches. Max fut choisi pour tenir le rôle de la victime, ce qu'il accepta de mauvaise grâce. Victor dirigeait la scène, précisait les emplacements, commandait les gestes et les déplacements dans l'espace.

– Par où êtes-vous arrivé ? demanda-t-il.

– Mais j'sais pas ! J'suis jamais v'nu ici ! J'connais pas. Moi, quand j'suis à Paris, les putes, j'les lève dans les bals. J'aime pas les bordels. J'suis jamais v'nu ici, j'vous dis, et j'ai jamais tué cette fille !

Comme Daubier ne démordait pas de ses dénégations, on procéda par hypothèses. Ce ne fut guère probant et ce fut vite réglé, juste le temps pour Max de se salir en faisant mine de tomber au bas de l'escalier. Finalement, tout le monde repartit, la rue Asselin retrouva sa tranquillité et Firmin sa routine.

À la Fleur blanche, ce ne fut guère plus satisfaisant. Daubier y avait l'air aussi perdu qu'à la Moujol, mais c'était plus agréable, moins misérable, moins salissant... Le suspect, toujours menotté et toujours abattu, continuait de nier, affirmait ne pas connaître la maison close, ni le passage secret, ni le jardin. Max dut le supporter, à califourchon sur lui dans le lit Renaissance, mimant mollement les coups de couteau que lui dictait Victor. Dans le jardin, tout le monde resta perplexe. On n'avait aucune idée de la façon dont s'était déroulé le meurtre d'Apolline, ni comment le corps avait été transporté. On mit fin à l'opération. Daubier repartit dans le fourgon. Le juge Blanchot, avant de quitter les lieux, vint s'adresser à Victor, toujours assisté de son fonctionnaire tiré à quatre épingles et pour le moins guindé.

– Inspecteur Dessange, je ne vous ai pas présenté Félix Mirepoix, directeur de cabinet du préfet. Il tenait à m'accompagner ce matin. C'est vous dire à quel point le préfet suit cette affaire de près et compte sur vous pour la régler au mieux et au plus vite. Un sacré comédien, ce Daubier ! Obtenez des aveux rapidement, Dessange. Cette ordure est coupable, ça crève les yeux ! Utilisez les moyens qui s'imposent. Je vous donne carte blanche, et j'attends de vos nouvelles.

Et, sans attendre de réponse, le juge Blanchot repartit avec son éminence grise attachée à ses basques. Max était abasourdi :

– Alors là ! Le message était clair : la préfecture veut la peau de Daubier, et nous sommes chargés de lui taper dessus jusqu'à ce qu'il avoue. C'est bien ça ? J'ai bien décodé, inspecteur ?

– Absolument, Max ! Et si on obéissait, le pauvre gars serait sous les verrous à perpétuité. Son procès pourrait même s'achever sur une condamnation à mort, et personne ne trouverait rien à redire. Et tu vois, ça, Max, je ne peux pas le supporter. C'est à vomir !

– Oui, je suis d'accord avec vous. Mais on ne va pas obéir, n'est-ce pas ?

– Non ! Pas question de cogner sur Daubier pour avoir des aveux. En revanche, il faut absolument qu'on lui tire les vers du nez et qu'on comprenne le coup monté contre lui. Il y a forcément un lien entre Daubier et l'assassin ; il faut que nous trouvions lequel. Viens, Gemeley a fait des découvertes intéressantes.

Le légiste fouillassait dans le jardin, près du chêne au pied duquel on avait trouvé le corps d'Apolline. Il indiqua de l'index une empreinte de pas tout contre le tronc de l'arbre, à un endroit humide et préservé du gel par le taillis qui envahissait ses contours et qu'il avait dégagé.

– Vous voyez, là, il y a une belle empreinte dont nous allons pouvoir prendre le moulage. Et regardez, elle est assez caractéristique : c'est une semelle cloutée. Je ne serais pas étonné qu'il s'agisse d'une chaussure de marche de l'armée, taille 42. En tout cas, elle est suffisamment nette pour que je puisse être très précis après examen.

– Formidable, docteur ! Formidable, et le cabinet de toilette, ça a donné quoi ?

– C'est bien la seconde scène de crime. Lantier y a trouvé des traces de sang à profusion. L'eau oxygénée a très bien marché comme révélateur sur le sol, moins bien dans la baignoire, mais c'est suffisant. Nous avons relevé des empreintes de doigts. Comme la maison est fermée depuis le crime, on peut espérer qu'elles soient intéressantes et signifiantes. Je peux déjà dire qu'il y a trois sortes d'empreintes. Nous savons que monsieur Li est allé dans ce cabinet, la deuxième sorte appartient sans doute à Apolline et la troisième pourrait être celle du tueur.

– Oh ! Mais tout cela est très encourageant. Bon ! Docteur, nous partons interroger Daubier avec Max. Je vous laisse finir ici et vous me tenez au courant de vos investigations.

– Très bien. Au revoir et bon courage, car votre gars n'a pas l'air bien bavard. Ah ! Victor, une dernière chose : réquisitionnez les chaussures de Daubier et faites-les-moi déposer au labo. Si ce sont bien des semelles à clous, il doit forcément rester des traces du terrain de la Moujol et de celui du jardin des Moulins.

– Entendu, docteur. Je fais ça dès que nous serons au 36.

***

Victor avait dégoté une vieille paire de chaussures dans le fond d'un placard du 36 et fait porter par un coursier les godillots de Daubier au docteur Gemeley, non sans avoir remarqué que les semelles n'étaient pas cloutées.

Valentin Daubier était assis dans la salle d'interrogatoire, pantelant, fatigué, inquiet et désemparé. Un tic nerveux déformait son visage toutes les dix secondes, ses mains tremblaient quand il ne les serrait pas l'une contre l'autre, dans un geste de désarroi sans cesse répété. Il avait le cheveu sale et en bataille, un regard de chien battu, et se tenait recroquevillé sur lui-même, comme en attente de son exécution. Ses pieds, sans chaussettes, nageaient dans d'antiques croquenots beaucoup trop grands et dont le cuir était tout craquelé. Chassaing jeta un œil par la porte vitrée et revint dans la salle de travail en faisant la moue :

– Il n'a pas l'air bien virulent, votre assassin ! On dirait un pauvre bœuf efflanqué qu'on emporte à l'abattoir !

– Oui, je sais. Les reconstitutions l'ont un peu secoué. Max, trouve-lui un sandwich et un café ou un verre d'eau. On va le laisser reprendre quelques forces avant de l'interroger.

Victor profita de ce temps mort pour relire ses dossiers et se remettre en tête tous les points litigieux qu'il fallait éclairer. Lorsqu'il entra dans la salle d'interrogatoire avec Max, Valentin Daubier avait repris un peu de vigueur, mais il ne manifestait toujours aucune agressivité. Victor lui demanda de rappeler son nom, sa date et son lieu de naissance, ainsi que son domicile et sa profession. Daubier s'exécuta sans rechigner, mais ne mentionna aucune profession. Max prenait des notes. Victor intervint :

– Vous n'avez pas de profession ? Comment vivez-vous alors ?

– J'ai pas vraiment d'profession, mais j'connais un peu la mécanique, alors j'travaille à l'arrache, comme ça, chez des garagistes qu'ont besoin d'un coup d'main.

– Vous ne devez pas gagner des fortunes avec cette méthode !

– Non, ça c'est sûr ! J'gagne pas grand-chose, mais ça m'suffit. J'ai l'habitude de m'serrer la ceinture.

– D'accord. Nous reviendrons plus tard sur ce sujet.

Victor exhiba le carnet noir.

– Connaissez-vous ce carnet, Daubier ?

Daubier le prit en main et l'examina sous toutes les coutures. Il en feuilleta les pages, vierges pour la plupart, et tomba sur la page couverte de chiffres. Il mit le carnet à l'envers, le retourna à l'endroit, visiblement déconcerté.

– Non, jamais vu. C'est quoi, ces chiffres ? J'connais pas vot'truc !

Et il le rendit à Victor, qui enchaîna :

– Quelle relation entretenez-vous avec le couple Levivier à Nantes ?

– L'beau-père à ma frangine ? Alphonse ? Mais aucune ! Quand elle s'est mariée, j'étais pas là, moi ! J'étais encore au bagne des Hauts-Murs. Alors j'ai pas participé à la fête. J'les ai même pas rencontrés,

là ! C'est simple, j'les ai jamais vus. Y a que l'beauf'
que j'connais. On rigole ensemble des fois, quand
j'monte à Paris. C'est un bon gars, l'Gontran !

– Et avec Farget ? Vous le connaissez lui ?

– Ah oui ! Robert, oui, j'travaille pour lui d'temps
à autre. Et on picole pas mal ensemble. Il est mort
lui aussi, mais c'est pas moi qui l'ai tué. C'était l'seul
qui m'payait un peu et puis…

– Et puis ?

– On trafiquait un peu tous les deux, quoi…

– Vous pouvez y aller Daubier. Vos trafics avec
vos voitures, ça m'intéresse pas du tout et on n'est
pas à Quimper ici.

– Ben, vous voyez, j'ramène des fois une bagnole,
et on s'sert des pièces au garage. Y f'sait payer
l'client plein pot, et c'était tout bénef. On f'sait
cinquante/cinquante. Non, j'l'aurais pas zigouillé,
l'Robert ! Ça marchait bien, nos combines !

– La police de Quimper vous surveillait pour ça.
Comment se fait-il qu'ils n'aient jamais pu vous
pincer ?

– Mais c'était nickel ! La chignole, une fois qu'elle
était chez Farget, elle bougeait plus. Y pouvaient
pas la trouver. Et on la désossait p'tit à p'tit, tout
c'qu'on pouvait récupérer, quoi. Y avait pas moyen
qu'y nous déglinguent, y avait rien d'visible. Et
l'client, y r'partait avec une belle facture en bonne
et due forme. C'était nickel, j'vous dis !

– Et si ce n'est pas toi qui l'as tué, tu as peut-être
une idée. Qui aurait pu faire le coup ?

– J'sais pas, moi ! J'connaissais pas tout son
monde. Et y connaissais du monde, le Robert !
Mais y a un truc que j'sais : il était en bisbille avec
le syndic de l'immeuble.

Victor réagit immédiatement :

– Le syndic ? Pourquoi ?

– Ben, Robert, il occupait toute la cour, toutes les dépendances où y avait l'garage, et tout l'rez-de-chaussée où y avaient les bureaux et les stocks, et tout l'premier étage pour son appartement. Pa'c'qu'y tournait bien, son garage ! C'était une belle affaire. Y avait une dame, au-d'ssus, au s'cond, mais j'sais pas qui c'était. Et Robert, y payait pas cher de loyer, j'crois même qu'y payait rien du tout. Et l'syndic, depuis l'mois d'septembre y voulait récupérer l'ensemble pour tout casser et reconstruire un immeuble moderne, histoire de s'faire des picaillons, quoi ! Et Robert, y voulait pas partir, pensez bien ! On lui proposait une misère, mais lui, c'était son gagne-pain ! Alors, voilà, c'était la guerre ! Y z'ont même une fois essayé d'mett'le feu, mais Robert, il était sur ses gardes, y dormait qu'd'un œil, alors il les a entendus.

– Et il n'a pas porté plainte ?

– Oh ! c'était pas trop l'genre d'aller s'plaindre aux poulagas, Robert. Et puis, y pouvait rien prouver. Alors il a laissé tomber, mais y f'sait gaffe. J'sais pas comment ils l'ont eu, mais, sûr, ça pourrait bien être ces salopards !

Victor et Max commençaient à mesurer l'importance de cet interrogatoire, et à quel point Valentin Daubier pouvait leur livrer de précieux renseignements. Victor poursuivit :

– Abordons le sujet de votre séjour à Paris. Vous avez pris une chambre d'hôtel. Vous avez vu votre sœur et votre beau-frère. Le 31 décembre, vous êtes allés faire la fête ensemble au bal du Casino Cadet, au faubourg Montmartre. Vous y avez rencontré une femme avec laquelle vous avez passé la nuit et que vous n'auriez plus quittée jusqu'à votre départ pour Quimper. Tout cela, on le sait. Mais ce qu'on ne sait pas, c'est le nom de cette dame, son adresse et le lieu où vous avez passé ces quelques jours.

Daubier restait silencieux, tête baissée, l'air buté.

– Je vous rappelle, Daubier, que vous êtes accusé de cinq meurtres, et que, pour l'instant, tous les indices convergent et affirment votre culpabilité. Si vous voulez vous en sortir, il va falloir être un peu plus loquace.

– Mais j'suis pas une « loquace », moi !

– Je voulais dire un peu plus bavard. Cette femme est la seule personne capable de vous disculper. Il nous faut son identité.

– J'peux pas vous dire ça. Elle va m'en vouloir à mort si j'donne son nom. Elle est pas encartée, d'abord, et puis elle est polonaise. Elle est arrivée en France y a que'qu'mois, et elle tapine pour un môssieu plein d'oseille qu'était en voyage pendant les fêtes. Alors nous, on s'est gavés dans la piaule au dos vert[1], mais s'il apprend ça, y va la massacrer !

– Écoute, Daubier, ici, on est à la Criminelle. On n'est ni la Brigade Mondaine, ni la Sûreté. Alors dis-nous son nom et les lieux où elle tapine. Nous, on agira en toute discrétion. Mais toi, tu ne peux pas ne pas parler.

– Félicya Gościński, me d'mandez pas comment ça s'écrit. J'sais seulement qu'c'est Félicya avec un y. Mais j'sais pas où est l'i grec. Et elle tapine tous les soirs au Casino Cadet, 16 rue Cadet.

– D'accord, Daubier. Tu as fait le bon choix. On va s'arrêter là pour aujourd'hui. On vérifie tout ça. On interroge Félicya et on reprend dès qu'on a vérifié ton alibi.

---

1. Dos vert : souteneur.

– Mais j'ai plus rien à dire, moi ! Sauf à répéter qu'j'ai tué personne !

– Ça, Daubier, c'est ce qu'on verra. Moi, j'ai encore des questions à te poser. Mais avant, je veux pouvoir vérifier ce que tu nous as déjà dit : l'histoire du syndic et ta Félicya. Si tout cela se vérifie, les choses vont devenir beaucoup plus confortables pour toi, crois-moi.

Max ramena Daubier en cellule et les deux compères s'apprêtèrent à aller draguer au Casino Cadet, sous l'air faussement offusqué de Chassaing qui se moqua de leur allure empruntée :

– Eh bien ! Elle est belle, la police ! Avec ces têtes-là, vous risquez de nous ramener de sacrées emmerdeuses !

Chapitre 12

Révélations

Zelinguen avait quitté Le Havre au petit matin du dimanche 18 janvier. Il avait choisi de rentrer à Paris par voie fluviale. Il s'était fait embaucher au pied levé comme chauffeur sur un remorqueur de la Compagnie fluviale de transport et de remorquage et avait promptement faussé compagnie au capitaine dès l'arrivée à Paris, le mardi à l'aube. Il devait se rendre au plus vite aux abattoirs, où il passerait la moitié de la journée. Lorsqu'une prostituée découvrit le corps affreusement mutilé de Marcel Dupuis, il était déjà bien loin. Alerté par les hurlements, un riverain avait prévenu la police, et le corps avait été enlevé.

Zelinguen avait pris soin de lui laisser tous ses papiers. Il était essentiel pour lui que Marcel Dupuis fût immédiatement identifié. On essaierait bien de poser quelques questions dans les maisons de tolérance qui pullulaient dans la rue. Mais Zelinguen n'était pas inquiet. Personne n'avait fait attention à eux et la taulière du 8, rue Saint-Julien ne parlerait pas. Elle avait été grassement payée et fuyait la flicaille comme la peste en raison des divers trafics qu'elle orchestrait. Au Grand Hôtel moderne, on ignorait son existence. La seule personne qui avait été vue avec Dupuis, et sans doute repérée, c'était Violette. Et Violette, on mettrait du temps à la trouver, plus encore à l'identifier. Elle faisait vraiment un coupable idéal.

Par précaution – Zelinguen était toujours méticuleux dans ses stratégies –, il s'était infligé ce voyage sur la Seine. Il avait trouvé judicieux de ne pas traîner dans les bas quartiers du Havre, ni dans les gares. Il avait rendez-vous à quinze heures avec Du Boïs. Il comptait empocher l'argent et négocier son départ. Il avait repéré au Havre un navire qui faisait la liaison avec Shanghai. De là, il trouverait bien un passage pour Saïgon. Passer quelque temps en Indochine était une idée qui lui plaisait assez. Il évaluait l'opportunité de ce voyage à l'aune de son absence totale de confiance en Du Boïs.

D'ailleurs, il avait une petite idée bien sournoise pour mettre Du Boïs hors d'état de nuire. Et cette perspective lui procurait des frissons de satisfaction.

Il était presque quatorze heures trente lorsque Zelinguen abattit la dernière bête d'un magistral coup de masse.

Il était couvert de sang. On ne distinguait plus la couleur de son tablier de boucher. Il longea le canal de l'Ourcq jusqu'au vestiaire, se dénuda et se glissa sous la douche. Une fois lavé de son massacre, il sortit ses vêtements de son casier, s'habilla et jeta les habits sales dans une poubelle. Il n'avait pas l'intention de revenir. Il était satisfait : pour sa dernière journée aux abattoirs, il avait terminé en apothéose. Il quitta les lieux par la porte de Pantin, la tête haute et l'allure arrogante. Après tout, n'était-il pas au-dessus des lois ?

Au Veau d'Or, ce n'était pas Du Boïs qui l'attendait, mais son bras droit, Nestor Chapier. Zelinguen eut un mouvement de recul et demanda d'une voix blanche :

– Pourquoi il est pas là, Du Boïs ?

– Monsieur Du Boïs est occupé, répondit Chapier, il a d'autres affaires importantes à régler.

– C'est dommage, lança Zelinguen, parce que moi, j'ai des choses importantes à lui dire !

– Ne vous inquiétez pas, monsieur Frappier. Tout est au clair. Nous avons eu l'information très officielle qui confirme que vous avez parfaitement accompli votre mission dans le temps imparti. Monsieur Du Boïs est très satisfait. J'ai là l'enveloppe qui vous récompense. Trois mille, n'est-ce pas ? C'est bien ça ?

– Oui, c'est ça, répliqua Zelinguen en s'emparant de l'enveloppe, qu'il ouvrit aussitôt.

– Vous pouvez nous faire confiance, monsieur Frappier, un marché est un marché.

– Peut-être, mais j'vous fais pas confiance du tout, marmonna Zelinguen en comptant les billets sans les sortir de l'enveloppe. Et puis, j'ai d'autres exigences aujourd'hui, autre chose à vendre à monsieur Du Boïs.

– Ah ! Là, je crois, monsieur Frappier, que vous vous fourvoyez. Souvenez-vous de ce qui vous a été dit la semaine dernière : après cette dernière mission, vous disparaissez, on n'entend plus parler de vous.

– Arrêtez de me servir du « monsieur » ! Et justement, je souhaite que vous m'aidiez à disparaître. Je veux que vous vous débrouilliez pour que j'embarque sur le *Saint Georges* qui est mouillé au Havre et qui doit appareiller dans deux jours pour Shanghai.

– Vous voulez aller en Chine ?

– Oui, en Chine et en Indochine. J'pense qu'y a d'bonnes affaires à faire là-bas. Il est temps pour moi d'quitter un peu Paris. Mais vous inquiétez pas, j'reviendrai, et même, si ça vous dit, j'peux vous rendre quelques p'tits services là-bas. Il m'avait semblé qu'ça pouvait intéresser m'sieur Du Boïs, mais j'me suis p't-êt'trompé !

– Non, non, Frappier. Vous ne vous trompez pas. C'est une hypothèse que monsieur Du Boïs a effectivement envisagée. Nous avons quelques fournisseurs à Shanghai, mais surtout dans « la Perle de l'Empire[1] », au Tonkin, au Cambodge et, depuis peu, au Laos. Vous voyez, il y a de quoi faire.

– Eh bien, ça m'intéresse, mais il faut que vous financiez le voyage et mon établissement dans ses contrées lointaines. Je vais avoir besoin d'être très mobile… et très convivial avec les fournisseurs locaux. Il me faut de l'argent pour tous mes faux frais. Vous voyez d'quoi j'parle…

– Je ne sais pas si monsieur Du Boïs est prêt à financer une telle entreprise. Vous envoyer là-bas, certes, mais investir dans votre action sur le terrain… je ne crois pas. Il faudrait au moins qu'il y ait des retours positifs qui puissent servir de garantie. Mais, dans un premier temps, je crains qu'il vous faille vous débrouiller par vous-même, monsieur Frappier. Ce dont je ne doute pas que vous soyez capable…

– Vous êtes un p'tit rigolo, Chapier ! Non ! Je n'ai pas l'intention de partir les poches vides ! Et j'ai de quoi motiver votre patron.

– Et quelles sont ces révélations si prometteuses ?

---

1. La Perle de l'Empire : surnom donné à l'Indochine par les apôtres des colonies dans l'entre-deux-guerres.

– Je n'tiens pas à vous les donner. J'ai encore moins confiance en vous qu'en Du Boïs. Vous n'êtes qu'un larbin, alors jouez votre rôle de larbin : allez chercher monsieur Du Boïs et dites-lui de me retrouver ici dans une heure. Je vais m'offrir un bon repas en attendant. J'ai une faim de loup.

Chapier parut quelque peu déconcerté. Finalement, ne sachant plus comment se dépêtrer du bouvier, il décida d'introduire Frappier dans le petit salon privé où se tenait Du Boïs.

Les deux hommes pénétrèrent l'un derrière l'autre dans une pièce aux chaleureuses boiseries de bois blond dont la décoration hésitait entre la mièvrerie et l'érotisme de mauvais goût. Au milieu de cet univers licencieux, Albert Du Boïs trônait, attablé, la chemise défaite et la mèche en bataille, devant une farandole de victuailles et de plats fins, un verre à la main, dont on ne doutait pas qu'il fût un nectar. À ses côtés, une fille à la mise retroussée regardait d'un œil goguenard les nouveaux arrivants.

– Désolé, monsieur, mais je n'ai pas pu éviter le dérangement…

Albert Du Boïs lissa sa mèche en arrière, reposa son verre, remplit rapidement une assiette de friandises qu'il tendit à la fille en disant :

– Allez ! Va grignoter ça. Je te rappelle dès que je suis disponible.

La fille se leva de mauvaise grâce, rabattit ses jupes et sortit non sans frôler au passage Zelinguen, dont elle avait sans doute surpris le regard concupiscent et deviné le fort potentiel sexuel. Chapier prit une chaise. Zelinguen resta debout face à Du Boïs, qui paraissait un peu tassé dans son fauteuil rococo. Il tenta néanmoins de se redresser tandis que Chapier l'informait de la requête de Zelinguen. Il prit ensuite la parole :

– Je suis prêt à étudier votre proposition, Frappier. Mais quelle est donc cette révélation que vous considérez valoir si cher ?

– Puis-je parler sans détour, m'sieur ? Aucune oreille indiscrète dans les parages ?

– Allez-y, Frappier. Ce petit salon est fait pour la plus radicale des discrétions.

– Eh bien, m'sieur, il m'a semblé l'aut'fois que vous alliez devoir convaincre le frère de Marcel Dupuis de vous vendre ses actions. J'ai quelque chose sur lui qui pourrait vous aider à le persuader sans difficulté. Lorsque j'ai surveillé le domicile et les allées et venues des frères Dupuis, j'ai découvert, tout à fait par hasard, que le dénommé Fulgence n'était pas seulement un exécrable artiste peintre, mais aussi un homosexuel aux tendances les plus obscènes. Je pense que cette information peut constituer un argument de poids dans votre négociation, m'sieur, et qu'elle vaut largement le prix que j'en demande.

Albert Du Boïs était tout ouïe. Frappier ne manquait ni de bon sens ni d'habileté. Avec ça, il tenait Fulgence et en obtiendrait tout ce qu'il voulait. La valeur des actions de Marcel venait de baisser vertigineusement, et cela lui convenait parfaitement puisqu'elles reprendraient leur cours aussitôt arrivées sur son compte. Il ne lui resterait plus qu'à les vendre au prix du marché, un prix très provisoirement et artificiellement surévalué grâce au scandaleux soutien de l'État, et à empocher le plantureux bénéfice avant que la BIC ne s'effondre totalement. Une opération particulièrement juteuse comme Albert Du Boïs les aimait.

– Entendu, Frappier, c'est une révélation qui a une valeur certaine. Marché conclu. Revenez au Veau d'Or demain matin. Chapier vous remettra votre titre d'embarquement, le montant de vos faux frais et un dossier complet sur nos fournisseurs chinois et indochinois, ainsi que les objectifs à tenir. Attention, ces données sont confidentielles. Si vous obtenez des résultats, vous aurez des rallonges substantielles et régulières que vous pourrez retirer à la Banque d'Indochine le 5 de chaque mois et qui seront calculées en proportion de ce que m'auront rapporté vos démarches. Si vous échouez, vous ne recevrez rien. Et prenez garde à votre comportement. L'Asiatique est particulièrement susceptible, si vous commettez trop de maladresses, pftt… dit Du Boïs en accompagnant son sifflement d'un geste sec de coupeur de têtes.

– N'ayez crainte, m'sieur. J'saurai y faire. Avant d'me couper la tête, faudra qu'y fasse attention à la sienne, l'Asiatique ! C'est d'accord. Demain, ici, à onze heures. Bonne fin de partie, m'sieur.

Lorsque la porte se referma derrière lui, Du Boïs s'exclama :

– Toujours aussi insolent, ce type ! Mais il faut reconnaître que ses révélations tombent à pic. Vous avez bien fait, Chapier, de déranger mon repas. Il faut maintenant vous démener pour obtenir cet embarquement sur le *Saint Georges*. Contactez la Compagnie des messageries maritimes. Nous sommes actionnaires, ça ne devrait pas poser de problème. Vous préparez une liste des fournisseurs qui nous donnent du fil à retordre, avec leurs adresses, et vous ouvrez un compte à la BIC au nom d'Eugène Frappier. Vous mettrez quelques centaines de francs dessus, trois ou quatre pas plus.

– À la BIC, monsieur Du Boïs ? J'avais cru comprendre que vous vouliez lâcher cette banque ?

– Bien sûr, Chapier. Mais, pour Frappier, ce sera parfait. Je ne vais rien lui verser par la suite. Une fois qu'il aura fait le tour de nos fournisseurs bancals et qu'il leur aura fait peur, je le fais supprimer. Pas question de laisser ce type traîner dans mes affaires.

– Très bien, monsieur Du Boïs, je m'occupe de tout cela et vous renvoie la donzelle, dit Chapier en sortant.

La fille vint s'asseoir à califourchon sur les genoux de Du Boïs, libéra ses seins de son corset et entreprit de le caresser avec la dextérité d'une experte. Albert Du Boïs était aux anges et, telle la Pérette de La Fontaine coiffée de son pot au lait, énumérait les yeux révulsés de plaisir et la mine ravie toutes les juteuses opérations qu'il allait faire. Il posa le vin et le pâté et prit en main les seins gonflés dont les mamelons se dressèrent avec impertinence. Il se baissa pour en prendre un en bouche et le mordilla avec gourmandise. Lorsque la fille s'empala sur son pénis laborieusement mené à érection, il ne put distinguer si la jouissance pleine et totale qui s'ensuivit était due à une somptueuse éjaculation ou à la vision fulgurante d'une montagne d'or ruisselant sur sa nudité.

***

Pierrot avait décidé de demander conseil à Fernand Jack : que pouvait-il dire à la police ? Il était inquiet. S'il partageait la volonté de Louison de ne pas laisser la mort de Gabie impunie, il concevait mal de donner des renseignements sur la Muse rouge et sur l'action que menait Gabie, dont il n'avait d'ailleurs qu'une assez vague idée. Il tournait cela dans sa tête en remontant la rue Houdon. Lorsqu'il s'engagea rue des Abbesses, il dressa l'oreille : les notes de musique d'un accordéon sautillaient allègrement dans la rue. Quelle ne fut pas sa joie en apercevant sur la place Lulu, grimpé sur le socle de la statue du Lion furieux des Abbesses, les bras ouverts et la mine vorace, haranguer la foule des passants du soir :

Camarades !

Venez, venez entendre au Grenier de Gringoire des chansons qui combattent l'injustice, l'opprobre, la haine et le pouvoir, qui écrasent l'homme à g'noux face à son désespoir, des chansons qui exaltent l'amour de la justice et de la liberté pour dresser l'homme debout, riche d'humanité ! Venez, venez nombreux au Grenier de Gringoire[1] !

Au pied de la statue, l'accordéoniste s'élança dans une envolée de notes enjouées, tandis que Lulu effectuait une acrobatique pirouette sur le dos de bronze du Lion furieux. Une marchande des quat'saisons applaudit à tout rompre, prit une orange sur son étal et l'offrit au gamin. Son numéro achevé, Lulu aperçut Pierrot du haut de son piédestal et sauta à terre en riant :

– Pierrot ! T'es là ! J'savais bien qu'tu viendrais par ici, y m'l'a dit, l'patron !

– Mais Lulu, répondit Pierrot, què'qu'tu fais là ? !

– Ben, tu vois, j'ai trouvé un p'tit boulot qui m'plaît bien ! J'fais la r'tape pour l'grenier. Et lui, y m'accompagne. C'est-y pas chouette ? !

---

1. Adaptation à partir de l'exergue d'un tract de quatre pages rédigé par le comité directeur de la Muse rouge en octobre 1930.

Pierrot était interloqué. Il se tourna vers l'accordéoniste et découvrit sous la casquette trop grande le visage noir et parcheminé d'Amédéo.

– J'rêve ou quoi ! Mais t'es mort, Amédéo ! T'as calanché dans l'naufrage !

– Non, Pierrot ! J'm'en suis tiré et j'suis r'venu à Paris. Fernand m'héberge et m'fait un peu travailler. Et j'suis bien content de t'revoir !

Pierrot n'en revenait pas. Il s'assit sur un banc pour reprendre ses esprits.

– Alors là, mes potes, j'suis esbrouffé !

Amédéo éclata de rire et enchaîna deux ou trois phrases mélodiques sur son instrument.

– Tu sais jouer d'ça, toi ? s'étonna Pierrot.

– Mais j'te l'ai dit, bonhomme : Amédéo, y sait tout faire !

– Tu m'as rien dit du tout, on s'est à peine parlé et t'as disparu comme un malin génie !

Amédéo regardait Pierrot avec intensité, droit dans les yeux, et son regard souriait d'aise, car il était heureux d'avoir retrouvé le gamin de Paris.

– Oui, t'as raison, mais on a parlé avec les yeux, non ? Et on s'est compris tout de suite, pas vrai ? J'suis tellement content d'te voir !

– Moi aussi, ça m'fait jubiloter de t'voir ! Faudra qu'tu m'racontes comment t'as fait pour arriver ici ! T'as dû en voir des vertes et des pas mûres, pour sûr ! Faut qu'j'vous laisse les gars, faut qu'j'bagoule[1] avec Fernand avant qu'y soit trop pris par l'boulot. On s'voit au Grenier, dit-il en se dirigeant vers le 6 rue des Abbesses.

Quand il entra dans le cabaret, Fernand Jack préparait la salle pour la soirée. C'était une séance

---

1. Bagouler : discuter.

importante. Charles d'Avray, directeur artistique
du Grenier de Gringoire, avait programmé André
Gabriello et Henri Chassin, deux chansonniers à la
solide réputation. En première partie, Maud Géor
devait interpréter des chansons de Louis Loréal.
Par ailleurs, Fernand comptait sur cette soirée pour
relancer les adhésions à la revue de la Muse rouge
et convaincre les ouvriers de venir assister au rassemblement du lendemain organisé par les comités
syndicalistes révolutionnaires à la Bourse du travail.

Lorsqu'il vit Pierrot entrer au Grenier, Fernand
s'écria :

– Ah ! Pierrot ! C'est bien que tu sois là ! Tu vas
m'donner un coup d'main ce soir. Ça sera pas d'trop !
Maud doit chanter, alors elle pourra pas m'aider.

– Pas d'problème, Fernand. J'ai vu Lulu et
Amédéo sur la place ! J'm'attendais pas à ça !

– Oui ! Amédéo doit accompagner les chansonniers, car on n'a pas pu avoir de pianiste. J'ai hâte de
voir Henri Chassin. J'l'ai encore jamais vu sur scène.

– Tu peux aller l'saluer si tu veux, il dîne derrière
avec Gabriello.

– Ouais, j'vais y aller, mais avant, j'sais qu'vous
êtes occupé, mais faut absolument que j'vous parle
d'un truc grave. J'ai vraiment besoin qu'vous m'di-
sez c'que j'dois faire…

Fernand jeta un coup d'œil à Pierrot et sentit qu'il
y avait urgence. Inquiet en pensant aux événements
des derniers jours, il acquiesça :

– Monte au premier. J'te r'joins tout d'suite.

Lorsque Pierrot lui eut exposé le problème,
Fernand se prit la tête entre les deux mains et réfléchit quelques minutes, puis il se lança :

– Écoute Pierrot ! Apparemment, ce policier est
un inspecteur de la Brigade Criminelle. Il dirige une

enquête. Son objectif, c'est de pincer l'assassin. Le
reste, il s'en fout. Rien à voir avec les inspecteurs
de la Sûreté... Mais c'est quand même la police.
Alors, il faut s'méfier.

– Si vous l'dites, Fernand, j'vais pas au rendez-
vous demain soir. Il pourra pas m'trouver et
Louison, elle dira rien, ça, j'en suis sûr.

– Non, Pierrot. Ta Louison a raison sur un
point : on ne peut pas laisser le crime de Gabie
impuni. Et nous, on sait bien d'où ça vient. Alors,
tu vas lui expliquer le cartouche, et toute l'histoire.
De toute façon, les armes ont été perdues pour tout
le monde, alors il n'aura pas d'état d'âme... Inutile
de les chercher. Mais il faut bien qu'il comprenne
qui a manigancé cet assassinat... et tu vas lui proposer un marché.

– Moi ? Un marché, mais quel marché vous voulez qu'je lui propose !

– Tu vas lui assurer de lui raconter tout ce que tu
sais sur le cartouche et le projet africain. Tu peux
même parler d'Amédéo : officiellement, il est mort
noyé, il n'existe plus. En échange, tu lui demandes
de trouver le moyen de coincer les ordures qui ont
mis à sac la rue Charlot, et tu lui donnes de quoi
faire le lien avec l'assassinat de Gabie.

– Vous voulez que je lui parle d'Albert Singer
et des Camelots du roi, hein ? C'est ça, Fernand ?

– Absolument. Celui qui était au courant pour
le cartouche, c'est Singer, infiltré dans nos rangs.
Et celui qui est venu tout casser, c'est encore
Singer. S'il est honnête, ton policier, il trouvera le
moyen de le faire tomber. Tu peux faire ça, Pierrot.
Aujourd'hui, tu ne risques plus rien. Tu as pignon
sur rue, mon Pierrot. Pour la Muse rouge, insiste
bien sur sa vocation artistique : c'est avant tout une

association de poètes et de musiciens. Ne parle pas d'anarchisme, ni même de syndicalisme. Avec la menace de grèves qui circule partout, la police est sûrement sur les dents. Méfie-toi. Mais je suis sûr que tu t'en sortiras très bien.

Les premiers spectateurs commençaient à arriver. Pierrot les installait aux tables. Fernand leur apportait à boire. L'ambiance était chaleureuse. On riait d'une table à l'autre, on se lançait des plaisanteries grivoises, on trinquait à la petite semaine, on saluait les nouveaux arrivants. La salle fut bientôt pleine à craquer. Fernand ouvrit la séance en remerciant tous ceux qui étaient présents, sans oublier de glisser son message sur le rassemblement du lendemain. La scène s'alluma, et Maud Géor apparut sous les applaudissements chaleureux d'un public conquis d'avance. Pierrot la trouva magnifique, resplendissante dans son halo de lumière. Elle portait une robe droite à paillettes noires et avait relevé ses cheveux en un lourd chignon qui lui donnait un air de diva. Amédéo, assis dans l'ombre, entama les premières notes, et la voix chaude et ronde de Maud atteignit l'auditoire en plein cœur. Pierrot avait la chair de poule et vibrait aux accents impérieux du chant et aux images déchirantes que les paroles faisaient surgir dans sa conscience :

> *Marche, marche ou crève !*
> *Le repos pour toi n'est plus qu'un rêve !*
> *Jusqu'en tes vieux jours,*
> *Il te faut marcher toujours !*
> *Marche, pauvre hère*
> *Puisque tu n'as plus de toit*

Il te faut aller droit devant toi.
C'est la marche de la misère[1].

***

Arrivé au 36, Victor s'employa à régler le problème de la réouverture de la Fleur blanche et fit porter les documents officiels rue des Moulins. La maison close reprendrait ses activités le soir même. Irma avait été libérée, et Victor attendait d'être contacté par l'Assistance publique pour valider la solution la plus acceptable concernant le sort du petit Léon. Max, pendant ce temps, avait préparé la deuxième phase de l'interrogatoire de Valentin Daubier, qui semblait se morfondre dans la salle d'audition, conscient sans doute qu'il allait lui être très difficile d'esquiver les questions de l'inspecteur. Il s'agitait sur sa chaise.

Tandis que leur suspect et témoin mijotait doucement mais sûrement, Victor et Max rassemblaient les données dont ils disposaient pour procéder à cet interrogatoire. Le docteur Gemeley leur avait fait parvenir certains résultats d'analyse qui étaient déjà fort éclairants. Tout d'abord, Daubier ne portait sur lui aucune trace d'aucune des victimes, ni sur ses vêtements, ni sur ses chaussures, ni sur sa peau, aucune trace non plus des trois scènes de crime parisiennes – l'escalier de la Moujol, la chambre et le cabinet de toilette de la Fleur blanche, le jardin des Moulins. Les chaussures de Daubier étaient de vieux croquenots d'avant-guerre, ni militaires ni cloutés. De même, aucune trace de Daubier n'était décelable ni à la Moujol, ni à la Fleur blanche.

---

1. « Le Chant de la Misère » : paroles et musique de Louis Loréal.

L'analyse de la massue était intéressante : aucune empreinte exploitable, mais d'importantes traces de sang de trois sortes ; des traces du groupe B, des traces du groupe O et une troisième sorte de traces inattendue. La masse était couverte de sang de bœuf. Ce n'était pas la massue d'un mécanicien, c'était le merlin d'un boucher. Lucie Levivier était du groupe B et Farget du groupe O, mais cette correspondance ne suffisait pas à affirmer qu'il s'agissait bien du sang de ces deux victimes, et il n'y avait pas de victime bovine…

D'autre part, Félicya Gośiński, cueillie au bal du Casino Cadet et ramenée manu militari au 36 la veille au soir, avait confirmé l'alibi de Daubier en faisant promettre aux policiers de ne pas informer son « seigneur et maître », ainsi qu'elle appelait son souteneur avec une candeur que contredisaient son allure et son accoutrement racoleur.

Tout cela permettait d'accumuler des éléments qui allaient tous dans le même sens : l'innocence de Daubier. Mais Victor était convaincu de ne pas avoir tiré de lui tout ce qu'il avait à cacher. Il se frotta les mains l'une contre l'autre, lissa ses cheveux, saisit son dossier et lança :

– Allez, Max ! On y va ! Prends ton calepin !

En entrant dans la salle exiguë et privée de fenêtres, Victor alluma l'ampoule électrique qui pendait du plafond. Daubier cligna des yeux. La lumière lui faisait mal. Il aurait préféré rester dans l'ombre, mais il savait son interrogatoire inéluctable, et il savait aussi d'expérience, pour l'avoir pratiqué mille fois au Maroc, que les traits du visage du questionné étaient souvent un livre ouvert et que l'éclairer jusqu'à l'aveugler permettait de saisir d'imperceptibles crispations ou expressions qui pouvaient aider le questionneur. Cependant, Victor Dessange ne cherchait pas à l'aveugler. Au contraire, il le voulait calme, sinon paisible, capable de se concentrer, de cibler son intérêt et de formuler clairement ses révélations. Il releva l'ampoule ajustable pour ne pas gêner Daubier et commença son interrogatoire :

– Monsieur Daubier, il est onze heures quarante-cinq, et nous reprenons votre interrogatoire commencé hier, mené par mes soins, inspecteur Victor Dessange, en présence du brigadier Maximilien Dubosc. Désirez-vous revenir sur vos déclarations d'hier ?

– Non.

– Souhaitez-vous exprimer une requête particulière ?

– Oui, j'veux un baveux.

Victor s'attendait à cette demande.

– Très bien. Alors nous allons solliciter un avocat commis d'office qui pourra s'entretenir avec vous et vous assister pendant les interrogatoires.

Max se leva pour appeler le palais et revint quelques minutes plus tard.

– Le palais fait ce qu'il faut pour envoyer quelqu'un, mais ils ne savent ni qui ni quand.

– Alors, reprit Victor, nous allons commencer, monsieur Daubier, nous nous interromprons dès que votre avocat arrivera. Revenons sur ce séjour à Paris. Je ne doute pas de votre affection pour votre famille, mais, étant donné la personnalité de votre sœur et la facilité avec laquelle vous vous êtes isolé avec mademoiselle Gosińsky, je ne peux m'empêcher de penser que votre voyage reposait sur un autre motif que la tendresse fraternelle, et je voudrais savoir lequel.

– Oui, j'peux répondre, c'est pas difficile. J'avais reçu un courrier du ministère de la Guerre me notifiant de me présenter le 5 janvier au bureau de l'administration en raison d'une prime de Noël à me remettre en tant qu'ancien combattant. Mais quand j'y suis allé, personne a voulu m'écouter. On m'a dit qu'y avait aucune prime de Noël et qu'j'étais un baratineur. Mais, moi, j'sais bien qu'j'l'ai reçue, cette lettre !

– Elle est où, cette lettre ?

– Ben, c'était ça, l'problème. J'l'avais pas emmenée. Elle est restée dans ma fouillasse, deuxième tiroir d'mon bureau, là où j'mets la pap'rasse. Madeleine, elle m'a traité d'imbécile, et Félicya, elle a tellement rigolé qu'ça m'a vexé. C'est vrai, quoi ! Ils envoient des papiers, y doivent bien savoir ça qu'y a d'ssus !

– Ah, oui, monsieur Daubier, mais dans l'administration, aujourd'hui, les papiers, c'est sacré ! Donc, si je vous ai bien compris, cette lettre se trouve actuellement dans un tiroir de votre bureau à Quimper. Si nous perquisitionnons, nous la trouverons ?

– Absolument, m'sieur. J'vous garantis qu'elle y est. J'y ai pas touché en rentrant. J'm'étais dit qu'c'était pas la peine de réclamer.

– Et pourquoi ? Une prime, ça mérite quand même une réclamation.

– Oui, mais j'ai pensé qu'la lettre était bidon. Au ministère, y sont tombés des nues. Alors la lettre, c'était sûrement qu'une mauvaise blague.

– Et qui aurait pu vous faire une blague d'un aussi mauvais goût ?

– Oh ! Ça, j'sais pas ! Un copain d'régiment, p't-êt'… Au début, j'ai cru qu'c'était Madeleine. C'est une vraie garce ! Mais elle m'a juré qu'c'était pas elle, alors j'ai laissé tomber l'affaire.

– Et, bien, nous, nous n'allons pas laisser tomber, monsieur Daubier, parce que ce document peut vous innocenter ; d'autre part, c'est un faux dont il faut trouver l'auteur. Alors oui, nous allons aller la chercher. Mais si vous avez laissé tomber aussi facilement, n'est-ce pas aussi parce que vous n'aviez pas besoin d'argent ?

– Oh non ! Inspecteur. Croyez-moi, j'ai pas un rond. J'ai même des dettes que j'n'arrive pas à rembourser.

– Mais alors, cette prime, elle tombait à pic !

– Oui, mais j'vous l'ai dit, c'était du flan !

– Bon. On va prendre le problème par un autre bout. Pouvez-vous me dire d'où vient l'argent que vous avez dépensé sans compter depuis votre démobilisation ?

Daubier devint blême. Ses yeux balayèrent de gauche à droite comme s'ils cherchaient à s'enfuir.

Victor insista :

– Que se passe-t-il, monsieur Daubier ? De quoi avez-vous peur ? D'où vient cet argent avec lequel vous avez payé l'enterrement de vos parents, amélioré le quotidien de votre frère à Brest, et mené la grande vie avec Félicya à Paris ?

– D'où vous savez tout ça ? s'écria Daubier, affolé. J'peux rien dire, j'peux rien dire, inspecteur. Si j'parle, j'suis mort !

– Votre avocat va arriver, Daubier. Vous allez vous entretenir avec lui pendant un petit quart d'heure, et on reprend après. Et calmez-vous. Ici, vous n'avez rien à craindre.

Daubier se referma sur lui-même et se recroquevilla sur sa chaise. Victor et Max sortirent de la salle d'interrogatoire.

L'avocat commis d'office, maître Montignac, arrivait tout essoufflé.

– Bonjour, inspecteur. J'ai vu en coup de vent le juge Blanchot qui m'a remis un succédané de dossier. J'avoue que je ne comprends pas grand-chose à cette affaire, qui me semble colossale et qui me dépasse complètement !

Victor, habitué à des avocats sûrs d'eux et toujours condescendants, fut surpris d'une telle sincérité.

– Ne vous en faites pas, maître, nous sommes à présent convaincus que votre client n'est pas coupable des meurtres dont on l'accuse. Nous sommes même dans une posture assez inédite : nous devons prouver son innocence pour pouvoir orienter l'enquête sur le ou les vrais coupables. Il serait souhaitable que vous persuadiez votre client de répondre à nos questions le plus complètement possible. Ce sont ses réponses et les informations qu'elles sont susceptibles de contenir qui permettront de l'innocenter totalement.

Pierre Montignac haussa les sourcils. Sa jeunesse et son manque d'expérience le laissaient perplexe face à une situation aussi inattendue et à un inspecteur qui ne correspondait pas du tout à l'idée qu'il s'en faisait. Victor l'encouragea :

– Allez discuter avec Daubier, maître, il a besoin de soutien et de conseils. Vous avez un quart d'heure. Ensuite l'interrogatoire reprendra. Vous pourrez constater que nous ne voulons que faire la clarté sur cette affaire et que votre client a été piégé par quelqu'un qui voulait sa perte tout en se protégeant lui-même. Et nous, c'est ce « quelqu'un » qui nous intéresse.

L'avocat entra dans la salle d'interrogatoire, et Victor le laissa seul avec Daubier. Revenu dans leur bureau, il se servit un café.

– Qu'en penses-tu, Max ?

– Je pense que ce courrier est un faux et que c'est la preuve objective du piège tendu à Daubier. Mais qui a pu monter un coup pareil ? Il fallait qu'il en veuille sacrément à Daubier ! Qu'est-ce qu'il a bien pu faire pour mériter un tel traitement ?

– Bonnes questions. Je pense que l'argent dont a disposé Daubier et ces questions sont liés.

– Je ne vous suis pas, inspecteur.

– Eh bien, moi, si, intervint Chassaing. Imaginez deux lascars qui font un mauvais coup. Le premier met la main sur le butin et le garde pour lui tout seul. Que fait le second ? Il se venge !

– Bien vu, Chassaing, approuva Victor, c'est certainement un micmac de ce genre-là, et ce « second », comme vous dites, se sert de sa vengeance pour masquer ses crimes et les faire endosser à son ancien complice. Et là, l'oubli du carnet noir devient très cohérent, et très volontaire !

– Eh ben ! dit Max, quelle usine à gaz ! Il va falloir faire parler Daubier, et le type a sacrément peur de se faire zigouiller. Ça doit pas être un marrant, le « second » !

– On va arriver à le faire parler. Mais il va falloir aller à Quimper, ne serait-ce que pour récupérer la lettre. Chassaing, préparez un ordre de mission pour Quimper, Nantes et Brest, et faites-le signer par Blandin. Il faudrait aussi des commissions rogatoires, Blandin peut les demander à Blanchot. Nous, on y retourne !

Dans la salle d'interrogatoire, Daubier semblait plus calme, et maître Montignac, moins désemparé. Victor s'installa, Max à ses côtés, et reprit tranquillement :

– Monsieur Daubier, vous avez eu le temps de réfléchir et de prendre conseil auprès de votre avocat. Êtes-vous prêt à nous expliquer d'où vient l'argent dont vous disposez depuis le printemps dernier ?

– J'vais tout vous dire, inspecteur, mais faut qu'vous m'garantissiez d'assurer ma protection, pa'c'que le Zelinguen, y plaisante pas ! Quand y saura qu'j'ai parlé, y n'aura plus qu'une idée en tête : me suriner ! Et, croyez-moi, y sait faire !

– Quelle garantie officielle de protection pouvez-vous donner à mon client, inspecteur ? surenchérit maître Montignac.

– Aucune. Comme vous devez le savoir, maître, il n'existe aucune mesure de protection des témoins dans le cadre du droit français et, de toute façon, ce ne serait pas moi qui pourrais en décider. N'oubliez pas que votre client est toujours l'unique suspect de cinq meurtres, trois à Paris et deux en province. C'est d'abord cela qu'il faut réussir à lever, et, pour cela, nous avons besoin qu'il parle. Pour le reste, je ne peux offrir aucune garantie. Je peux seulement attirer votre attention d'une part sur le fait que le juge pourrait prendre en compte les révélations de monsieur Daubier et considérer avec clémence les erreurs de parcours et les délits éventuels commis en amont de ces meurtres, d'autre part sur le fait que, tant qu'il est retenu dans nos locaux, il ne craint strictement rien, et nous le protégeons de fait.

– Que décidez-vous, monsieur Daubier ? La réponse de l'inspecteur a le mérite d'être franche.

– J'vais parler, pa'c'que j'sais qu'autrement j'vais pas m'en sortir, mais c'que j'vais dire est difficile et risque de m'attirer d'autres ennuis. Vous allez voir, j'suis vraiment dans d'sales draps !

– Nous vous écoutons, monsieur Daubier.

– Voilà, inspecteur, Zelinguen et moi, on a eu une jeunesse crasseuse, très pouacre[1], on peut dire, pas d'parents ou quasi, pas d'argent, pas d'éducation et pas d'chance. Alors on a fini chacun, pour des raisons différentes, à la colonie pénitentiaire des Hauts-Murs pour huit ans. Moi, j'y suis arrivé en 1890. J'avais dix ans. Zelinguen, lui, quand j'suis arrivé, il avait huit ans. Il était là d'puis toujours, on disait. On disait même qu'il était né là. C'était une vraie teigne et, à huit ans, y savait déjà cogner et entourlouper son monde. J'me suis dit qu'j'avais pas intérêt à me l'mettre à dos. Quand y f'sait des conneries, parfois j'me dénonçais à sa place et j'prenais les coups d'fouet pour lui. Y disait pas merci, jamais. Mais j'savais qu'y m'f'rait plus d'crasse. Et puis, un matin d'hiver, il a réussi à s'échapper. Zelinguen, son vrai nom, c'est Hector, Hector Pasquier, j'crois, mais, après, il a changé d'nom. D'tout'façon, y changeait tout le temps d'blase. Y disait qu'ça lui permettait d's'échapper d'partout. Après sa fuite, moi, j'ai plus entendu parler d'lui. Et il aurait mieux valu qu'ça continue…

Daubier fit une pause et demanda un verre d'eau, que Max alla lui chercher aussitôt. Il reprit :

– J'ai quitté les Hauts-Murs et j'me suis engagé dans la Légion étrangère. D'où j'venais, on avait pas vraiment l'choix à part cogner et être cogné, on apprenait pas grand-chose, les travaux d'la ferme, le nettoyage des dortoirs et un peu d'menuiserie. Bref, j'savais rien faire. Y proposaient un engagement

---

1. Pouacre : chose ou personne très sale, très laide, repoussante.

avec une vraie solde et l'uniforme fourni. J'suis
parti en septembre 1898, j'étais resté huit ans dans
c'trou à rats. Alors, l'armée, ça m'a paru au début
un vrai paradis ! Les premières années, c'était tranquille. On était cantonné à Oujda, au nord-est du
Maroc. Et puis Hector est arrivé, en 1905, dans
un bataillon disciplinaire. Forcément, on s'est rap-
prochés. Moi, j'l'aurais pas r'connu. Il avait beaucoup changé, et c'était devenu une vraie machine
à tuer. Lui, y m'a r'connu tout d'suite, et y m'a mis
l'grappin d'ssus. J'suis dev'nu son larbin... et son
bouclier aussi, pa'c'que dès qu'il avait des ennuis
avec les uns ou les autres, c'était moi qu'y mettait
en avant. Dès qu'il est arrivé, j'ai plus jamais été
peinard. En plus, nos bataillons sont descendus
sur Figuig. Et là, ça n'a plus été la même danse !
Les échauffourées avec les indigènes se sont mul-
tipliées, ça explosait sans arrêt. Hector, lui, il était
dans son élément. Y rendait coup pour coup et
infligeait les pires tortures et les pires humiliations.
Not'capitaine, y l'aimait pas beaucoup, mais fallait r'connaître que, quand on l'avait en tête de
r'connaissance, il était diablement efficace. On a
quitté Figuig, et on avait l'ordre de traverser les
terres pour prendre la ville de Oued-Zem. C'est là
qu'Hector, il a déraillé. Y s'est acoquiné avec une
prostituée chez qui y passait quasiment tout son
temps et, j'sais pas trop comment, il a eu vent d'une
arrivée d'or importante destinée au financement
des opérations militaires dans l'sud du Maroc et en
Afrique sub-saharienne. Et il a décidé d'rafler l'or.
Me d'mandez pas comment il a eu les tuyaux. J'ai
jamais rien su. J'l'ai suivi pa'c'que c'était comme
ça. J'étais son larbin, son bras droit, et ça s'discutait pas. On a attaqué l'convoi à deux, déguisés en

guerriers rebelles de la tribu Smaala. Ç'a été un véritable carnage. Bizarrement, le convoi n'avait pas d'vrai protection militaire. Zelinguen n'a laissé aucun survivant. Il a caché l'or dans un village, au sud de Oued-Zem, à Tachrafat, dans une sorte de tunnel naturel, impossible à voir si on ne connaît pas. La police militaire a mené une enquête, a interrogé quelques indigènes, mais n'a rien trouvé. Y z'ont fusillé deux ou trois rebelles, et c'en est resté là. Nous, on a quitté la caserne de Oued-Zem. Il fallait prendre la ville de Khénifra. C'est là que la nouvelle de la déclaration d'guerre nous est tombée d'ssus. On était euphoriques. Les Boches, on allait les ratatiner en un rien d'temps en métropole. Enfin, c'est c'qu'on pensait. Zelinguen, y sautait d'joie. Y s'disait qu'une fois la guerre finie et son temps disciplinaire achevé – il en avait pris pour douze ans –, il mèn'rait la grand'vie avec son or. Il n'était pas question d'moi. Moi, j'comptais pas, pas plus qu'les putes qu'y traitait comme des bêtes. J'crois qu'c'est à c'moment-là que j'ai vraiment commencé à le haïr. Son bataillon a été envoyé en 1916 en soutien dans la Somme. Avant d'partir, Zelinguen m'a fait jurer sous peine d'une mort horrible de n'jamais parler à personne des lingots. J'ai juré et j'ai tenu parole. Mon bataillon est parti au Congo français. J'ai été démobilisé en avril 1919. Je suis retourné à Tachrafat. J'ai récupéré les lingots, et j'suis rentré en France. J'aurais dû mille fois être fouillé et arrêté avec mon butin. Mais j'étais un légionnaire qui rentrait au pays, personne ne m'a jamais posé la moindre question. À Quimper, j'ai fait la connaissance d'Émile Farget. On a tout de suite accroché. Y cherchait que'qu'un

pour déplumer un cave[1] qu'avait trois voitures
toutes neuves. On a volé la plus grosse, un vrai
tank. Farget avait un plan pour la r'vendre aussitôt. On risquait pas grand-chose pa'c'que l'cave,
il les avait pas récupérées très légalement. Enfin,
c'est Farget qui savait tout ça ; moi, j'étais qu'un
pégriot[2].... C'est cet argent qu'j'ai dépensé. J'suis
allé à Concarneau enterrer les parents. J'avais dans
l'idée d'cacher l'or dans la tombe, et puis j'ai pensé
à mon frère et j'me suis dit qu'y valait mieux diviser
mon trésor. Y avait vingt lingots. J'en ai déposé
dix dans la tombe des parents et, les dix autres,
j'les ai planqués à Brest, dans une niche derrière
l'armoire d'la chambre du frangin. Le tour était
joué. Zelinguen a dû aller à Tachrafat, mais il a
trouvé la planque vide. En questionnant les gens
du bled, il a dû comprendre que j'étais passé par
là... J'préfère pas penser à la colère qu'il a piquée !
Après, j'pense qu'il a manigancé son piège... Voilà
mon histoire, inspecteur. Ça vous permet sûrement
d'inculper Zelinguen, mais j'pense que vous allez
avoir beaucoup d'mal à mett' la main d'ssus ; ce
gars-là, c'est une vraie anguille, il échappe toujours
à tout.

   – En tout cas, on va tout faire pour l'attraper. On
va vous laisser souffler maintenant. On ira voir le
juge à notre retour de Bretagne. Votre responsabilité dans le vol des lingots ne passera pas inaperçue,
mais si vous restituez l'or et que votre avocat plaide
votre soumission involontaire et forcée à Hector
Pasquier, alias Zelinguen, vous devriez vous en
tirer à moindres frais. Quant au vol de la voiture à

---

1. Cave : personne que l'on peut facilement duper.
2. Pégriot : voleur apprenti.

Quimper, apparemment, vous n'y êtes pas associé, je crois qu'il n'y a même pas eu de plainte.

Victor et Max sortirent de la salle d'interrogatoire. Maître Montignac, assommé par ce qu'il venait d'entendre, s'éclipsa, et Daubier fut emmené au dépôt en attendant son passage chez le juge.

Le commissaire Blandin tournait dans son bureau comme un fauve en cage. Victor entra suivi de Max.

– Ah ! Inspecteur ! éructa Blandin. Qu'est-ce que c'est encore que cet ordre de mission que vous voulez que je signe ?

Lorsque Victor lui eut expliqué ce qu'il avait appris de Daubier, le commissaire redevint doux comme un agneau.

– Bon ! Je vous signe l'ordre de mission, mais il faut le faire valider par Blanchot.

– Oui, je voudrais partir dès ce soir à Quimper. Max va aller chez le juge. Moi, il faut que je mette de l'ordre dans le dossier avec tout ce que j'ai appris. Et, à dix-neuf heures, j'ai rendez-vous à la Moujol. Avec quelqu'un qui peut certainement nous dire des choses intéressantes sur le commanditaire du meurtre de Gabie, le premier meurtre à Paris. On se mettra en route après.

– Bon ! Des allées et venues à Concarneau, à Quimper, à Nantes et à Brest… Si vous faites ça en train, vous allez mettre un temps fou ! Je vous passe la Delaunay-Belleville et vous donne un agent qui vous servira de chauffeur. Au moins, vous pourrez dormir un peu pendant les trajets.

– Formidable, commissaire, merci ! C'est une faveur que j'apprécie particulièrement.

Et Victor sortit du bureau du commissaire en se disant qu'il risquait de perdre beaucoup au change lorsque Blandin partirait à la retraite à la fin de l'année.

***

Louison la Pierreuse attendait l'inspecteur Dessange dans la cour devant l'hôtel des 56 Marches. Lorsqu'il arriva, elle le fit entrer par-derrière, dans une petite soupente humide et sombre où Pierrot les attendait. Elle alluma la vieille lanterne à pétrole qu'elle tenait à la main. Pierrot était assis sur un tabouret. Au-dessus, on entendait l'écho assourdi des rires et des cavalcades des filles en plein travail. Louison se retira et ferma la porte derrière elle. Elle n'avait pas dit un mot. Victor écarquillait les yeux pour mieux distinguer les traits du visage de son mystérieux indicateur, mais celui-ci gardait la tête baissée. Il ne pouvait voir qu'une tignasse sombre et bouclée. Il s'assit sur un deuxième tabouret, en vis-à-vis, et se présenta. Ses paroles résonnèrent contre les murs, et il lui sembla avoir une voix d'outre-tombe :

– Je suis l'inspecteur Dessange de la Brigade Criminelle. Je suis venu entendre ce que vous avez à me dire sur la mort de Gabie, Gabrielle Arevaste de son vrai nom, assassinée rue Asselin le 6 janvier dernier. Je travaille au 36, Quai des Orfèvres. Si vous avez des informations à me transmettre, je suis preneur.

Pierrot se redressa, et Victor put voir ses yeux noirs comme l'ébène briller d'une vigueur impressionnante. Il se rendit alors compte qu'il s'agissait d'un tout jeune garçon.

– J'm'appelle Pierrot, m'sieur l'inspecteur.
J'travaille rue du Faubourg-du-Temple. J'suis
apprenti cordonnier.

Victor comprit qu'il assurait ses arrières. Il avait
peur de la police. Il fallait le mettre en confiance.

– Pierrot, je suis là seulement pour avancer dans
mon enquête. Je n'ai rien contre toi.

Pierrot se leva et se mit à faire les cent pas dans
l'insalubre réduit.

– J'sais pas trop par où commencer, m'sieur
l'inspecteur. Juste, Gabie, c'était une chic fille. Elle
avait l'cœur sur la main. Elle aidait tout l'monde
quand elle pouvait. Celui qui l'a tuée, c'est un sacré
salaud.

– Je suis d'accord avec toi, Pierrot. Mais, dis-moi,
tu l'as connue comment, Gabie ?

– Avant d'être apprenti, m'sieur, j'étais un gamin
des rues. J'ai perdu mes deux parents pendant la
guerre, et c'est Louison, une amie d'ma mère, qui m'a
soigné. Alors j'étais souvent ici, à la Moujol. Gabie,
elle v'nait presque tous les soirs. Ell'm' racontait
des histoires, ell'm'donnait des sucreries des fois.
Ell'me consolait quand j'avais l'bourdon. J'l'aimais
beaucoup. Et puis, un matin, j'étais v'nu prendre un
bol de lait chez Louison, en r'partant, j'suis tombé
su'l'macchab', m'sieur, avec tout l'sang partout, et
j'me suis carapaté. J'ai eu les foies.

– Alors c'est toi qui as vu en premier le corps de
Gabie, Pierrot ?

– J'crois bien, m'sieur, l'quartier était encore
désert. Il était à peine cinq heures.

– Et tu n'as rien vu d'autre ?

– Non, des nèfles ! Il faisait très noir et très froid.
C'est sûr qu'elle venait tout juste d'êt'zigouillée. Les

boutonnières[1], elles saignaient encore. Mais j'ai r'marqué que'qu'chose : elle avait plus l'gri-gri qu'elle portait toujours autour du cou depuis que'qu'jours.

– Un gri-gri ?

– Oui, j'sais pas quel blase ça a… Elle avait un cordon noir qui passait dans une espèce de tube en ivoire avec des signes bizarres dessus. Et là, elle l'avait plus. C'est après seulement qu'j'ai su c'que c'était.

– Un cartouche, c'est ça ?

– Oui, c'est l'mot qu'Fernand, il a utilisé. Un cartouche qui s'ouvrait par un bout et où y avait un message. C'est pour ça qu'ils l'ont tuée. Pour prendre l'cartouche.

– Et tu connais le contenu de ce message ?

– Oui, m'sieur. J'peux vous expliquer, mais j'voudrais vous d'mander que'qu'chose en échange.

Victor se dit que Pierrot n'était plus vraiment un enfant, mais déjà un négociateur habile. Il l'avait appâté avec juste ce qu'il fallait pour qu'il soit en demande et, là, il posait les termes de son marché. Du grand art. Et tout ça, l'air de rien, avec le charme d'un gamin des rues habitué à défendre chèrement sa survie. Victor décida de le laisser exposer sa requête.

– Je t'écoute.

– Voilà, m'sieur : Gabie, elle fréquentait un groupe de poètes et d'chansonniers, la Muse rouge, vous connaissez ?

– J'en ai entendu parler, oui, des anarchistes et des révolutionnaires.

– Des poètes, m'sieur, surtout des poètes qui chantent la misère des ferlampiers[2] et des gueux. La misère, m'sieur, vous connaissez ?

---

1. Boutonnière : blessure à l'arme blanche.
2. Ferlampier : malheureux, misérable.

Le regard incisif de Pierrot transperçait Victor jusqu'à la moelle. Et Victor prit la mesure de la colère tapie au cœur des entrailles du gamin et, de façon très fugitive, ressentit la violence d'une souffrance abyssale, bien au-delà de l'enfant, celle d'un monde où la faim, le froid et la peur façonnent chaque matin, chaque nuit, un monde qui faisait resurgir le souvenir poignant de certains jours sombres passés au fond de tranchées boueuses, au milieu d'hommes transis, condamnés à mourir. Victor frissonna.

– Non, Pierrot, je ne connais pas vraiment la misère. Mais toi, tu connais, n'est-ce pas ?

Pierrot reçut cette question comme une main tendue. Son regard s'adoucit. Un léger sourire se dessina sur ses lèvres, comme s'il avait compris que l'homme bien élevé, bien nourri, bien habillé qu'il avait en face de lui ne lui ferait aucun mal et qu'il pouvait lui faire confiance. Pierrot ne répondit pas à la question, mais continua son récit en se rasseyant sur son tabouret :

– On était en lien avec des Africains qui avaient réussi à rassembler des armes qu'ils voulaient envoyer là-bas, en Afrique. Pa'c'que là-bas, m'sieur, la misère, c'est pire qu'ici. Et Gabie, elle les aidait. Les armes, elles étaient dans des caisses qui devaient partir à Bordeaux avec le matériel qu'un commandant des colonies ramenait au Congo. Le message du gri-gri, c'était les numéros des caisses pour pouvoir les repérer et les récupérer au moment du déchargement à Dakar. Et on avait un homme à bord, un Africain, l'boy du commandant des colonies. Chouraver l'cartouche, c'était pouvoir pirater l'barda pendant l'chargement à la gare de Lyon... Y a une seule personne qui pouvait savoir ça : Albert

Singer, un Camelot du roi qui avait infiltré l'groupe de la Muse rouge. Il avait fourré ses pieds dans toutes les réunions avec les Africains. C'est lui qu'a tué Gabie.

Victor réfléchissait aussi vite qu'il le pouvait. Il connaissait le nom d'Albert Singer, un agent de renseignements qui travaillait à la Sûreté. Et Victor fit le lien avec la mention SÛRETÉ du carnet noir. Tout se tenait.

– Ce n'est pas lui directement qui a tué Gabie, Pierrot, mais effectivement c'est sans doute lui qui a commandité le meurtre. Et les armes, il les a récupérées ? Je n'ai entendu parler d'aucune opération de ce genre !

– Non ! Grâce à moi ! lança fièrement Pierrot. J'ai prévenu à temps. Y z'ont changé les numéros, et c'est moi qu'a porté le second message à l'Africain. Quand y z'ont voulu fouiller les caisses gare de Lyon, y z'ont pas trouvé les armes. Y pouvaient pas vérifier tout l'chargement. Alors y z'ont laissé tomber.

– Oui… D'autant plus que ça ne devait pas être une opération très officielle… Et maintenant, elles sont où, ces armes ?

– Au fond d'la mer, m'sieur. L'Bon Dieu d'vait pas être d'accord avec c'te besogne… Le bateau a coulé avec tout son fargu'ment[1] – et tous ses passagers.

– Ah, mais oui ! Le naufrage de l'*Afrique* ! Bien sûr… J'ai perdu une belle-sœur et deux neveux dans cette tragédie, deux beaux enfants de huit et dix ans. Les enfants, ça ne devrait pas mourir…

– C'est bien triste, m'sieur. Les enfants, ça ne devrait pas souffrir non plus, non ?

---

1. Farguement : chargement.

Victor et Pierrot échangèrent un regard d'intense empathie. Pierrot était rassuré, cet homme était un juste. Il allait l'aider. Il faisait bien de lui parler. Il reprit :

– Mais c'est pas tout, m'sieur. Le saccage de la rue Charlot, c'est Singer aussi. C'est lui qui m'nait l'équipe qu'a tout cassé dans l'local et qu'a essayé d'mett'le feu. Et on voudrait qu'y paye, m'sieur, pa'c'que l'inspecteur qu'est v'nu, y s'en foutait, y f'ra rien cont' Singer !

Victor comprit alors le marché de Pierrot et évalua tout de suite l'ampleur du problème. Une sourde colère montait en lui : les méthodes de ces types de la Sûreté étaient inadmissibles. S'il était légitime de vouloir empêcher le convoyage d'armes clandestines, le meurtre de Gabie ne se justifiait pas. Si Singer avait agi de cette manière, c'était sûrement pour récupérer ces armes, certainement pas pour les remettre dans le circuit officiel. Les Camelots du roi étaient sans doute derrière tout ça. Et cela ne simplifiait pas les choses. Il devait être honnête avec Pierrot.

– Écoute, Pierrot, effectivement, tout ce que tu viens de me raconter éclaire considérablement mon enquête, mais je ne te cacherai pas que la situation est compliquée. Je ne suis ni ministre, ni préfet, juste un simple petit inspecteur de la police criminelle. J'ai tout pouvoir pour arrêter l'assassin de Gabie, et je vais me battre pour ça. Face à la Sûreté, je n'ai aucun pouvoir. Je vais transmettre les informations à ma hiérarchie en faisant atten-tion à ne pas t'impliquer, mais je ne peux rien te promettre. Il est fort probable que Singer passe au travers. Il aura peut-être quelques ennuis, une sanction administrative, mais ça n'ira pas loin. Je ne veux pas que tu te fasses des illusions.

– Mais alors, m'sieur, ça veut dire qu'y a des gens qui peuvent faire du mauvais, commettre des crimes et qu'on leur fait rien, qu'y sont pas obligés d'respecter les lois ? ! C'est pas juste, ça, m'sieur ! C'est pas juste !

Victor se sentait en porte-à-faux. Il lui fallait justifier un système qui affichait une exigence de justice en pratiquant l'injustice. Impraticable et inconfortable. Face à ce gamin qui avait déjà encaissé tellement d'injustices et qui luttait encore pour vivre dans un monde meilleur, Victor se sentit insignifiant, minable et périmé. Il tâcha de se ressaisir :

– Le monde est injuste, Pierrot. Tu as dû t'en rendre compte, n'est-ce pas ? La justice n'est pas une réalité, mais une idée. Les hommes comme toi et moi, nous luttons pour cette idée, mais parfois, trop souvent, nous sommes incohérents et impuissants. Ce n'est pas une raison pour renoncer à notre combat.

– *Incorent* ? Ça veut dire quoi, m'sieur ?

– Incohérent. Nous sommes pris au piège de nos contradictions. Nous voulons quelque chose, et nous agissons à l'opposé de ce que nous voulons. Tu comprends ?

– J'crois, m'sieur, on triche quoi !

– Oui, c'est ça, on triche.

Victor se tut, et Pierrot resta silencieux, conscient d'avoir accédé à une vérité humaine dont il avait encore du mal à mesurer l'importance, mais qui lui semblait, d'ores et déjà, essentielle à sa compréhension du monde. Ce fut Victor qui rompit le silence. Il avait encore une question importante à poser.

– Et Violette, Pierrot, tu l'as vue, ces derniers jours ? Que peux-tu me dire sur elle ?

– Violette ? J'la connaissais pas très bien. C'était pas l'même genre de fille que Gabie. Violette, les autres, elle s'en fichait comme de l'an quarante. Elle voulait tout pour elle. On l'a pas r'vue depuis un moment ici. Faudrait d'mander à Louison, mais j'crois qu'ell' v'nait plus. Les filles l'avaient pas à la bonne, et Louison, elle s'méfiait. Elle disait qu'la Violette, elle amenait l'mal avec elle. Mais vous pourriez d'mander à Firmin. Lui, y la connaissait. Y couchait avec elle d'temps en temps.

– Firmin ? Le petit vieux qui a signalé la mort de Gabie aux gendarmes ?

– Oui, m'sieur, celui qu'habite en bas des marches, rue Asselin. C'est à lui qu'y faut d'mander.

– Bien, Pierrot. Merci. Je vais te laisser. Je te remercie de m'avoir parlé sans détour. Je suis heureux de t'avoir rencontré. Tu es un chouette petit bonhomme. Tes amis ont de la chance de t'avoir. Je sais que tu deviendras quelqu'un de bien.

Victor tendit la main, et Pierrot la saisit avec empressement.

– Merci, m'sieur l'inspecteur. Je n'vous oublierai pas.

Victor quitta la maison d'abattage et traversa la cour de la Moujol en se disant qu'il avait fait une belle rencontre. Le gamin était vraiment impressionnant de courage et d'intelligence. Tout ce qu'il avait appris était prodigieusement intéressant et tragiquement problématique. Le voyage en Bretagne tombait bien. Il allait pouvoir partager tout cela avec Max et réfléchir tranquillement à la meilleure façon de procéder.

Sur ces réflexions, il arriva devant la porte de
Firmin Dubreuil. Il était un peu plus de vingt heures
trente. C'était un peu tard pour déranger le quidam,
mais Victor n'avait pas le choix, il devait impérativement l'interroger. Il frappa vigoureusement à la
porte. Au bout de quelques minutes, Firmin passa
la tête par l'entrebâillement.

– Bonsoir monsieur Dubreuil, inspecteur
Dessange, Brigade Criminelle. Excusez l'heure tar-
dive, mais les urgences de l'enquête ne me laissent
pas le choix, et j'ai une ou deux petites questions à
vous poser. Vous seriez bien aimable de me laisser
entrer quelques minutes.

Firmin, les sourcils froncés, s'effaça pour laisser
passer l'inspecteur. Il portait un caleçon-combinaison
qui n'était pas de la première fraîcheur et un grand
châle en laine grise par-dessus les épaules.

– Désolé, inspecteur, j'suis pas très présentable,
mais j'étais au pieu. Vous savez, à m'n âge, on
s'couche avec les poules. Attendez une minute que
j'enfile un grimpant[1]…

– Non, non ! C'est inutile ! C'est moi qui vous
présente toutes mes excuses, monsieur Dubreuil.
J'vais faire vite. Je voulais vous questionner sur une
autre prostituée que vous avez dû rencontrer, une
certaine Violette. Vous la connaissez, n'est-ce pas ?

– Ah ! La Violette ! Une sacrée celle-là ! Pas froid
aux yeux ! Oui, j'la connaissais un peu, mais c'est
surtout son barbeau[2] que j'connais. Y travaille aux
abattoirs à la Villette. Et moi, j'y fais des récup'
encore aujourd'hui. J'y ai travaillé toute ma vie,
alors j'ai mes entrées !

---

1. Grimpant : pantalon.
2. Barbeau : proxénète.

– Et ce « barbeau », que pouvez-vous me dire sur lui ?

– Y s'appelle Jean Frappier, ça fait pas longtemps qu'il est là. Y turbine les jours de grands marchés : l'mardi et l'vendredi. C'est un louvierbem première catégorie, y cogne comme un Turc !

– Un quoi ?

– Un bouvier, inspecteur, un tueur de bœufs. Mais attention, y fréquente du beau monde ! L'aut' jour, ben hier, tiens ! J'l'ai vu entrer au Veau d'Or après l'turbin, et l'Veau d'Or, inspecteur, c'est l'rade du gratin !

Victor jubilait : il ne pouvait espérer renseignement plus précieux.

– Et Violette, vous l'avez vue récemment ?

– Ah non ! Elle s'est envolée, la Violette ! Ça fait un moment qu'on l'a pas vue par ici… R'marquez, on s'en porte pas plus mal entre nous…

– Merci, monsieur Dubreuil, merci beaucoup ! Allez vite vous recoucher !

Et Victor quitta précipitamment la Moujol. Il fallait envoyer Chassaing le lendemain aux abattoirs et au Veau d'Or, prévoir l'arrestation du gazier vendredi à la Villette. C'est triomphalement que Victor revint au 36, convaincu qu'il touchait au but.

Chapitre 13

Mirages

Il tombait des cordes. Le taxi avait déposé Victor sur le quai devant le 36, mais les quelques mètres qu'il avait dû parcourir avaient suffi à le tremper. Il monta laborieusement les trois étages et fit irruption, essoufflé et dégoulinant, dans le bureau où l'attendaient Max et Chassaing, penchés sur une carte routière qu'ils examinaient attentivement.

– Quel temps de chien !

– Oui, répliqua Chassaing, et cette pluie torrentielle ne va pas faciliter votre voyage ! Nous avons regardé d'un peu plus près votre parcours. Si vous voulez être rentrés vendredi, je ne sais pas comment vous allez faire !

Victor mit son pardessus à sécher sur une chaise et se pencha à son tour sur la carte. Après un examen minutieux, il se rendit à l'évidence :

– Impossible de tout faire en deux jours. Voilà ce que je propose : on roule cette nuit, et on commence par Concarneau demain matin. On enchaîne sur Quimper demain après-midi. Il n'y a que trente kilomètres entre les deux villes. On passe l'après-midi à Quimper et on dérange les bonnes sœurs à Brest, à Guesnou plus exactement, en début de soirée. On n'en a pas pour très longtemps à Guesnou. On rentre à Paris dans la nuit de jeudi à vendredi, et on laisse tomber Nantes. On leur transmet juste

les informations. Ce n'est pas plus mal de ne pas
nous mettre dans leurs pattes : c'est la 4e brigade
mobile qui a pris en charge l'enquête. Ils n'ont
sûrement pas apprécié que le dossier parte à la
Brigade Criminelle. On garde Zelinguen, mais le
commanditaire, ils peuvent s'en occuper. Le cas
Levivier est assez simple. Il suffit de faire craquer
le mari. Chassaing, vous allez avoir du pain sur
la planche. Vous n'aurez pas trop de la journée
de demain, croyez-moi. D'abord, il faut que vous
alliez aux abattoirs de la Villette et que vous récol-
tiez tout ce que vous pouvez sur un dénommé
Eugène Frappier. Il y a fort à parier que ce soit
l'homme que nous cherchons : Hector Pasquier,
alias Zelinguen, alias Eugène Frappier. Il faut nous
en assurer. Vous irez ensuite faire un tour au Veau
d'Or. Qu'est-ce qu'il allait fabriquer dans ce restaurant très luxueux réservé, en principe, aux gros
bonnets du commerce de viande ? Faites aussi une
recherche sur cet Hector Pasquier et comparez son
parcours avec celui de Daubier afin de vérifier tout
ce qu'il nous a dit, en particulier sur les Hauts-Murs
et sur la Légion au Maroc. Essayez de récupérer
une photographie de Zelinguen et montrez-la au
Marquis, qui a été transféré ce matin au dépôt. Il
devrait être en mesure de le reconnaître. L'idéal,
d'ailleurs, ce serait de pouvoir la montrer aux abattoirs et au Veau d'Or… Si vous avez un problème,
Chassaing, laissez-nous un message à la gendarmerie de Quimper.

Victor se tourna vers Max et Rousseau, qui
enfournaient dans un sac cartes, couvertures, outils
divers et les sandwichs que Chassaing avait eu la
prévoyance de préparer pour eux, se doutant bien

que ni Victor, ni Max n'auraient pris le temps de dîner avant de partir.

– Messieurs en route ! La Bretagne nous attend ! Chassaing, une dernière chose : annoncez notre arrivée à la gendarmerie de Quimper et à l'hospice de Guesnou. Et demandez à Blandin de transmettre à Nantes tout ce qu'il faut pour mettre le mari Levivier en garde à vue.

– D'accord, inspecteur. Je vais m'y atteler. Et pour Concarneau ?

– Pour Concarneau, laissez tomber. On ira directement au presbytère et au cimetière en arrivant. Je ne pense pas que le curé dispose d'un téléphone. Ne perdez pas de temps avec ça.

– Bien, inspecteur. Surtout faites bien attention à vous. Tenez, voici les ordonnances et les ordres de mission. À vendredi.

Et Chassaing regarda partir les trois compères en se disant que, finalement, il aurait bien aimé les accompagner. L'inspecteur Dessange avait vraiment le don de le faire sortir de sa coquille. Et, au bout du compte, ça le rajeunissait. Il se sentait palpiter d'impatience comme au début de sa carrière, lorsqu'il partait poursuivre les bandes d'apaches dans le Paris de la Belle Époque.

Il pleuvait encore quand ils sortirent de Paris par la porte de Saint-Cloud, et Rousseau s'engagea sur la nationale 12 en direction de Chartres et Laval. Max était excité comme une puce et ne cessait de remuer tout en dévorant un des sandwichs de Chassaing. Victor, plus calme, repensait à tout ce qu'il avait appris à la Moujol et se mit à réfléchir tout haut :

– Tu vois, Max, si le cartouche a été dérobé dans l'intention d'intercepter les armes des rebelles

africains, c'est forcément avec l'intention de les utiliser... et là, les choses se corsent... Je sais que
certains agents de la Sûreté sont fortement investis
dans les Camelots du roi et qu'ils font régulièrement des opérations d'intimidation, essentiellement
chez les étudiants, mais également dans les milieux
anarchistes... La mise à sac du local anarchiste, rue
Charlot, ça, c'est une action qui leur va comme un
gant, mais voler des armes et préparer une expédition meurtrière, ça relève du terrorisme, et je ne
conçois pas qu'un parti comme l'Action française
puisse cautionner cela, ce n'est pas dans leur intérêt ; les listes de l'Union nationale ont obtenu trente
élus aux élections de novembre ! Il y a quelque
chose qui cloche ! Léon Daudet est député, Maurras
n'a jamais été autant encensé par la presse, et leur
parti a le vent en poupe... Ils ne peuvent pas laisser
faire n'importe quoi !

— Peut-être, inspecteur, mais le gouvernement
Millerand ne tient aucun compte de ces succès.
Ils peuvent aussi être très amers que leur victoire
ne soit quasiment pas prise en compte. Et encore,
je parle de victoire, mais c'est très relatif. Et puis
Daudet et Maurras sont quasiment devenus des
institutions dans notre pays, mais qui vous dit
qu'ils sont en mesure de tenir leurs troupes et de
canaliser toutes les énergies antiparlementaires ?
Après tout, l'objectif de leurs militants, c'est de faire
tomber la République. Mettre la pagaille dans un
pays menacé par les grèves, c'est une stratégie assez
habile. Regardez ce qui se passe en Italie, inspecteur ! Est-ce que l'intérêt d'un groupuscule comme
les Camelots n'est pas de déstabiliser le pouvoir de
façon plus ou moins clandestine et en toute indépendance des partis politiques ?

– Je ne te savais pas aussi fin stratège, Max.
Mais oui, tu n'as pas tort. C'est possible. Dis-moi,
ne pourrait-on pas considérer que ce voyage, loin
du 36, est à mettre sur le même plan d'intimité que
nos dîners en tête à tête ou avec Marie ? Tu pourrais m'appeler Victor pendant ces deux jours, non ?

– D'accord, Victor, mais pour en revenir à notre
conversation, les armes, de toute façon, ont été perdues pour tout le monde, n'est-ce pas ?

– Oui, bien sûr, mais il n'empêche que si certains agents de la Sûreté, dans le cadre d'activités
politiques souterraines, pour ne pas dire clandestines, ont commandité le meurtre d'une activiste
anarchiste en se servant de la prostitution comme
couverture, on est bien confrontés à un crime qui
vient alourdir leur responsabilité dans la mise à
sac de la rue Charlot et de la rue Montmartre, car
il ne faut pas oublier qu'il y a eu deux expéditions
de vandalisme, et que la seconde a complètement
détruit l'imprimerie de la CGT. Cet Albert Singer
dont m'a parlé mon informateur n'est certainement
pas seul dans ces coups, mais il a un rôle essentiel. Je ne peux cependant pas attaquer le problème
de front. Si je le convoque au 36 pour l'interroger
comme un vulgaire délinquant, je vais m'attirer les
foudres de la préfecture. La Brigade Criminelle et la
Sûreté n'ont jamais fait bon ménage, et je sais que
l'inspecteur Lesure de la 1re brigade mobile était
furieux que nous gardions la main sur les crimes
de la Moujol et de la rue des Moulins.

– Oui, ça, je sais, Lesure est venu faire un
esclandre dans le bureau de Blandin pendant que
vous étiez à Bordeaux !

– Blandin ne m'en a jamais parlé !

– Écoutez, apparemment, le problème a été réglé, et Blandin n'a pas dû vouloir mettre de l'huile sur le feu. Mais si on se lance dans une mise en accusation d'un gars de la Sûreté, les choses risquent de salement s'envenimer… Et votre informateur, vous pouvez me dire qui c'est ?

– Un gamin de douze ou treize ans maximum, courageux et qui n'a connu que la misère depuis qu'il est né. Il gravite autour d'une association d'anarchistes révolutionnaires, un chouette gamin en fait, qui aime la musique et la poésie et auquel je ne voudrais pas qu'il arrive des ennuis.

– Je vois… Donc, impossible de l'utiliser comme témoin…

– Voilà, hors de question. Firmin Dubreuil, on peut le citer, mais lui, non. Je sais que cela ne va pas faciliter les choses.

Victor et Max restèrent silencieux quelque temps. La pluie avait quasiment cessé. Rousseau avait lancé la Delaunay-Belleville à plein régime sur une nationale déserte. On ne tarderait pas à arriver à Chartres. La suspension un peu raide de la voiture balançait les deux passagers au gré des nids-de-poule et des irrégularités de la chaussée. Max avait remonté sa couverture jusqu'au menton et calé sa tête contre le montant de la portière. Victor, qui sentait la fatigue s'abattre sur lui, reprit en élevant la voix pour couvrir le bruit du moteur :

– Le mieux pour nous, c'est de transmettre ces informations à Blandin. C'est à lui de décider ce qu'il faut en faire. Nous, on va se concentrer sur notre tueur. Ce Zelinguen, on va bien finir par avoir sa peau ! T'es pas d'accord ?

– Si, si, répondit Max, à demi endormi, en articulant à peine. Si, si, sus à Zelinguen, inspecteur…

Max avait déjà sombré dans les bras de Morphée, et Victor, à son tour, se laissa emporter par la fatigue. Rousseau jeta un coup d'œil dans le rétroviseur et sourit. Il se sentit rempli d'une importance nouvelle : seul au volant, dans la nuit, sur les routes de France, il avait charge d'âmes, et la réussite de l'expédition reposait tout entière sur ses épaules. Il aurait donné dix ans de sa vie pour connaître plus souvent cet enthousiasme...

***

Ce soir-là, à la Bourse du travail, le rassemblement des Comités syndicalistes révolutionnaires battait son plein. La salle Ferrer était bondée. Regroupés autour de la tribune centrale, derrière la balustrade, les états-majors des CSR, en bras de chemise, les cheveux en bataille, lunettes et monocles en virevolte, s'activaient en brandissant papiers et journaux du jour pour mieux appuyer leurs propos. Sous la verrière et ses poutres métalliques, une foule en désordre vagissait à pleins poumons. Le vacarme était si intense qu'on n'y entendait goutte. Plusieurs orateurs s'étaient succédé derrière le pupitre, et chaque discours avait provoqué le même charivari. Les libertaires voulaient un ordre immédiat de grève générale. Les réformistes s'y opposaient avec virulence et préconisaient d'attendre le printemps. Certains considéraient même qu'il fallait laisser le gouvernement tout neuf prendre ses marques, et Léon Jouhaux[1] avait même proclamé qu'il fallait « renoncer à la politique du poing pour adopter une politique de

---

1. Léon Jouhaux : secrétaire général de la CGT de 1909 à 1945.

présence dans les affaires de la nation. Il faut être partout où se discutent les intérêts des ouvriers. » Cette affirmation avait soulevé un tollé. Les gars étaient là pour en découdre.

De nombreux ouvriers étaient prêts à se mettre en grève. Certains secteurs étaient d'ores et déjà impliqués dans des actions qui n'attendaient que le soutien des camarades et l'approbation de la confédération : les dockers du Havre, les mineurs du Nord et du Tarn, les cheminots de Lyon et de Paris, qui avaient lancé un ultimatum au gouvernement pour le 10 février. La pagaille parvint à son comble lorsque Jouhaux asséna sa conclusion d'une voix cassée et braillarde pour couvrir le tapage : « Camarades, nous ne devons pas tomber dans le travers de ceux qui admirent d'autant plus les révolutions d'Europe centrale qu'elles ont fait couler le sang dans les ruisseaux. » Tous les partisans des bolcheviks se mirent à crier au scandale. Léon Jouhaux rabattit son cahier, resserra sa cravate et quitta la tribune sous les sifflements et les quolibets. Les organisateurs cherchaient à calmer la salle. Un peu en retrait, le groupe de la Muse rouge contemplait cette foire d'empoigne d'un œil morne.

Cette soirée, dont Fernand attendait tant, faisait la démonstration des divisions et des conflits qui affaiblissaient le mouvement ouvrier et qui sévissaient au cœur même de la CGT. Pierrot, perplexe, demandait des explications au Gros Jacques qui l'avait accompagné. Mais le bienveillant cordonnier était bien en peine d'expliquer les tensions qui secouaient violemment ces débats. Samuel Schwartzbard était aussi avec eux et ne cessait de souffler et de siffler de désespoir. Il transpirait et s'essuyait le front avec son mouchoir à intervalles réguliers.

– On n'arrivera à rien comme ça, Fernand ! Ce n'est pas possible de continuer ce cirque !

– Je sais, Samuel, mais que veux-tu que j'y fasse ! Excités comme ils sont tous, si je demande la parole, personne ne m'écoutera. Et pire encore, je ne saurais même pas quoi leur dire. Lancer une grève générale aujourd'hui dans une pareille cacophonie, c'est aller droit dans le mur…

– Ne te décourage pas, Fernand, le prolétariat n'a pas dit son dernier mot. Et toutes ces palabres ont tout de même l'avantage de former la conscience des révolutionnaires, n'est-ce pas, Pierrot ?

– J'suis un peu paumé, Samuel, J'crois qu'j'ai pas tout compris. Alors, y font grève ou y font pas grève ?

– Eh bien, on n'en sait rien, répliqua Fernand, et ce n'est pas la fin du meeting qui nous éclairera. Allons retrouver Amédéo au Grenier. Finalement, on y est plus utiles qu'ici !

Le petit groupe de la Muse rouge s'éclipsa. Pierrot était déçu. Il avait rejoint Fernand Jack ce soir pour lui rendre compte de son entrevue avec l'inspecteur de la Criminelle, et il s'était laissé entraîner au meeting avec l'excitation d'un fanatique, convaincu de participer enfin à un moment décisif qui annoncerait le Grand Soir. Mais il finissait par se demander si cette révolution dont on lui parlait tant, si ce monde débarrassé de la misère n'était pas qu'un pauvre mirage, comme les rêves de prince charmant des filles de la Moujol.

***

La Delaunay-Belleville franchit les hautes murailles crénelées de la ville close de Concarneau le jeudi 22 janvier à huit heures du matin. Les canots des ligneurs étaient déjà au large depuis longtemps et pêchaient à la traîne les maquereaux, les merlans, les tacauds et les vieilles. Les homardiers étaient partis relever les casiers dans les rochers et les brisants des Glénan. Rousseau arrêta la voiture sur la place, devant le Grand Hôtel des Voyageurs. Il se rafraîchit à la fontaine et contempla l'entrée du port du haut des fortifications. Sur la droite, le quartier de la Croix alignait les conserveries inactives pendant l'hiver. Quelques barques à l'horizon oscillaient sur une mer grise et paisible. Le calme ne durerait sans doute pas longtemps.

Rousseau revint à la voiture. À l'arrière, Victor et Max dormaient à poings fermés. Il les réveilla sans ménagement et suggéra de prendre un café sans tarder. L'imposante bâtisse de l'hôtel dominait la place et affichait sur sa façade une grande enseigne dont l'inscription, « Ici, on loge à pied et à cheval », fit sourire Victor. Une dame qui portait haut la coiffe traditionnelle et exhibait le blanc immaculé de son tablier par-dessus une camisole brun-rouge leur servit un café brûlant et réconfortant. Elle posa devant eux une assiette de beurre salé et un panier rempli de grosses tranches d'un pain au levain croustillant à souhait. Max se jeta dessus et dévora sa tartine. Victor et Rousseau furent plus parcimonieux et dégustèrent avec délicatesse. Le pot de café fut vite épuisé. Ils se firent expliquer le chemin pour aller à l'église. La dame s'exprimait en breton, et Victor ne comprit pas grand-chose, mais Rousseau, à ses côtés, avait saisi le trajet. En sortant, Victor s'étonna :

– Eh bien, Rousseau, d'où parlez-vous breton ?

– Oh ! Je ne le parle pas, inspecteur, mais je le comprends un peu. Ma mère était bretonne. J'ai passé mes vacances à Douarnenez, chez mes grands-parents, quand j'étais petit. Alors, j'ai quelques notions.

Lorsque les trois policiers sortirent du Grand Hôtel des Voyageurs, ils virent, agglutinés autour de la Delaunay-Belleville, des petits vieux en grande discussion, plongés dans un examen minutieux de chaque parcelle de la carrosserie. Rousseau, amusé, donna quelques coups d'accélérateur pour faire mugir la voiture et démarra au milieu des exclamations et des hourras. Il se dirigea vers le quai afin de remonter jusqu'à la rue des Écoles, où se trouvaient l'église de Saint-Guénolé et son presbytère.

Le père Yvan les reçut avec curiosité et étonnement. Trois policiers de la Criminelle de Paris, il n'avait jamais vu ça ! Mais sa surprise se transforma en stupéfaction lorsque Victor lui expliqua le but de leur visite :

– Voilà, mon père, c'est un peu délicat. Il faudrait, pour les besoins d'une enquête, ouvrir une des tombes de votre cimetière.

– Ah ! Mon Dieu ! Vous voulez procéder à une exhumation ?

– Non, non, rassurez-vous, mon père, nous n'avons pas besoin d'exhumer un corps. Nous voulons seulement l'ouverture d'une tombe qui a servi de cachette à un malfaiteur. Nous sommes missionnés pour récupérer son butin et le rapporter à Paris.

– Ah ! J'préfère ça ! Mais de quelle tombe s'agit-il ?

– La tombe des parents Daubier. Elle est toute récente. Le fils Valentin est venu vous voir pour enterrer ses parents, qui avaient été mis dans la fosse commune. Les faits ont dû se dérouler au printemps dernier.

– Ah ! Mon Dieu ! Si j'me souviens ! Un drôle de type ! Oui, un légionnaire. C'était le dernier enfant de la famille. Les pauv' Daubier ont pas eu une fin de vie facile…

– Voici la commission rogatoire, mon père, qui nous autorise à ouvrir cette tombe. Y a-t-il un gardien au cimetière ?

– Y a bien l'père François, mais, à c't'heure, y doit pas êt' là… C'est un p'tit pêcheur qui pêche le matin. Après, la mairie l'paye pour garder le cimetière. Ça lui fait un complément, et puis il a l'logement aussi à sa guise. Mais j'vais vous accompagner, vous avez l'air costauds, vous arriverez bien à soulever la pierre.

Une fois arrivés au cimetière, Max et Rousseau avaient récupéré dans la guérite du gardien une pioche pour faire levier. L'ouverture se fit sans difficulté. Victor craignit un moment d'être obligé de sortir les cercueils, mais ce fut inutile. Un sac en toile de jute reposait sur le rebord intérieur de la fosse, facilement accessible. Max tira le sac et l'ouvrit. Il fit signe à Victor que c'était bien ce qu'ils cherchaient. On referma la tombe et on ramena le père Yvan au presbytère après avoir refusé son café en lui souhaitant une bonne journée. Et la Delaunay-Belleville s'élança sur la route de Quimper. Victor se félicitait que l'affaire eût été si rondement menée. Il était à peine dix heures. Il serait à Quimper avant onze heures, ils étaient dans les temps.

À la gendarmerie de Quimper, le capitaine Lascouët était en ébullition. Le Quai des Orfèvres dans sa gendarmerie, c'était un événement d'importance. Et cette affaire Farget prenait des proportions qui le dépassaient totalement. Lorsque Victor et Max arrivèrent, il y eut un temps de flottement. Lascouët était embarrassé, il ne savait pas où en était l'enquête. Victor, bon prince, chercha à le mettre à l'aise et voulut lui expliquer rapidement la situation. Mais la complexité de l'affaire le contraignit à tant de développements que le pauvre capitaine fut vite perdu et totalement désemparé.

— Excusez-moi, inspecteur, mais je ne vous suis pas du tout. Selon moi, le meurtre de Farget est un simple règlement de comptes entre trafiquants. Nous avons retrouvé des stocks de pièces détachées dans son garage, de l'argent liquide dans un vieux coffre, et sa comptabilité est entièrement trafiquée. Nous surveillons de près les abords de son garage. Pour l'instant, nous n'avons rien d'autre que ce Valentin Daubier qui était son exécutant sur le terrain ; il fréquentait assidûment le garage et faisait des petits travaux sur les voitures. Nous avons même trouvé une voiture volée à demi désossée dans une des dépendances. Pour nous, il n'y a pas de doute.

— Il n'y a en effet aucun doute sur les trafics que menaient ensemble Farget et Daubier. Mais ce n'est pas Daubier qui l'a tué. Il n'y avait d'ailleurs aucun intérêt : sans Farget, les trafics tombaient à l'eau. Nous avons l'intention de perquisitionner chez Valentin Daubier, mais nous vous laissons la tâche de convoquer le syndic de Farget pour un interrogatoire que nous ferons ensemble.

— Monsieur Baulieu ? ! Mais c'est un notable de Quimper ! Je ne peux pas le convoquer comme ça ! Il a été conseiller municipal pendant dix ans, et aujourd'hui, il est propriétaire de presque la moitié de la ville !

– Justement ! Si mes renseignements sont bons, ce monsieur Baulieu est notaire, n'est-ce pas ?

– Oui, sa famille est notaire à Quimper depuis des générations. Évidemment, il n'a pas que des amis. Certaines opérations immobilières ont contrarié beaucoup de monde. Il rachète les vieilles maisons en mauvais état. Il reconstruit des immeubles modernes qu'il revend à prix d'or. Lorsque les maisons vétustes sont trop croulantes, il obtient des expropriations. Alors là, les propriétaires grincent des dents, mais ce sont des mesures de salut public ! Et monsieur Baulieu a le souci des petites gens : il a un projet qu'il devrait mener à bien prochainement, une cité ouvrière pour les employés de l'usine à gaz au quartier du Cap-Horn. Le projet est au placard pour l'instant, la direction de l'usine refuse d'investir dans l'immédiat. Donc, vous voyez, maître Baulieu, c'est un personnage important à Quimper !

– Oui, j'entends bien, capitaine, mais vous allez le convoquer cet après-midi sans faute. Voici la convocation officielle, signée par le juge d'instruction. Nous avons absolument besoin de l'interroger. Dans l'immédiat, vous allez nous indiquer un hôtel confortable. Notre conducteur a besoin de se reposer, car nous avons l'intention de rentrer à Paris cette nuit même. Et il faut également que vous nous expliquiez comment nous rendre chez Valentin Daubier ainsi qu'au garage Farget.

Le capitaine Lascouët saisit la convocation, qu'il lut avec attention en se disant que décidément cet inspecteur était un fâcheux bien inopportun. Baulieu ne verrait pas d'un bon œil cette convocation, et il n'avait pas envie de se le mettre à dos. Ce n'était pas l'inspecteur Dessange qui devrait supporter ensuite ses brimades ! Mais le document officiel n'était pas contestable, il devait obéir. Il leva le nez de son papier et répondit :

– Pour l'hôtel, c'est pas difficile : sur la place en face, vous avez l'hôtel de la Tour d'Auvergne. Les chambres sont confortables et la nourriture excellente, et pas cher. Le domicile de Daubier se trouve juste à côté du garage Farget, 12 rue du Chapeau-Rouge, à deux pas d'ici. Vous pouvez y aller à pied. Vous traversez la place Saint-Martin, et c'est la rue sur votre droite. Vous verrez, c'est une très vieille rue de Quimper, les maisons sont toutes bancales.

– Une rue que monsieur Baulieu rêve sans doute de démolir…

– Oui, inspecteur. Y a un projet de démolition du côté pair de la rue, mais certains se font tirer l'oreille pour partir.

– C'était bien le cas de Farget, n'est-ce pas ?

– Pas vraiment ; lui, il était pas propriétaire de son garage. C'est un usufruit que la ville lui avait accordé il y a une vingtaine d'années. Avec l'apparition des automobiles et l'extension de l'usine à gaz, à c't époque-là, Quimper avait besoin d'un mécanicien. L'usufruit prend fin avec la mort de Farget. C'est la ville qui est propriétaire. C'est pour ça qu'il y a un syndic, c'est lui qui gère l'ensemble, la locataire du premier paye un loyer.

– Mais alors, l'immeuble du garage tombe d'office dans l'escarcelle de la municipalité. Le dossier ne mentionnait pas cet élément ! Farget refusait l'indemnité qu'on lui proposait pour partir et renoncer à son usufruit ?

– Oui, c'est cela. J'ai pas pensé que c'était important. Ça n'avait rien à voir avec le meurtre.

– Et si, justement, ça a tout à voir, capitaine ! Éliminer Farget, c'est récupérer les lieux sans même verser d'indemnités ! Bien ! Procédez sans faute à la convocation. Nous, nous allons rue du Chapeau-Rouge. On se retrouve dans une heure.

Le capitaine Lascouët jeta un œil à la pendule :

– Mais j'vais aller déjeuner, inspecteur. À midi, j'déjeune.

Victor soupira et leva les yeux au ciel.

– Eh bien déjeunez, capitaine, mais après avoir convoqué notre homme !

Victor sortit avec Max en maugréant :

– Mais qu'est-ce que c'est que cet emplâtré!

– Ne vous énervez pas, inspecteur, rétorqua Max, nous sommes à Quimper, pas à Paris. Ce n'est pas le même rythme. Et puis, excusez-moi, mais je trouve que ce ne serait pas une mauvaise chose pour nous de déjeuner aussi. Cette Tour d'Auvergne me paraît très sympathique, et j'ai une faim de loup !

– Mais tu as dévoré un nombre incalculable de tartines à Concarneau !

– Oui, inspecteur, pardon, Victor, mais c'était il y a trois heures, et je n'en ai pris que deux, deux grosses, mais que deux ! Et l'air marin, ça creuse !

Les trois policiers s'attablèrent à la Tour d'Auvergne. Victor et Max racontèrent en riant les facéties du capitaine Lascouët à Rousseau, resté dans la voiture. Celui-ci s'exclama :

– Ou c'est un parfait abruti, ou il touche des pots-de-vin !

– Abruti certes, répondit Victor, mais je pense que, dans le fond, il est honnête et sincère.

Max, songeur, répliqua :

– Dommage que Chassaing ne soit pas avec nous. Il aurait apprécié d'examiner ces cas d'école.

On leur servit un ragoût bigouden, des assiettes volumineuses remplies de chou, de pommes de terre, de carottes, de saucisses et de lard braisé. Max se régala, la serviette passée dans le col de sa chemise. Rousseau et Victor, toujours plus mesurés, reconnurent cependant que le plat était excellent. Il fut suivi d'un far breton que Victor, rassasié, donna à Max en disant :

– Je me demande où tu mets tout ce que tu avales, Max !

Rousseau se retira dans la chambre que Victor avait louée pour lui. Il était convenu qu'il se repose tout l'après-midi. Victor ferait l'aller-retour à Brest au volant de la Delaunay-Belleville avec Max. Ils se donnèrent rendez-vous sur la place de la Tour-d'Auvergne entre vingt et une et vingt-deux heures. Rousseau conduirait pour le retour à Paris. Victor régla la note et partit avec Max rue du Chapeau-Rouge.

Le domicile de Valentin Daubier était exigu et délabré : une vieille maison de pêcheur à toit de chaume comprenant une seule pièce servant à la fois de chambre et d'atelier. Victor et Max eurent vite fait de la passer au crible et dénichèrent la fameuse fausse lettre dans le deuxième tiroir de ce que Daubier avait appelé « son bureau » et qui était en fait un établi qui paraissait avoir mille ans tant le plateau en était usé. Quelques vieux outils, quelques nippes sales et déchirées, un fauteuil en osier au dossier lacéré et un matelas douteux, ainsi qu'une vieille couverture de l'armée, constituaient tout le mobilier. Dans une soupente qui sentait le moisi, une vasque égratignée et deux brocs d'eau en fer-blanc, ainsi qu'un matériel de pêche entassé dans un coin ; ni réchaud, ni cheminée, ni poêle :

un abri de grande misère qui avait sans doute
été le lieu de vie de ses parents – et partout, des
effluves de poisson, de varech et d'eau de mer. Max
et Victor préférèrent sortir à l'air libre pour examiner la lettre, malgré le froid et la brise cinglante
qui s'était levée et s'engouffrait sournoisement
dans la rue si étroite que les toits des maisons
en face-à-face se touchaient presque. Le faux était
grossier, mais réalisé sur une feuille de papier à
lettres qui avait dû être volée au ministère de la
Guerre.

– À moins que, rectifia Victor en tâtant le papier,
à moins que l'auteur de ce faux n'ait utilisé un courrier qu'il avait lui-même reçu. Touche là, Max, on
a l'impression que le papier a été gratté à certains
endroits. On a pu enlever l'encre et réécrire par-
dessus en imitant l'écriture initiale.

– Il a pu aussi le faire faire par quelqu'un d'autre,
il y a pléthore de faussaires à Paris.

– Exact. En tout cas, c'est bien un faux. Ce qui
prouve que quelqu'un voulait absolument faire
venir Daubier à Paris.

– Oui, continua Max. Et ce quelqu'un pourrait
bien être ce fameux Zelinguen… Une chose est
sûre en revanche la masse retrouvée sur l'établi
ne correspond pas aux quelques malheureux outils
qui traînent ici. Si Daubier faisait de la mécanique,
ce n'était pas chez lui, et la masse ne lui appartient pas.

– Bon ! On ne trouvera rien de plus ici ! Allons
jeter un coup d'œil chez Farget.

Le garage se trouvait un peu plus loin dans
la rue, au numéro 24. Une enseigne au nom de
Farget en annonçait l'entrée : un porche de belle
largeur qui ouvrait sur une vaste cour intérieure.

La maison se dressait sur la gauche et abritait un rez-de-chaussée et deux étages. Sur la droite, une vaste grange était aménagée en atelier de mécanique. Une voiture, deux motocyclettes, des pneus, des moteurs de tailles diverses et quelques bicyclettes végétaient là et semblaient désormais attendre la rouille. Des outils de toutes les tailles étaient accrochés au mur du fond, au-dessus d'un établi recouvert d'objets en ferraille de toutes sortes et achevé par une mâchoire latérale en acier. À gauche de l'établi, une porte vitrée donnait sur une petite pièce sans fenêtres qui servait de bureau. Le désordre y était total : tout avait été chamboulé.

Au fond de la cour, face au porche, des dépendances reliaient la grange et le bâtiment d'habitation. Une partie des dépendances était réservée à un petit garage dans lequel se trouvait une voiture à demi désossée. Le reste était divisé en trois pièces où étaient stockés du matériel et des pièces détachées, une vraie mine pour tout mécanicien. Le cadavre de Farget avait été trouvé dans le grand atelier, au sol, près de la voiture dont le capot était ouvert. Un vague dessin à la craie marquait encore l'emplacement. Les premières constatations considéraient que le corps n'avait pas été bougé. Farget avait donc été tué sur place. Il avait dû être frappé par-derrière et par surprise alors qu'il se dirigeait vers son bureau.

– Si nous restons sur notre hypothèse, estima Max, cela veut dire que le meurtrier a frappé Farget, puis il l'a laissé en l'état et il est allé déposer la massue chez Daubier.

– Oui, et c'est tout à fait plausible. On peut entrer chez Daubier comme dans un moulin. Il n'a eu qu'à s'assurer qu'il était absent.

En repartant, Victor jeta un œil sur le bâtiment principal. À la fenêtre, une vieille femme les
observait.

— C'est la locataire du premier étage. Ce serait
peut-être intéressant de lui dire deux mots.

— Allons-y, inspecteur.

Madame Rucher vivait là depuis trente ans et
regrettait beaucoup monsieur Farget. Ça faisait
une présence, elle se sentait plus en sécurité, et
puis il résistait, il ne voulait pas partir, et tant
qu'il était là, elle, elle pouvait espérer rester. Mais,
maintenant, elle n'avait plus qu'à faire ses valises
et elle ne savait pas bien où elle pouvait aller...
Non, elle n'avait rien vu le jour du meurtre. C'était
elle qui avait découvert le corps en descendant
faire ses courses. Elle avait vu les pieds de monsieur Farget dépasser, et elle était allée voir de
plus près. Après, elle avait couru à la gendarmerie
avec la peur au ventre, et depuis elle avait bien
du mal à dormir.

Avant de partir, Victor et Max voulurent faire un
dernier tour à l'atelier. Il y faisait sombre, maintenant. Victor trouva un interrupteur, et une grosse
ampoule s'alluma et éclaira l'emplacement de la
voiture. Sur le sol en terre battue, à un mètre de
l'emplacement du corps, de l'huile et du cambouis
s'étaient répandus. Victor retint Max, qui allait marcher dessus.

— Regarde, Max, là, l'empreinte, tu ne la reconnais
pas ?

— Bon sang, Victor ! C'est la même que celle
qu'on a trouvée rue des Moulins, dans le jardin au
pied du chêne : l'empreinte en fer à cheval d'une
semelle cloutée.

– Eh oui ! Dommage que Lantier n'ait pas pu venir. On peut essayer de la dessiner, mais ce n'est pas pareil…

– Attendez, attendez ! Lantier m'a donné du matériel. Passez-moi les clés de la voiture. Je vais chercher l'appareil à photographier.

– Tu sauras t'en servir ?

– Mais oui ! Ce n'est pas sorcier ! La photo ne sera peut-être pas aussi bonne qu'avec Lantier, mais ce sera toujours mieux qu'un dessin.

Victor lui tendit les clés, et Max partit en courant jusqu'à la place de la Tour-d'Auvergne. Pendant ce temps, Victor examina les lieux de plus près. Le silence qui régnait était glaçant. Dans le bureau, au milieu du chaos, Victor avisa une machine à écrire Scholes & Glidden, cachée sous un tas de paperasse en désordre. Qu'est-ce que Farget pouvait bien faire avec une machine à écrire ? Cette anomalie poussa Victor à examiner les papiers accumulés sur le bureau, qui était fait d'une planche de bois posée sur des tréteaux. Et Victor découvrit toute une correspondance avec le fameux Baulieu : des dizaines de lettres qui s'échelonnaient sur environ six mois, de plus en plus pressantes, jusqu'aux deux dernières résolument menaçantes. Et Farget avait répondu à chaque lettre et gardé le double de ses refus catégoriques de partir. Victor rassembla l'ensemble de ce courrier fort intéressant qui allait lui être, pensait-il, très utile pour l'interrogatoire du notaire. Max prit plusieurs photos de l'empreinte, et tous deux repartirent à la gendarmerie.

Le capitaine Lascouët avait installé maître Baulieu le plus confortablement possible face à son bureau et avait tenu à lui apporter un café. Victor fut extrêmement surpris dès qu'il posa un œil sur le personnage. Gilles Baulieu n'était pas un battant. Le notable de Quimper, dont l'importance avait été tant vantée par le capitaine, faisait pitié. D'une timidité maladive et bourré de complexes, il n'était à l'aise que derrière son bureau, à l'abri dans son étude. Il savait rédiger des baux, des contrats, des assignations, des courriers d'expropriation, il savait aligner les colonnes de chiffres et faire des opérations savantes pour passer de l'addition à la multiplication, mais il était incapable d'affronter le moindre adversaire. Il lui fallait des intermédiaires, des hommes de main, des chargés de mission. Victor et Max n'en firent qu'une bouchée. Il ne supportait pas d'être en première ligne et ne flairait aucun piège.

Gilles Baulieu craqua en quelques questions bien ciblées : oui, il avait décidé d'en finir avec monsieur Farget, qu'il sollicitait depuis des mois, à qui il avait offert un pont d'or pour racheter un usufruit qui ne valait pas grand-chose en réalité. Oui, il avait contacté un homme de main et l'avait chargé de régler le problème. Ce type lui avait dit s'appeler Pierre Muller, et il ne lui avait pas demandé ses papiers. Non, il n'avait aucune relation dans le milieu, c'était Pierre Muller qui était venu, de façon très opportune, lui proposer ses services. Et il avait pensé que c'était la moins mauvaise solution. Non, il ne lui avait pas demandé de le tuer. C'était ce Pierre Muller qui avait pris l'initiative. Lui, il voulait seulement lui faire peur et de façon plus concrète que par les courriers. Oui, il avait payé Pierre Muller quelques centaines de francs, mais la situation devenait urgente, les investisseurs s'impatientaient. Il fallait commencer les travaux. Oui, il avait le soutien de la municipalité pour ce chantier. C'était un enjeu important. Il ne pouvait pas échouer sur ce coup-là. Non, il n'avait pas envisagé de venir trouver les gendarmes lorsqu'il avait appris le meurtre. Il avait espéré qu'on ne remonterait pas jusqu'à lui.

Victor et Max furent presque déçus d'avoir obtenu si facilement les aveux du notaire. Ils laissèrent le capitaine Lascouët régler les problèmes de procédure et informer le juge. Ils remontèrent dans la Delaunay-Belleville. Victor prit le volant et Max s'installa à l'avant.

– Il aurait vraiment été dommage de ne pas faire ce voyage. Tout se déroule comme sur des roulettes ! s'enthousiasma Max.

– Ne te réjouis pas trop vite. L'énergumène qui nous fait courir partout, cet Hector Pasquier, alias Zelinguen, alias Pierre Muller, et j'en passe, nous n'avons pas la moindre idée de l'endroit où il se trouve. Nous cherchons des preuves qui innocentent Daubier, qui inculpent des commanditaires, mais lui, ce type, on n'a pas grand-chose qui nous permette de le mettre sous les verrous.

– Oui, je crois, répondit Max, que Daubier n'avait pas tort lorsqu'il nous a prévenus que nous aurions du mal à le pincer.

Victor s'engagea sur le quai de l'Odet. Il était quinze heures trente. Ils seraient à Brest dans deux petites heures.

***

Fulgence Dupuis était ravagé par l'inquiétude et la tristesse. En plus d'Amédéo Modigliani qui se mourait et de Jeanne qui désespérait à l'idée de le perdre, la nouvelle de la mort de son frère était tombée comme un couperet. Sans Marcel, Fulgence se sentait incapable de se débrouiller et de gérer leurs affaires.

C'était la police du Havre qui l'avait averti par télégramme. Marcel ! Assassiné dans une des rues les plus mal famées du Havre ! C'était incompréhensible. Fulgence fréquentait parfois des lieux suspects, mais Marcel jamais ! Marcel était un homme sage, pondéré, sobre dans ses désirs et dans ses plaisirs, entièrement voué à son travail et à ses affaires. Fulgence ne parvenait pas à s'expliquer une mort aussi violente et aussi compromettante. L'enquête suivait son cours, lui avait-on dit, et pour l'instant, on ne pouvait pas lui restituer le corps. Fulgence avait aussitôt contacté une entreprise de pompes funèbres en la chargeant de régler toutes les formalités et de se mettre en lien avec la police du Havre. Il ne voulait surtout pas avoir affaire à eux. Cette mort lui répugnait et l'effrayait au plus haut point. Et même si elle le libérait de la tyrannie de son frère et le rendait héritier de sa fortune, il était bien embarrassé de devoir désormais prendre la responsabilité de cette gestion. Pour couronner le tout, il avait reçu ce matin une injonction assez désagréable de l'associé de son frère, Alfred Du Boïs, un homme prétentieux et cupide qu'il détestait et qui lui faisait peur. Alfred Du Boïs le méprisait, l'assommait de ses sarcasmes chaque fois qu'ils se croisaient, et donnait l'impression, rien que par son allure, de pouvoir écraser et broyer quiconque gênait son parcours. Le courrier le sommait de se présenter à seize heures au siège de sa société, 5, rue Clément-Marot, en présence de maître Villain, son notaire. Et cette convocation ne lui disait rien qui vaille.

En traversant le pont de l'Alma, Fulgence cherchait à se donner du courage avant d'affronter Du Boïs. L'immeuble cossu qui abritait la société DU BOÏS & DUPUIS appartenait à Alfred Du Boïs. C'était un immeuble en pierres de taille, construit au tournant du siècle et doté de tous les aménagements possibles de la modernité. La société d'import-export avait ses bureaux au rez-de-chaussée. Un épais tapis de laine rouge guidait les pas du visiteur jusqu'à la porte d'entrée. Fulgence sonna. On le fit entrer dans une pièce dont tous les murs étaient recouverts de hauts miroirs, du sol au plafond. Le parquet Versailles luisait et crissait sous les pas.

– Si monsieur veut bien patienter quelques minutes, lui susurra le majordome qui l'avait introduit avant de se retirer.

Les bras ballants, la mine contrite, Fulgence regardait autour de lui comme s'il cherchait une issue pour s'enfuir, tout en essayant d'éviter son image, qui le poursuivait pourtant où qu'il posât les yeux. Lorsque la porte à double battant s'ouvrit et que Chapier apparut en lui faisant signe de le suivre, Fulgence dut faire un effort immense pour accomplir les quelques pas qui le séparaient de l'entrée du bureau. Hypocrite comme il savait l'être, Alfred Du Boïs s'avança vers Fulgence et lui tendit la main :

– Fulgence, cher ami, j'aurais évidemment souhaité que nous nous retrouvions dans des circonstances moins tristes. Asseyez-vous, je vous en prie.

Fulgence, qui avait craint d'être saisi à la gorge dès son entrée et n'avait guère l'habitude des négociations d'affaires, ni des postures aimables des prédateurs, encore moins de ce qui se cachait derrière, se détendit un peu et s'assit avec un sourire crispé qui révélait plus d'angoisse que de méfiance. Alfred Du Boïs reprit sa place. Maître Villain était assis à l'extrémité du grand bureau Louis XVI dont il avait tiré la tablette pour poser ses dossiers. Pour saluer Fulgence, il se contenta d'un hochement de tête et se replongea dans la lecture de ses documents.

– Mon cher Fulgence, reprit Alfred Du Boïs, la disparition totalement inattendue de Marcel me contraint à envisager l'avenir d'une façon bien différente de ce que nous avions prévu. Vous le comprenez, je pense ?

– Oui, bien sûr, murmura Fulgence d'une voix si faible et sur un ton si résigné que maître Villain dut tendre l'oreille pour entendre et s'assurer de cet acquiescement.

– J'ai bien réfléchi et, vous connaissant un peu, je me suis dit que la gestion de notre société et les arcanes de l'import-export n'étaient sûrement pas une perspective qui vous enchantait.

Fulgence, sans se méfier, continua de laisser le champ libre à son interlocuteur.

– Non, effectivement, reconnut-il en se raclant la gorge, j'ai peu de goût pour les affaires.

– Voilà. Je suis bien aise de vous l'entendre dire. C'est la raison pour laquelle – et croyez-moi, mon cher, mon premier souci est sans nul doute d'alléger votre peine – je vous fais la proposition de vous racheter les parts de Marcel dans leur intégralité.

– Mais, monsieur Du Boïs, si tôt ? Marcel n'est même pas encore enterré. L'enquête est en cours… Je ne suis pas opposé à cette proposition, mais je pense qu'il serait plus convenable d'attendre que l'affaire soit classée et Marcel enterré pour user de ses biens et de son patrimoine...

– Ah ! Mais mon cher, bien sûr ! Il ne s'agit aujourd'hui que d'une promesse de vente. Maître Villain a tout préparé. Vous n'avez plus qu'à signer. Les biens qu'il possédait en dehors de la société ne sont évidemment pas concernés. Il ne s'agit que des 50 % des parts qu'il détenait dans la société DU BOÏS & DUPUIS et que je souhaite vous racheter pour vous enlever tout souci de gestion.

Contre toute attente, Fulgence semblait rester rétif à la requête. Maître Villain fronça sévèrement ses sourcils broussailleux et, derrière ses binocles, son regard se durcit. Quant à Alfred Du Boïs, il perdait progressivement le masque de bonhomie qu'il avait choisi d'arborer de prime abord. La situation se tendait, et Chapier jugea bon de proposer un rafraîchissement à ses messieurs, espérant ainsi détendre l'atmosphère.

Fulgence gardait le silence et réfléchissait : d'un côté, il trouvait indécent de procéder à une vente aussi prématurément ; d'un autre, il mesurait le soulagement que cette vente lui procurerait et envisageait combien cet argent pourrait lui être utile pour aider Jeanne qui allait se retrouver toute seule avec deux enfants en bas âge. Sans cette urgence, sans doute n'eût-il pas accepté de signer, mais, n'ayant aucune connaissance des avoirs de son frère, il était fortement tenté d'accéder à la requête de Du Boïs. Il resta néanmoins sur ses gardes, pas tant par méfiance que par pudeur.

– Je ne sais pas, monsieur, si je peux dès aujourd'hui vous satisfaire sur ce point. J'aurais besoin d'un peu de temps, vous comprenez, pour mettre au clair les affaires de Marcel et savoir où j'en suis.

Chapier déposa sur un guéridon un verre d'orangeade dont Fulgence se saisit avec empressement. La tension et l'inquiétude lui donnaient soif. Alfred Du Boïs décida alors d'abattre ses cartes et de finir la partie.

– Écoutez, Fulgence. Pour exécuter les opérations financières qui s'imposent, les heures me sont comptées. Le temps des affaires n'est pas celui du deuil. Alors je vous demande de signer ces documents immédiatement. C'est votre intérêt. Je dispose de renseignements à votre sujet qui pourraient faire très mauvais effet s'ils étaient divulgués. Vous n'aimeriez pas, je pense, que votre homosexualité soit de notoriété publique ?

Fulgence se figea, comme paralysé. Un filet de sueur glaciale coulait entre ses omoplates. La peur, tapie en lui depuis la réception du courrier, le dévorait désormais tout entier et transpirait par tous les pores de sa peau. Il posa son verre d'orangeade. Maître Villain lui tendit le stylo et indiqua l'emplacement où signer sur chaque page du document. Les narines pincées, les lèvres crispées, les cheveux hérissés, Fulgence s'exécuta. Sa main moite glissait sur le stylo à plume, son corps tout entier luttait contre des tremblements irrépressibles. Toujours assis derrière son bureau, Alfred Du Boïs jubilait : il venait de racheter 10 francs l'unité cinq cents parts qui en valaient chacune 734. Il ferait parvenir demain à Fulgence Dupuis le double du contrat de vente qu'il venait de signer et la somme de 5 000 francs comme solde de tout compte.

Fulgence était sorti presque en courant et ne put respirer à nouveau normalement qu'une fois revenu

avenue Montaigne et convaincu que personne ne le
suivait. Ce fut finalement à ce moment-là qu'il prit
conscience d'avoir signé sans même avoir demandé
à quel prix Du Boïs rachetait les parts de son frère.
Il haussa les épaules, car il eût été incapable de discuter le prix, n'ayant aucune idée de la valeur réelle
de ces parts. Mais il fut également certain d'avoir
été floué et d'être en réel danger, car Alfred Du Boïs
restait en possession d'informations le concernant
qui pouvaient lui permettre de ruiner sa vie.

Fulgence prit le métro au rond-point des Champs-
Élysées. Pour lui, ce jeudi 22 janvier 1920 était vraiment une mauvaise journée. Il décida de se rendre
sans tarder aux bains-douches des Deux-Ponts dans
l'espoir d'y puiser un peu de réconfort.

***

L'hospice des sœurs de Marie était un établissement totalement enfoui dans la campagne des
environs de Brest. Il avait été construit à l'écart du
bourg de Guesnou, à proximité d'un petit ruisseau
et à l'orée d'une forêt. Victor eut du mal à dénicher
la vieille bâtisse, dont une partie était en ruine.
Mais les sœurs avaient réussi à conserver en bon
état la tour ouest, le cloître, la chapelle et le corps
du bâtiment. Nul ne renseignait sur le chemin qui
y menait. Les quelques habitants de Guesnou inter-
rogés firent mine de ne pas savoir où se trouvait
l'hospice, comme si en ignorer l'existence pouvait
protéger le village des êtres abîmés qui y vivaient.
Pourtant, les lieux ne manquaient pas de charme.
Au milieu de la cour, un vieux puits accueillait les
visiteurs avec sa nacelle et son sceau. Des arbres
fruitiers et des arbustes de toutes sortes donnaient

à cette cour des allures de verger. Au printemps,
cette arrivée devait être magnifique avec tous ces
arbres en fleurs. Les sœurs élevaient des poules et
des canards qui se promenaient en liberté en caque-
tant allègrement. Dans un angle, un saule pleureur
s'épanchait sur une mare recouverte de feuilles et
de lianes où coassaient quelques crapauds.

Victor n'osa franchir la grille de peur de perturber
tout ce petit monde en apparence si paisible. Il gara
la Delaunay-Belleville dans l'allée, et ils allèrent à
pied jusqu'à la porte d'entrée, à laquelle conduisait
un escalier dont les pierres moussues et cabossées
avaient gardé les empreintes des milliers de pieds
qui les avaient foulées. Max actionna le heurtoir,
et une petite sœur toute frêle et fripée comme une
pomme reinette vint leur ouvrir. Victor les présenta
et demanda à parler à la supérieure. La sœur, tout
effrayée, partit à petits pas quérir mère Antoine. À
l'intérieur, l'hospice avait une allure plus austère et
plus froide. Mais tout resplendissait de propreté. La
petite nonne revint et leur demanda de la suivre.
Ils empruntèrent un long couloir dont les hautes
fenêtres donnaient sur un joli cloître où déambu-
laient des malades en chemise et en châle, surveillés par des sœurs attentives. Dans la partie du
cloître qui jouxtait les cuisines, des pensionnaires
soignaient un potager prolongé par un jardin de
simples qui semblait réquisitionner toute l'attention
de deux grands gaillards au visage difforme et aux
gestes saccadés. Victor et Max, surpris, s'arrêtèrent
pour observer l'activité intense qui animait le cloître.

– C'est notre meilleure façon de soigner nos
ouailles. Ici, le temps est partagé entre le jardinage
et la prière.

– Et ces deux hommes, ma sœur, là-bas dans le jardin des simples ?

– Oh ! Pierre et Jean. Nous les appelons ainsi, mais en réalité nous ne connaissons pas leur nom. Ce sont deux gueules cassées qui ont atterri ici, on ne sait pas trop comment. Ils erraient dans le village, sans abri, sans identité, un matin de février 1919. Le maire de Guesnou nous les a amenés et on les a gardés. Mais ils n'ont pas que le visage massacré, leur système nerveux a été endommagé. Ils ont du mal à se déplacer et ne parlent pas. Venez, mère Antoine vous attend au parloir.

La supérieure était une grande femme sans âge, longiligne et élancée, au visage émacié et dont les yeux d'un bleu très clair semblaient vous transpercer jusqu'à l'âme. Victor expliqua la raison de sa venue. Elle acquiesça :

– Oui, j'ai eu un message m'avertissant de votre visite. Lucien Daubier est effectivement un de nos pensionnaires. Il n'est pas dangereux. C'est un brave garçon : un enfant de cinq ans dans un corps d'homme de vingt-cinq ans ; une anomalie de naissance, sans doute due à l'alcoolisme de ses parents.

– Vous avez eu la visite de son frère récemment ? demanda Victor.

– Oui, en effet, Valentin, je crois, un soldat qui s'est battu en Afrique dans la Légion étrangère, un homme torturé mais généreux. Il a laissé pour son frère une petite rente qui permet d'améliorer son ordinaire.

– Pourriez-vous nous indiquer la chambre où dort Lucien, ma mère ?

– Si vous voulez voir Lucien, c'est à l'étable qu'il faut aller. Il n'est pas dans sa chambre à cette heure. Mais il ne va pas tarder à venir pour le repas du soir. Si vous préférez, vous pouvez le voir au réfectoire.

– Non, non, ma mère, ce n'est pas Lucien que nous venons voir. Nous ne tenons pas à le perturber. C'est sa chambre qui nous intéresse. Son frère Valentin est censé y avoir caché, à son insu et la vôtre, quelque chose que nous tenons à récupérer.

– Ah ! Mon Dieu ! Ce ne sont pas des armes, j'espère !

– Non, ma mère, mais il est tout de même préférable de ne pas laisser traîner ces objets ici.

Mère Antoine appela la sœur responsable des chambrées, qui, tout intimidée, guida Victor et Max jusqu'à la chambre de Lucien. Ils repérèrent immédiatement l'armoire dont avait parlé Valentin. Ils la poussèrent et découvrirent dans le mur, un mètre au-dessus du sol pavé, un assemblage de briques disjointes qui fermaient une niche dans laquelle se trouvaient les lingots. Max avait pris avec lui un grand sac de cuir dans lequel il déposa leur trouvaille. Il referma la niche et repoussa l'armoire. Lorsqu'ils redescendirent, mère Antoine les attendait devant la porte.

– Avez-vous trouvé ce que vous cherchiez, messieurs ?

– Oui, absolument, répondit Victor, vous n'avez plus à vous soucier de cela. Lucien peut poursuivre tranquillement sa vie sous votre garde, ma mère. Il n'y a plus rien à craindre. Prenez bien soin de lui.

– Nous nous y employons, soyez sans crainte, faites bonne route et que Dieu vous garde.

Victor et Max quittèrent l'hospice des Sœurs de Marie, satisfaits d'avoir récupéré les lingots, mais avec un léger sentiment d'abandon.

– C'est un bel endroit, dit Max, mais, en même temps, je le trouve terrifiant. Finalement, quand on y entre, c'est pour ne plus jamais en sortir… Et personne ne vient jamais rendre visite à personne…

– Oui, Max, c'est ainsi que nous traitons ceux que nous considérons comme fous, inaptes à la vie en société. Et pourtant, quand on voit ces prétendus « malades », on est en droit de penser qu'ils sont bien plus aptes à la vie sociale que certains de nos concitoyens, sans même parler de nos criminels, qui vivent pourtant en liberté…

– Oui, c'est bien vrai… Je me suis dit aussi que Pierre et Jean, les deux gueules cassées, ça aurait bien pu être vous et moi…

– Sans doute, Max, sans doute…

Victor contempla la campagne bretonne qui défilait dans le jour déclinant. Leur expédition était une réussite, mais quelque chose dans la lumière du soir assombrissait l'horizon. Sa petite voix intérieure lui soufflait qu'il avait peut-être gagné une bataille, mais que la victoire n'était pas garantie.

***

Lorsque Zelinguen arriva en gare du Havre, il y avait sur les quais une foule hétéroclite et bigarrée qu'il fendit avec hargne pour aller s'installer au bistro, sur le cours de la République. Il se choisit une place d'où il pouvait observer le bar sur toute sa longueur.

C'était là qu'il allait trouver sa proie.

Il avait en poche son billet d'embarquement et ses papiers, que lui avait remis Chapier le matin même, en l'invitant à se dépêcher de quitter Paris : un gars de la Criminelle avait débarqué aux aurores pour interroger les bouchers de la Villette. Les documents étaient au nom de Louis Merlot, boulanger de son état, avec une embauche dans une boulangerie française à Shanghai. Mais Zelinguen ne se souciait guère de ce nouveau statut, pas plus que de la liste de fournisseurs. Il n'avait pas l'intention de l'utiliser. Assurément, l'enquête avançait plus vite qu'il ne l'avait escompté. Il devait se méfier, et pour cela, le plus efficace était de donner un coup de pouce à la police. Zelinguen adorait agir à contre-pied. Avant de quitter Paris, il avait demandé à un gamin des rues de déposer au 36, quai des Orfèvres une petite lettre anonyme de son invention pour l'inspecteur en charge de l'affaire de la Fleur blanche, un petit mot écrit en grosses lettres d'imprimerie précisant le rôle essentiel qu'Alfred Du Boïs y avait tenu. Bien sûr, dès qu'il serait interrogé, Alfred Du Boïs le balancerait, mais, à ce moment-là, il serait loin sur l'Atlantique, passager tout ce qu'il y avait de plus légitime du *Saint Germain* et prêt à découvrir les splendeurs de la Perle de l'Empire, car il n'avait pas l'intention de rester en Chine. Il comptait trouver un embarquement pour Saïgon le plus rapidement possible.

Un homme entra sans entrain dans le buffet de la gare. Il s'assit au bar, commanda une bière et contempla d'un œil distrait le grand bâtiment en briques colorées que les Havrais appelaient « la gare chinoise » : une façade à trois volets de verrière, flanquée de deux tours étroites et élancées, un pignon surmonté d'une horloge et une toiture métallique en un arc surbaissé ; un avant-goût peut-être de ce qu'il allait découvrir en Asie.

Armand Prunelier vérifia sur son billet l'heure d'embarquement : dix-huit heures. Il avait deux heures à attendre. Avait-il fait le bon choix ? Partir en Indochine... Il se sentait si seul... Depuis le décès de son père à la suite des blessures reçues en 18 dans la Somme, rien ni personne ne le retenait à Paris ni ailleurs. Au moins, là-bas, pourrait-il tenter l'aventure. Il détestait l'armée. L'idée même de porter l'uniforme et de devoir crapahuter des jours entiers dans une jungle hostile lui était insupportable. Non, il préférait tenter sa chance en tant que civil. Il tâcherait d'abord d'aller jusqu'à Saïgon, et là-bas, il verrait, il trouverait bien un filon intéressant. Au pire, il prendrait un boulot chez un colon en attendant... Il commanda une autre bière et sursauta lorsqu'un homme à ses côtés lui tapa sur l'épaule :

– C'est ma tournée, mon gars. T'attends le train pour Paris ?

– Non, répondit Prunelier, J'attends d'embarquer sur le *Saint Germain*, quai de Saïgon.

Les yeux de Zelinguen brillèrent. Il ne s'était pas trompé. Ce type était la proie idéale, d'autant que son gabarit était sensiblement identique au sien. Alors il le fit parler pour s'assurer que rien ni personne ne viendrait perturber son plan. À la cinquième bière, Armand Prunelier était un peu assommé, saoulé autant par l'alcool que par la déferlante de récits dont il abreuvait cet inattendu et surprenant compagnon de route. Il avait moins froid. Il se sentait moins seul. Son horizon s'éclaircissait, et même si une brume alcoolisée rendait confuse sa vision de l'avenir, et pâteuse son élocution, il se sentait beaucoup plus léger et plus alerte. Une furieuse envie d'uriner le contraignit à se rendre aux toilettes. Lorsqu'il revint au bar, Zelinguen avait réglé les consommations et tenait son sac de voyage.

– Il est temps d'y aller, dit-il, je connais un chemin pratique pour rejoindre le quai de Saïgon. Suis-moi, mon gars !

Armand Prunelier oscillait un peu en saisissant son bagage. Il suivit son nouvel ami. Zelinguen l'entraîna derrière la gare et s'engagea dans la rue Geffray, une ruelle étroite réservée aux entrepôts. Lors de son dernier séjour, il y avait repéré des containers. L'opération fut aisée. Zelinguen fit passer Prunelier devant lui. Il saisit son couteau le plus fin et le mieux affûté, empoigna le jeune homme par-derrière et lui trancha la gorge d'un geste précis et radical. Le plus difficile fut d'ouvrir les portes du container, qui était vide, comme prévu. Il bascula le corps d'Armand Prunelier à l'intérieur, échangea leurs sacs de voyage, non sans avoir retiré du sien quelques objets auxquels il tenait et surtout ses liasses de billets. Il fit également l'échange des portefeuilles, des passeports et des billets d'embarquement, sans oublier de récupérer dans le sien la clé et le numéro du coffre au Crédit nantais.

Satisfait, Zelinguen referma le container, et se dirigea à grandes enjambées vers le quai de Saïgon. Il prit le tramway rue Charles-Lafitte jusqu'aux docks de Dombasle. Il n'avait plus qu'à franchir le pont de la Saône et le pont Chevallier. Il arriva quai de Saïgon à dix-huit heures tapantes.

Le *Saint Germain* dressait ses deux mâts et sa haute cheminée au-dessus du quai. À bord, l'équipage s'affairait. Les dockers chargeaient les cales avec une régularité de fourmis, hués cependant par les grévistes qui étaient massés à l'extrémité du quai, contenus par un cordon de gendarmes à cheval. Zelinguen emplit ses poumons de l'air marin et s'apprêta à montrer son passeport au douanier qui se trouvait au pied de l'embarcadère. Armand Prunelier, Zelinguen considérait que de tous les noms dont il avait dû s'affubler, c'était vraiment celui qui lui allait le moins bien. Armand, surtout, un prénom de lopette qui jurait avec son faciès de vagabond, détrousseurs de femmes et brigand de grand chemin. Il faudrait qu'il se fasse faire d'autres papiers à Shanghai. À moins qu'il n'éprouve le besoin d'en changer pendant la traversée. Rien de plus facile que de faire disparaître un corps en pleine mer. Après tout, ce serait peut-être plus sûr…

Chapitre 14

Évidences

Le vendredi, la Delaunay-Belleville franchit la porte de Saint-Cloud à six heures du matin. Victor avait tenu à passer en tout premier lieu au 36 pour mettre les lingots d'or sous scellés et déposer la voiture. Puis les trois hommes rejoignirent leur domicile respectif. Rousseau tombait de sommeil. La nuit sur les routes de Bretagne avait été longue, et ses deux compagnons, endormis à l'arrière, ne l'avaient guère aidé à tenir le coup. Il comptait se reposer quelques heures et revenir au 36 en fin de matinée. Mais il était content : il avait géré sa mission sans faiblir, une sacrée bonne voiture, cette Delaunay-Belleville, tout de même, généreuse et robuste...

Arrivé rue Bonaparte, Victor prit un bain en tâchant de ne pas trop faire de bruit pour ne pas écourter la nuit de Clémentine et des garçons. Il comptait ensuite participer au petit-déjeuner familial et retourner au 36. Allongé dans sa baignoire – un luxe auquel Clémentine tenait comme à la prunelle de ses yeux –, il récapitulait mentalement tous les éléments dont il disposait et tentait de dresser la liste de ce qu'il devait faire dans la journée. Les priorités n'étaient pas aisées à déterminer. Réunir toutes les ramifications de l'affaire relevait du casse-tête. Il avait besoin d'un papier, d'un crayon, de Chassaing et, surtout, de Max. En pensant à lui, Victor sourit. Il était persuadé qu'avant toute chose, le jeune homme s'était jeté sur un plantureux petit-déjeuner. Il s'était attaché à son brigadier et voyait bien que c'était réciproque. Il allait pourtant falloir se battre bec et ongles pour imposer leur duo au 36. Il ne voulait pas être privé de ses compétences, mais c'était surtout son état d'esprit qu'il appréciait. Avec Max, Victor pouvait être lui-même, et cela n'avait pas de prix.

Victor sortit de la baignoire et s'habilla rapidement, heureux d'endosser des vêtements frais et propres après ces deux jours de vagabondage. Il se rendit dans la cuisine et commença à préparer le petit-déjeuner familial, une initiative hors norme que Clémentine allait sans doute juger peu convenable, mais Victor était ravi à l'idée de surprendre ses fils. Éric et Julien arrivèrent en courant dans la salle à manger, tout ébouriffés et les yeux encore pleins de sommeil. Ils se jetèrent au cou de leur père en riant. Victor prit un plaisir sans fard à caresser et chatouiller ces petits corps fermes et dodus qui se tortillaient dans ses bras en gloussant de joie et qui se disputaient la meilleure place dans les bras paternels. Clémentine entra dans la pièce, vêtue d'une longue robe de chambre en laine bleu marine, les cheveux remontés en un chignon provisoire, pourtant si bien fait que pas une mèche ne s'en échappait.

– Ah ! Victor, tu es là ! Nous ne t'attendions pas avant ce soir. Les garçons, s'il vous plaît, un peu de calme. Asseyez-vous ! Vous allez prendre du retard.

Elle s'avança vers Victor et lui donna son front à embrasser, prit ses fils fermement par la main et les installa à table. L'univers de Clémentine était immuable : chaque personne et chaque chose à sa place, et une place pour chaque personne et chaque chose.

Le moment magique des retrouvailles était passé. Tout rentrait dans l'ordre. Victor se résigna à s'asseoir au bout de la table, en face de son épouse, selon un rituel qui assignait à chacun une place déterminée respectant la distance qu'il convenait de maintenir entre les membres de la famille.

Quelques heures après son arrivée au 36, et suite au rapide compte-rendu que Victor lui avait fait, le commissaire Blandin réunit son équipe dans son bureau. Victor, Max et Chassaing étaient tout ouïe :

– Messieurs, permettez-moi, d'abord, de vous féliciter. Votre parcours dans cette affaire aura été exemplaire. Certes, tout n'est pas bouclé, mais nous touchons aux conclusions. Réglons tout de suite leur compte aux ramifications qui ne relèvent plus de notre compétence…

Victor haussa les sourcils, prêt à intervenir.

– Ne vous offusquez pas tout de suite, Victor. Laissez-moi parler. En premier lieu, le commanditaire du meurtre de la prostituée Gabie à la Moujol : j'ai transmis les éléments au parquet et au préfet, qui a décidé une enquête interne sur le dénommé Albert Singer, agent de la Sûreté, chargé de la surveillance des milieux communistes et anarchistes. Victor, nous sommes tous les deux convoqués chez le préfet demain matin à onze heures. Bien sûr, nous avons la consigne, je devrais dire l'ordre, de ne plus nous occuper de ce volet de notre affaire. Le préfet et l'Intérieur s'en chargent. Et nous sommes censés être très honorés que monsieur le préfet condescende à nous recevoir aussi vite pour nous en informer.

Victor grinça des dents, mais ne fit aucun commentaire. Il savait déjà ce que donnerait cet aspect du dossier. Il était même plutôt agréablement surpris que tout n'ait pas été étouffé et classé. La convocation chez le préfet, que Blandin présentait comme une faveur, aurait certainement davantage l'allure d'une mise au point claire et musclée sur les limites que la Criminelle était censée ne pas franchir. Blandin continua :

– En ce qui concerne Germain Levivier, les choses sont très simples : interrogé hier après-midi, il a avoué les faits et reconnu qu'il avait payé un certain Pierre Muller pour éliminer son épouse afin d'hériter de l'ensemble immobilier dont elle était propriétaire à Nantes. La liaison de son épouse avec un pharmacien du quartier lui faisait craindre la perte sèche de ce bien. Il a été déféré au parquet de Nantes et sera jugé au printemps. Là aussi, nous n'avons plus à nous en soucier. De même, concernant Gilles Baulieu, c'est également ce Pierre Muller qui s'est proposé pour régler le problème que posait monsieur Farget. Nous n'avons pas la preuve irréfutable que Baulieu ait payé Muller pour éliminer Farget. Baulieu ne reconnaît qu'une volonté d'intimidation et fait remarquer que, s'il avait voulu un assassinat, cela lui aurait coûté beaucoup plus cher. Gilles Baulieu est donc inculpé pour faux et usage de faux – il a falsifié des courriers de la mairie –, pour chantage et menaces de mort, malversations et détournement de fonds. L'examen de sa comptabilité ne fait aucun doute sur ses pratiques. Il est déféré au parquet de Rennes, et la Chambre des notaires est associée à la procédure. Pour le reste, c'est à nous de jouer : vous avez, messieurs, retrouvé vingt lingots d'or volés au Maroc en 1908, et vous les avez placés sous scellés. C'est très bien, mais nous avons un problème…

– Ah bon ! s'écria Victor, lequel ?

– Eh bien, reprit Blandin, le ministère de la Guerre pas plus que l'état-major des armées n'a la moindre trace de ce « prétendu hold-up », comme ils disent, et aucune trace d'un quelconque transfert d'or dans cette zone à cette époque. Le ministère de la Guerre considère cette affaire comme totalement farfelue et notre légionnaire comme un menteur.

– Et le ministère des Colonies ? demanda Victor, interloqué.

– Bonne question, Victor, mais là, c'est l'omerta. Chaque haut fonctionnaire se renvoie la balle comme une patate brûlante.

– Et qu'en concluez-vous ?

– J'en conclus que ce transfert d'or était totalement illégal et clandestin, ce que confirme le fait souligné par Daubier qu'il n'ait pas été plus protégé. Mais je n'ai aucune idée de ce à qui ou à quoi il était destiné. C'est assez incroyable, mais personne ne veut en entendre parler et, surtout, personne ne veut diligenter une enquête sur ce sujet !

– Mais alors, interrompit Max, cette fortune, qu'est-ce qu'elle devient ? On va tout de même pas la garder dans nos placards à scellés !

– C'est bien là tout le problème : que devons-nous faire ?

– Faisons un don, lança Chassaing.

– Mais pour faire un don, répliqua Victor, il faut être propriétaire de ce que l'on donne ! Si nous nous déclarons propriétaires de ces vingt lingots, nous nous mettons dans une totale illégalité, des bandits en somme !

– Absolument, inspecteur, reconnut Blandin, tant que l'or est sous scellés, nous sommes couverts, mais…

– C'est dingue, cette histoire ! s'exclama Max, et quelles sont les conséquences pour Daubier ?

– Eh bien, pour lui, c'est plutôt positif, répondit Blandin. Personne ne portera plainte contre lui. Comme la fausse lettre que vous avez récupérée l'innocente, que nous n'avons aucune trace de lui sur nos scènes de crime et qu'en revanche nous avons identifié un nouveau suspect de premier ordre, le seul chef d'accusation qui peut être maintenu, ce sont les trafics de pièces détachées. Comme, là non plus, il n'y a pas de plainte et que je ne pense pas que Quimper ait l'intention de pousser plus avant l'enquête, étant donné que le principal coupable, je veux dire Farget, est mort, Daubier se retrouve totalement blanchi. Nous n'avons plus qu'à le libérer.

– Le pauvre Daubier, s'apitoya Victor, il ne va pas en revenir ! Après tout, pour lui, ce n'est que justice ; c'est un pauvre type, mais il ne méritait ni la guillotine ni le bagne. Simplement, il risque de poursuivre ses trafics douteux à Quimper ou ailleurs, et un jour ou l'autre, il se fera pincer. Max, va le libérer, il est déjà resté trop longtemps en cellule. Bien, laissons les lingots sous scellés et attaquons le morceau de choix. Quel bilan peut-on faire sur le meurtre à la Fleur blanche ?

– Ah, reprit Blandin, alors là on a bien avancé, et on débouche à nouveau sur une ramification inattendue. Nous avons suffisamment d'éléments pour prouver qu'Hector Pasquier est bien le meurtrier des cinq victimes sur lesquelles nous travaillons depuis trois semaines. Nous savons qu'il a endossé un certain nombre de faux noms. Nous ne les avons peut-être pas tous recensés, mais nous en avons suffisamment pour les affaires qui nous concernent : Zelinguen, c'est le nom apache qu'il porte dans le « milieu » parisien, il a été reconnu par Marc Védrine, alias le Marquis, patron de l'hôtel du Midi ; Pierre Muller, c'est le nom qu'il a utilisé en Bretagne pour les meurtres de Lucie Levivier et de Farget ; Eugène Frappier, c'est le nom qu'il utilisait aux abattoirs de la Villette, où il a été embauché sur les recommandations d'un certain Alfred Du Boïs, négociant. Chassaing a interrogé les bouchers, qui ont fait un descriptif qui correspond et qui ont reconnu le bonhomme sur la photographie du légionnaire ; et ce n'est pas fini, Chassaing, à vous, racontez-nous ce que vous avez trouvé.

Victor et Max se tournèrent vers Chassaing.

– Comme l'a dit le commissaire, aux abattoirs, ce fut un jeu d'enfant. Tout le monde l'a identifié sans la moindre hésitation, Firmin Dubreuil compris, car il était à la Villette hier matin. Il y vient tous les jeudis pour ramasser les restes des bêtes dépecées. Au passage, j'aimerais pas travailler là-bas, ça pue… et tout ce sang… c'est immonde… ces pauvres bêtes…

– Chassaing, au fait, au fait ! le pressa Victor.

– Oui, oui, inspecteur, j'y viens. Il y a même eu des gamins garçons bouchers qui seraient prêts à témoigner contre lui. Selon eux, dans les vestiaires, Frappier les malmenait… sexuellement, j'entends… Enfin, vous voyez ce que je veux dire…

– Oui, on voit, Chassaing, on voit.

– Voilà. Donc aucun doute, Zelinguen était bien boucher aux abattoirs. Mais ce qui a été plus intéressant encore, ce sont les propos du serveur du Veau d'or : il a reconnu Zelinguen, et il a dit l'avoir

vu trois fois, et chaque fois le mardi après-midi,
après la clôture du marché, et chaque fois, il venait
voir la même personne, un homme d'affaires, négociant en viande, un certain Alfred Du Boïs. Je me
suis renseigné. Mais il y a mieux : nous avons reçu,
hier en fin d'après-midi, une lettre anonyme, rédi-
gée en majuscules, et je suis prêt à parier que c'est
la même écriture que sur le carnet noir, sauf que,
là, le message n'est ni codé ni chiffré.

Chassaing extirpa de son dossier un carton jauni
sur lequel on pouvait lire :

**EN COMPLÉMENT DU CARNET NOIR
ALFRED DU BOÏS
JEUDI 8 JANVIER : MEURTRE DU CHINOIS
LA FLEUR BLANCHE 1500 FR
VENDREDI 16 JANVIER : MEURTRE DE
MARCEL DUPUIS LE HAVRE 3000 FR
BONNE PRISE ET BON VENT**

– Bien sûr, on pouvait penser à un canular, continua Chassaing, mais j'ai fait des recherches et tout
concorde. D'abord le nom de DU BOÏS correspond
au nom donné par l'administration des abattoirs et
par le serveur du Veau d'or. C'est l'homme d'affaires
que Zelinguen venait rencontrer tous les mardis. La
société d'import-export DU BOÏS & DUPUIS a été
créée pendant la guerre en 1915. Elle a grassement
prospéré dans un premier temps en fournissant
à l'armée des armes, du matériel militaire et des
uniformes récupérés à bas prix dans les colonies,
ensuite, après l'armistice, en faisant grimper les
prix sur les produits alimentaires, en particulier sur
la viande, et, depuis un an, en développant un commerce juteux avec l'Indochine. Du Boïs s'appelle

en réalité, Alfred Dubois, il est né en Indochine, à Saïgon. Son père était spécialisé dans le commerce du riz et du bambou. Lorsque Dubois est venu s'installer à Paris, il a modifié son nom, acheté un immeuble dans le 16e et créé sa société. Il n'a pas été mobilisé, car il était diagnostiqué asthmatique et diabétique. Son certificat médical a été validé par la médecine militaire, qui l'a déclaré inapte. Il a également beaucoup investi dans la Banque Industrielle de Chine et a vendu ses actions au plus fort de leur valeur avant que l'établissement, malgré le soutien de l'État, ne connaisse quelques difficultés. Il y a fort à parier que le meurtre du Chinois soit lié d'une manière ou d'une autre à cette opération financière. Mais cela reste nébuleux. Enfin, son associé, Marcel Dupuis, qui l'a mis en relation avec le gratin parisien du monde des affaires, a effectivement été assassiné au Havre la semaine dernière. La police du Havre soupçonne une femme dont la description pourrait parfaitement correspondre à la fameuse Violette que nous n'arrivons pas à retrouver. Mais, au Havre non plus, ils ne parviennent pas à mettre la main dessus. Du coup, l'enquête piétine, d'autant plus qu'ils ont l'air un peu débordés : ils ont découvert ce matin un autre cadavre derrière la gare. Ça ne me disait rien. On doit se tenir au courant. En tout cas, fort de ces renseignements, avec l'aval du commissaire, j'ai décidé de lancer un avis de recherche sur Hector Pasquier et tous ses alias et de mettre une surveillance aux fesses de Du Boïs en vous attendant.

— Eh bien, dites donc, Chassaing, quand vous allez sur le terrain, c'est impressionnant ! s'exclama Victor. Bon, commissaire, on arrête immédiatement Du Boïs, n'est-ce pas ?

– Absolument, inspecteur. Aux dernières nouvelles, il a pris cette nuit, vers deux heures du
matin, une chambre au Lutetia avec une fort belle
jeune femme. Il n'en est pas encore sorti, autrement
on m'aurait prévenu. C'est Louis Desnoyers qui est
en planque avec un agent en soutien. Allez-y, inspecteur, mais attention, pas de grabuge. La femme,
on ne sait pas qui c'est. Allez-y en douceur. Ce Du
Boïs a l'air de fréquenter du beau monde. Et puis,
le Lutetia, ce n'est pas n'importe quel hôtel… Il ne
faudrait pas provoquer un scandale…

– Ne vous inquiétez pas, commissaire, on va y
aller tout en douceur et en totale discrétion. Vous
nous connaissez… Max, en avant, c'est parti !

***

Victor et Max partirent boulevard Raspail dans
la Delaunay-Belleville dont le moteur avait à peine
eu le temps de refroidir. Un fourgon avec six agents
en civil les suivait. Ils se mirent en position devant
l'entrée de l'hôtel Lutetia, en arc de cercle, de façon
à faire nasse en cas de besoin. Avec Max, il se présenta à la réception en demandant la chambre de
monsieur Du Boïs.

– Monsieur Du Boïs a demandé à ne pas être
dérangé, monsieur, répondit-on. Si vous le souhai-
tez, je peux lui transmettre un message lorsqu'il
descendra.

– Non, non. Vous me donnez le numéro de la
chambre et, surtout, vous ne l'appelez pas, et vous
ne lui transmettez aucun message.

Tout en parlant, Victor avait mis sous son nez
sa carte de police, que le réceptionniste fixait, les
yeux écarquillés.

– Je dois en référer à ma hiérarchie, monsieur, je ne peux pas vous communiquer quoi que ce soit sans son autorisation.

– Faites donc, mon ami, faites donc, appelez votre directeur ou votre chef de service, comme vous voulez.

Derrière Victor, Max admirait, ébloui, le décor du hall de l'hôtel lorsque le responsable de la réception arriva en grande tenue, avec l'air guindé et important des gens qui ne le sont pas :

– Vous désirez, monsieur ?

– Bonjour, monsieur, je suis désolé de vous déranger, mais nous venons procéder à une arrestation dans vos murs. Je suis l'inspecteur Dessange et voici le brigadier Dubosc. Nous voudrions savoir dans quelle chambre se trouve monsieur Alfred Du Boïs et, par la même occasion, avoir votre avis sur la meilleure façon de procéder. Peut-être pourriez-vous nous indiquer un parcours qui nous éviterait de traverser le hall en repartant ?

Rassuré de constater que l'officier de police qu'il avait en face de lui était prêt à faire en sorte que l'arrestation se fasse de la façon la plus discrète possible, le chef réceptionniste se détendit un peu et s'adressa à Victor comme il l'aurait fait à un client renommé :

– Bien sûr, monsieur l'inspecteur. Je crois que, le plus simple, c'est que je vienne avec vous. Je pourrai ainsi vous guider, et je vous ferai passer par l'entrée de service qui donne rue de Rennes. Est-ce que cela vous convient ?

– Très bien. Allons-y !

– Suivez-moi, messieurs. Monsieur Du Boïs a choisi la suite « Eiffel », numéro 111 au premier

étage. Nous allons prendre l'ascenseur, à moins que
vous préfériez monter à pied ?

– Je prends l'ascenseur avec vous. Max, tu
montes par l'escalier.

Lorsque les trois hommes arrivèrent devant la
porte 111, la responsable du service d'étage les
informa que les occupants avaient demandé du
café, des toasts et du jus de fruits. Le plateau était
prêt sur une table roulante, agrémenté d'un bouquet de fleurs du plus charmant effet. Victor hocha
la tête et considéra que c'était une excellente entrée
en matière. Alfred Du Boïs ne se méfierait pas. La
femme de chambre poussa son chariot et le mit
en position pour le glisser dans la chambre dès
l'ouverture de la porte. Elle frappa discrètement
en lançant : « service d'étage ». Victor et Max se
tinrent en retrait. Comme prévu, Du Boïs ouvrit la
porte. Max la coinça immédiatement avec son pied
droit. La femme de chambre s'éclipsa, et Victor,
après avoir poussé le chariot pour dégager l'entrée,
fit face à Alfred Du Boïs, sortit sa carte de police
et prononça d'une voix péremptoire :

– Alfred Du Boïs, vous êtes soupçonné du meurtre
de monsieur Li et de monsieur Marcel Dupuis.
Nous vous demandons de nous suivre sans opposer
de résistance afin d'être interrogé dans nos locaux.

Alfred Du Boïs, ébahi, réagit instinctivement,
sans réfléchir. Il s'empara du chariot, qu'il lança
dans les jambes de Victor. Celui-ci perdit l'équilibre
et s'affaissa sur la moquette tandis que Du Boïs
fonçait dans la porte et tentait une échappée déses-
pérée et assez lamentable : sa chemise s'ouvrait
sur un torse replet parsemé de touffes de poils
hirsutes et son pantalon, privé de ceinture, tombait

sur ses hanches. Max, après quelques secondes de sidération, se précipita et n'eut guère de difficulté à le rattraper au bout du couloir. Il exécuta un savant croc-en-jambe. Alfred Du Boïs s'étala de tout son long, et Max lui passa les menottes en un tour de main.

Dans la chambre, Victor s'était relevé, non sans efforts et grimaces. La femme, nue dans les draps de soie, semblait hilare, ce qui l'agaça prodigieusement, convaincu qu'il était que ses difficultés à se relever avaient provoqué le sourire sarcastique qu'elle exhibait. Ce fut avec une certaine hargne qu'il s'adressa à elle :

– Habillez-vous, madame, vous venez avec nous.

Elle s'offusqua, mi-amusée, mi-contrariée.

– Mais, enfin, je ne suis coupable de rien !

– Simple vérification d'identité, madame. C'est la procédure.

– Oh ! Alors, si c'est la procédure !

La femme se leva sans aucune gêne et, nue comme un ver, s'approcha de Victor, qui se trouvait devant le fauteuil sur lequel elle avait laissé ses vêtements. Il s'écarta et se tourna vers la porte d'entrée grande ouverte. Max revenait avec sa prise qu'il tenait fermement par le bras.

– Tout va bien, Victor ?

– Oui, oui, ça va. On embarque la fille aussi. Elle a peut-être un lien avec tout ça.

Mais, en son for intérieur, Victor savait bien que cette femme était totalement étrangère à l'affaire ; une intuition qui se confirma lorsqu'elle apparut élégamment vêtue d'un tailleur en tweed d'excellente facture, un vêtement conçu par un grand couturier, à n'en pas douter. Son sac, ses chaussures, son chapeau, ses gants, son foulard, tous

406	LA MUSE ROUGE

ses accessoires étaient de grande qualité et du dernier chic. La coiffure courte, à la garçonne, ne cédait rien à la mode. Ce n'était ni une prostituée ni une quelconque anonyme. Cette jeune femme appartenait à l'élite bourgeoise et ne faisait que s'encanailler ponctuellement. Si Victor avait envisagé quelques instants découvrir Violette, cette idée s'était rapidement envolée. Le sourire narquois de cette dame qui s'offrait des petites nuits libertines continuait de l'exaspérer. Et Victor avait bien envie de le lui faire passer.

Le chef réceptionniste les mena à travers un dédale d'escaliers, de couloirs et de vestiaires, jusqu'à la sortie sur la rue de Rennes. Max courut prévenir ses collègues. On fit monter la dame à l'arrière de la Delaunay-Belleville et Alfred Du Boïs dans le fourgon.

Au 36, Victor fit installer Du Boïs dans la salle d'interrogatoire et s'occupa de vérifier l'identité de sa compagne d'un soir : Luce Murois, épouse d'Alfred Murois, directeur de l'Agence commerciale des colonies. Victor hocha la tête :

– Au moins, madame, vous ne risquez pas de vous tromper de prénom. Depuis combien de temps entretenez-vous cette relation avec monsieur Du Boïs ?

– Gardez votre humour pour vous, inspecteur, répondit Luce Murois sur un ton revêche. Et, pour votre gouverne, je n'ai aucune « relation » avec monsieur Du Boïs. Je l'ai rencontré à un dîner, il y a une dizaine de jours, et si j'ai répondu à ses avances, c'est parce qu'il me proposait des opérations financières particulièrement juteuses en échange de quelques renseignements nullement

confidentiels sur les activités de l'agence que
dirige mon mari. Évidemment, inspecteur, je vous
demande la plus stricte discrétion sur ma présence
dans cette chambre. J'ai bien dit la plus stricte...

Et Luce Murois lança à Victor un coup d'œil
d'une ambiguïté désarmante qui le mit profondément mal à l'aise.

– Vous avez pu constater, madame, que nous
avons fait tout ce qui était en notre pouvoir pour
ne pas donner de publicité à notre intervention.
Étant donné la très forte probabilité de la culpabilité d'Alfred Du Boïs, je ne pourrai faire autrement
que de mentionner votre nom sur le procès-verbal.
Il y a cependant peu de chance pour que vous soyez
sollicitée par le juge en tant que témoin. Nous avons
bien d'autres personnes à citer.

– D'autant que je n'ai jamais été témoin de rien !

– Je vous crois, madame. Vous pouvez partir.
Nous sommes désolés si nous avons perturbé vos
projets, mais je pense qu'il aurait été fort dangereux
de conclure la moindre affaire avec Alfred Du Boïs.

– C'est probable, inspecteur, mais que voulez-
vous, je suis une femme qui aime le danger. Alfred
n'a rien de bien séduisant, mais un Dubois qui se
fait appeler Du Boïs cache forcément des secrets
très intéressants. Sur ce point, je ne me trompais
pas ; c'est sur la nature de ces secrets qu'apparemment je me suis fourvoyée. Au revoir, inspecteur,
et n'oubliez pas : la plus stricte discrétion reste de
rigueur.

Luce Murois tourna sur elle-même en un mouvement calculé, sans doute mille fois répété et
parfaitement exécuté. Elle sortit de la salle avec
superbe, le dos droit, le regard lointain, les seins
en avant, les hanches gracieusement balancées par

une démarche ample et souple qui donnait l'impression qu'elle glissait sur le sol sans effort. Victor la regarda s'éloigner : celle-là, c'était une catégorie à part. Mais il devait bien reconnaître qu'elle était attirante : amorale, sans doute vénale, mais diablement attirante... La voix de Max le sortit de ses pensées :

– Victor, on y va ! Le rôti est à point !

– Oui, j'arrive, Max, j'arrive.

Victor passa à son bureau prendre son dossier. Chassaing était assis au sien, le visage crispé. Il relisait des notes et semblait fortement contrarié.

– Quelque chose ne va pas, Chassaing ? lui lança Victor de loin.

Chassaing releva la tête et fit la grimace :

– Oui, je crois que nous avons un autre problème... Mais allez faire votre interrogatoire, on en parle après.

Victor pénétra dans la salle d'interrogatoire. Il régla la lampe ajustable de façon à ce qu'elle éblouisse et aveugle le suspect qu'il voulait à tout prix mettre sur le gril.

L'interrogatoire de Du Boïs – que Victor prenait un malin plaisir à appeler Dubois – dura plus de trois heures. L'homme en sortit terrassé, et Max le reconduisit en cellule, où il s'écroula littéralement. Victor passa aux toilettes se mettre un peu d'eau froide sur la figure. Il était en nage. Les traits de son visage s'étaient creusés, et une ride profonde barrait son front. Le bonhomme était un dur à cuire, une ordure, mais habile et solide sur ses positions. Il avait d'abord nié en bloc tout ce qu'affirmait la lettre anonyme, mais de digressions en recoupements multiples, Victor avait réussi à lui faire commettre des erreurs et, de fil en aiguille, il lui était devenu impossible de nier les évidences. Le seul point sur lequel il n'avait pas flanché, c'était sur Violette : il ne connaissait pas cette fille et ne l'avait jamais vue. En revanche, sur Zelinguen, il avait fini par devenir intarissable, et lorsqu'il avait compris que c'était par lui que Victor avait eu son nom, il ne s'était plus retenu et avait donné tous les renseignements dont Victor avait besoin.

Pendant l'interrogatoire, une équipe, menée par Desnoyers, était allée perquisitionner rue Clément-Marot au siège de la société DU BOÏS & DUPUIS. La comptabilité allait être passée au peigne fin par l'équipe du commissaire Dubovski, et Du Boïs savait que certaines fraudes n'étaient pas indécelables. Chapier était convoqué, ainsi que le comptable de la société. Et Du Boïs savait que ni l'un ni l'autre ne résisteraient à un interrogatoire musclé. L'un et l'autre lui mettraient tout sur le dos. Ils n'en seraient pas moins considérés comme complices. Tout ce qu'il avait réussi à construire allait s'écrouler. Il allait tout perdre. Mais Zelinguen allait payer très cher sa trahison. Il avait envoyé des consignes à Saïgon. S'il arrivait jusque-là, Zelinguen serait éliminé dès qu'il aurait fini ce pour quoi il avait été payé. Et cette idée était la seule qui mettait un peu de baume au cœur froid et calculateur de Du Boïs. Il était désormais conscient qu'il n'aurait jamais dû avoir recours à ses services. Il l'avait dit à l'inspecteur d'ailleurs : c'était une grossière erreur de demander à Zelinguen d'éliminer monsieur Li. Avec le recul, son objectif n'était même pas très cohérent. Certes, il espérait mettre des bâtons dans les roues du ministère des Affaires Étrangères, qui voulait à tout prix, en totale opposition avec le ministère des Finances, soutenir

la Banque Industrielle de Chine. Or, Du Boïs avait
investi dans cette banque à sa création en 1913. Elle
avait considérablement prospéré pendant la guerre
en raison des difficultés que connaissait sa rivale, le
consortium des banques anglaises, françaises, japo-
naises, allemandes et russes. Sans les Allemands,
en raison de leur défaite, et sans les Russes, en raison de leur révolution, le consortium avait dû se
réformer et se mettre en retrait. La BIC, créée pour
soutenir la nouvelle République chinoise, avait alors
connu une période faste et comptait devenir le par-
tenaire privilégié du gouvernement chinois. Alfred
Du Boïs avait vendu ses actions au plus fort de
cette prospérité, certain, à juste titre, qu'elle n'était
que provisoire, et il avait investi dans les banques
françaises du consortium en passe de se rétablir
et de reprendre leur place prépondérante en Chine
après la guerre. Il lui avait alors paru pertinent de
faire échouer les tentatives d'alliance entre la BIC
et le gouvernement chinois et d'accélérer ainsi la
faillite de la BIC, qui ne manquerait pas de provoquer un scandale politique en faisant apparaître
l'interpénétration de l'univers bancaire et de l'univers colonial ainsi que la part active et financière
que prenait l'État, par ministres interposés, dans
ces affaires, sans passer par l'aval préalable du
Parlement. Mais, Du Boïs reconnaissait que son
but était sans objet, car, même sans la disparition
de l'ambassadeur chinois, la BIC était condamnée[1].
Tout ce micmac politico-financier plongeait Victor
dans un abîme de perplexité : avoir fait tuer un
homme pour provoquer la faillite d'une banque qui

---

1. André Berthelot devra fermer la Banque Industrielle de
Chine en 1922.

de toute façon allait faire faillite ! L'absurdité de la démarche lui paraissait incommensurable. Mais Du Boïs avait aussi fait assassiner son associé, et sur ce point, il restait peu bavard, répétant sans cesse, de façon bien incohérente : « ce brave Marcel… un brave type, ce Marcel… ». Victor avait fini par comprendre que c'était justement parce qu'il était « brave » que Du Boïs avait jugé nécessaire de l'éliminer. C'était ainsi, lorsque le monde des affaires franchissait la frontière de la délinquance, l'homme « brave » devenait bravement dangereux. Alfred Du Boïs avait franchi toutes les frontières. Marcel, confiant et bonne pâte, ne l'avait pas encore clairement compris. Mais il allait finir par s'en apercevoir, et il serait capable, à ce moment-là, de dénoncer son associé, en tout cas de s'en désolidariser. Et cela n'était pas concevable. Il valait mieux anticiper.

Du Boïs avait donc affirmé ne pas connaître Violette et n'en avoir même jamais entendu parler. C'était bien Zelinguen qui avait tué Marcel Dupuis. Violette n'avait dû être que la complice et l'avait entraîné là où Zelinguen était à l'aise pour agir : dans les rues mal famées du Havre. Mais alors qu'était-elle devenue ? Pourquoi ne parvenait-on pas à la trouver ? Serait-il possible que Zelinguen ait préféré s'en débarrasser par sécurité ? En tout cas, le concernant, Victor détenait à présent les informations qui imposaient de mettre en place une stratégie dans l'urgence si on voulait espérer le coincer. Victor rameuta Max et Chassaing, dont l'humeur ne semblait pas s'être améliorée.

— Mais enfin, Chassaing, allez-vous nous dire ce qui vous tourmente ?

— Oui, inspecteur, répondit-il d'une voix lasse. Voilà ce qui me tourmente !

Et Chassaing sortit d'un de ses tiroirs un des lingots d'or de Valentin Daubier. Max et Victor fixaient le lingot, les sourcils froncés.

– Pendant que vous étiez au Lutetia, reprit Chassaing, j'ai voulu commencer à rédiger les P.-V. et, pour ce faire, vérifier le poids des lingots, en totalité et à l'unité. J'avais repéré une anomalie : un lingot d'or standard pèse 12,4 kg. 1 kg d'or correspond en volume à un œuf de poule ! Étant donné la taille des lingots, même en admettant qu'ils ne soient pas conformes à la norme bancaire, ils auraient dû peser bien plus qu'1 kg ! Et j'avais trouvé que votre butin n'était pas assez lourd. Alors j'ai examiné de plus près un des lingots, et j'ai gratté…

Chassaing montra l'endroit où il avait égratigné la surface.

– Ce ne sont pas des lingots d'or, messieurs. C'est du plomb coulé dans un moule, beaucoup plus léger, recouvert d'une très mince feuille d'or. Votre butin est bon à mettre au clou !

Victor et Max étaient stupéfaits. Ils s'étaient fait avoir comme des imbéciles et n'avaient absolument pas compris que leur prise était trop légère pour être vraie.

Victor déglutit et recouvra la parole :

– Mais alors comment faut-il interpréter cela ? Zelinguen et Daubier ont-ils attaqué un convoi qui n'était qu'un leurre pour mieux assurer la sécurité d'un autre convoi ?

– C'est une hypothèse, poursuivit Chassaing, mais elle me semble peu vraisemblable : Zelinguen me paraît beaucoup trop au fait de toutes ces réalités pour se laisser berner, et le poids de son butin l'aurait alerté.

– D'accord, alors qu'est-ce que vous envisagez comme explication ?

– Eh bien, je pense que Daubier s'est bien moqué de nous. Et tout ce qu'il cherche, c'est à coincer Zelinguen pour tout rafler !

– Oh là là ! Chassaing ! Mais on l'a libéré ce matin ! Et sans l'aval du juge en plus ! Il faut absolument le réinterroger !

Max écoutait attentivement l'échange entre ses deux collègues et continuait à fixer le lingot sur le bureau. Il glissa d'une voix blanche :

– Victor, vous vous souvenez de l'établi dans l'atelier de Farget... Le fouillis qui y régnait... Je suis allé voir ce que c'était... Il y avait du plomb et des moules. C'est avec ça qu'il a fabriqué ses lingots, Daubier...

Victor s'arrachait les cheveux et tournait en rond en fulminant de colère. Il se ressaisit :

– Messieurs, nous devons impérativement mettre la main sur Zelinguen. La ruse de Daubier ne rend pas moins criminel ce fumier. Du Boïs nous a donné des tuyaux essentiels, mais il faut faire vite. Du Boïs lui a fourni de faux papiers au nom de Louis Merlot et un billet d'embarquement sur le paquebot *Saint Germain* en partance du Havre pour Shanghai. Le *Saint Germain* embarquait ses passagers hier soir et doit lever l'ancre ce soir à dix-huit heures. Il est seize heures, messieurs, alors on fonce : il faut que la police du Havre arrête Zelinguen, alias Louis Merlot, avant l'appareillage du paquebot. Il faut faire vite !

Victor se chargea du juge Blanchot et Max de la police du Havre. Chassaing continuait à examiner le lingot, l'air pensif. Et si Daubier cherchait à intercepter Zelinguen ? Avait-il un moyen de savoir qu'il partait pour l'Indochine et que son bateau mouillait au Havre ? Et si oui, quel moyen ? Même Victor ne le savait pas avant d'interroger Du Boïs...

À ce moment-là, Max revint tout déconfit. La police du Havre venait de lui apprendre qu'ils avaient identifié le corps retrouvé dans le container : il s'agirait d'un certain Louis Merlot. Le cadavre avait sur lui son billet d'embarquement sur le *Saint Germain* et son portefeuille avec ses papiers d'identité.

Pour Victoir, cela ne faisait aucun doute, la coïncidence était trop forte pour ne pas être suspecte. Il reprit le téléphone et demanda à parler au capitaine chargé de l'enquête sur la mort de Louis Merlot.

– Quel est le mode opératoire ?

– Gorge tranchée par-derrière. Du travail de pro, inspecteur, une entaille profonde de l'oreille à la pomme d'Adam qui a dû trancher profondément l'artère jugulaire. Le pauvre Merlot a dû se vider de son sang en quelques minutes et mourir très rapidement.

– Une technique de boucher, non ?

– Oui, on peut dire ça, c'est comme ça que sont abattus les bœufs.

– Alors ce n'est pas Louis Merlot. C'est Louis Merlot qui a égorgé votre cadavre et a pris l'identité de sa victime. Il faut que vous contactiez le commandant du *Saint Germain*, il a un dangereux assassin à bord. Un de mes collègues va vous faire un descriptif précis de cet homme. Il faut que vous le trouviez ! Il est forcément à bord du paquebot !

– Mais s'il est sous une fausse identité, ce sera impossible, inspecteur. Il y a plus de cent cinquante passagers à bord ! Comment voulez-vous que nous y arrivions ?

– Attendez d'avoir le descriptif, capitaine. Il y a des caractéristiques faciles à repérer qui vous permettront d'éliminer d'emblée de nombreux passagers. De toute façon, je pense qu'il va essayer de s'enfuir. Mettez en place un filet de sécurité sur le quai, il faut absolument l'arrêter !

– Croyez-moi, inspecteur, nous n'avions pas besoin de ça ! C'est déjà la pagaille dans le port avec les manifestations des grévistes ! Entre vos demandes et les ordres de la hiérarchie, je ne sais plus où donner de la tête !

– Cet homme en est à son septième meurtre, peut-être huit ! C'est vraiment une question de vie ou de mort. Je vous envoie les ordonnances, vous les aurez après coup, mais tant pis. Allez-y et surtout tenez-moi au courant. Je reste près du monophone, dit-il en passant le combiné à Chassaing.

Victor enrageait de devoir rester à attendre en se morfondant. Mais Le Havre, c'était trop loin ; même s'il partait maintenant, il arriverait bien après la bataille. Cela ne servirait à rien. Il irait chercher Zelinguen avec la Delaunay-Belleville le lendemain matin à la première heure. Tant pis pour le préfet. Blandin se rendrait sans lui à la préfecture. Toutes ces idées se bousculaient dans sa tête, et il avait bien du mal à garder son calme, contrairement à Max, planté devant le faux lingot et visiblement dévoré par une perplexité chargée d'inquiétude. Et s'ils étaient passés à côté d'un élément important ? Il y avait quelque chose qui clochait dans toute cette affaire, c'était une évidence, mais quoi ?

**

Sur le *Saint Germain*, l'effervescence du départ était à son comble. L'ambiance était cependant un peu gâchée par les dockers en grève, de plus en plus nombreux et de plus en plus virulents à quai. Le chargement du paquebot était terminé, et les briseurs de grève s'étaient éclipsés sous les menaces, les jets de pierres et les hurlements. Un régiment de cavalerie était venu prêter main-forte aux gendarmes. Les sabots des chevaux martelaient les pavés du quai, mais couvraient à peine les cris des dockers, qui avaient monté une barricade de fortune pour se protéger. Un rien pouvait mettre le feu aux poudres et transformer la manifestation en pugilat sanglant. Sur le pont, les passagers suivaient d'un œil inquiet les cavalcades des chevaux et les manœuvres de l'équipage. Le commandant Franklin craignait que des chargeurs et des bateaux-pilotes ne bloquent la sortie du port. En liaison constante par radio avec la police du port, il collectait les informations avec une certaine fébrilité. Peu importait, se disait-il, si la situation s'envenimait trop, il remettrait au lendemain matin son départ. De jour, les opérations seraient moins délicates.

Zelinguen, sur le pont, au milieu des passagers, commençait à se lasser du spectacle. Le vacarme le fatiguait. Les commentaires des passagers l'exaspéraient. Et cet étalage de gendarmes et de militaires lui déplaisait au plus haut point. Il était dix-sept heures. À cette époque de l'année, la nuit tombait vite. Dans une heure, ils auraient quitté le quai et amorceraient la traversée des bassins avant de remonter le chenal vers la sortie du port. Dans deux heures, ils seraient au large, en route vers l'Atlantique. Un ou deux ans en Indochine à placer les jalons d'un commerce juteux, ensuite retour à Paris, quand toute cette affaire serait classée et enterrée. Son or était bien à l'abri dans le coffre que Daubier avait pris au Crédit nantais de Quimper. Et Zelinguen tâta affectueusement la poche de poitrine dans laquelle il avait remisé la clé et le code volés en Bretagne à cet abruti qui avait cru le berner avec ses lingots planqués dans une tombe. Il avait de l'imagination quand même : lui soutenir qu'il avait planqué la part qui lui revenait dans la tombe de ses parents et fabriquer de faux lingots ! Il l'avait vraiment pris pour un cave ! Une lopette tout juste bonne à obéir. Il aurait dû le savoir, qu'il ne savait rien faire d'autre ! Il allait croupir en prison, ça lui apprendrait à vouloir jouer les gros bras…

Zelinguen frissonna. Le froid se faisait incisif. Il n'allait pas avoir chaud en mer. Il regardait l'eau glauque du bassin heurter par petites vaguelettes les parois sombres du navire, et il eut une pensée pour cette pauvre Violette dont le corps devait dodiner au fond de la darse. Il se demanda s'il referait surface et au bout de combien de temps. Puis il chassa cette pensée. La vision du cadavre en décomposition l'indisposa. Il remonta le col de sa veste en maudissant Prunelier d'avoir des vêtements si légers et si peu adaptés à l'hiver. Il quitta le pont pour rejoindre sa cabine, qui n'était malheureusement plus la cabine de première classe que lui avait réservée Chapier. Il avait perdu au change, mais l'essentiel était d'avoir une cabine pour lui tout seul. Arrivé devant celle-ci, il actionna la clé, qui tourna dans le vide : la porte était ouverte. Étonné, il entra. Le coup de feu partit aussitôt et l'envoya s'écraser sur le sol, la tête en arrière. La balle l'avait touché en plein front, entre les deux yeux.

Valentin Daubier, revêtu d'une combinaison et masqué par une capuche qui retombait sur ses yeux, jeta son revolver à la mer par le hublot, se précipita sur le corps, qu'il tira à l'intérieur de la cabine afin de refermer la porte, et fouilla les poches de Zelinguen. Il trouva rapidement ce qu'il cherchait : le code et la clé du coffre du Crédit nantais. Il dissimula sa trouvaille sous sa combinaison, se faufila, la tête la première, par le hublot, hors de la cabine, et se laissa glisser dans l'eau glaciale. C'était le moment le plus délicat de son plan : il devait rejoindre la barque amarrée à l'arrière du quai de Saïgon dans une eau à un ou deux degrés, très imparfaitement protégé par une incommode combinaison en caoutchouc qui le gênait considérablement dans ses mouvements. Il retrouva sa barque et se hissa dessus. Il n'avait plus qu'à ramer jusqu'au quai de la Garonne après avoir franchi le sas et le bassin du canal. Il glissait sur l'eau, plus silencieux qu'une huître, en se félicitant d'avoir si bien mis à profit les informations qu'il avait glanées pendant son séjour à Paris au moment des fêtes.

En suivant très discrètement Zelinguen, il avait bien repéré son manège et ses accointances avec la société DU BOÏS & DUPUIS. Bien sûr, il avait fallu graisser la patte du secrétaire, mais son renseignement valait bien la chandelle. Zelinguen l'avait toujours pris pour un pigeon... Il était satisfait de lui avoir enfin réglé son compte. Son plan s'était déroulé à merveille.

Lorsque le capitaine Henry de la gendarmerie du Havre se présenta, seul – car toutes les forces de l'ordre avaient été réquisitionnées pour gérer les manifestations des dockers – à bord du *Saint Germain* pour demander l'autorisation de vérifier l'identité des passagers en raison de la présence probable d'un assassin à bord, le lieutenant de vaisseau Meunier crut à un canular. Mais, au moment même où il allait répondre très sèchement au capitaine qu'il voyait mal comment lui accorder cette autorisation, des cris venus du secteur de la deuxième classe fusèrent et un membre de l'équipage surgit, affolé, en hurlant :

– À l'assassin ! À l'assassin !

L'examen du cadavre révéla le coup de revolver que personne n'avait entendu en raison du vacarme sur le quai. Le hublot ouvert confirmait l'évidence : l'assassin s'était enfui par l'arrière du bateau à la nage ou sur une frêle embarcation. Sur requête du commandant Franklin, le capitaine fit enlever le corps. Le *Saint Germain* appareilla. On prévint Paris : Armand Prunelier avait été tué d'une balle entre les deux yeux dans sa cabine et l'assassin était en fuite.

Victor demanda que les trois cadavres, celui de Louis Merlot, celui d'Armand Prunelier ainsi que celui de Marcel Dupuis fussent transportés à Paris, à la morgue de l'île de la Cité. Le corps du passager dit Armand Prunelier avait bien été identifié comme étant celui de Zelinguen : les tatouages, les cicatrices, la tête rasée, tout y était. On ferait identifier officiellement le faciès par Du Boïs, et Gemeley apporterait une confirmation scientifique grâce aux empreintes. Mais, d'ores et déjà, on ne pouvait avoir de doute. Quant à l'identité de l'assassin en fuite, elle restait mystérieuse.

Chassaing bougonnait dans son coin :

– C'est Daubier qui a fait le coup, et il a récupéré ce qu'il fallait pour mettre la main sur l'or…

– Sans doute, mais nous n'en avons aucune preuve. Notre scène de crime vogue sur les océans. L'assassin de nos huit meurtres a rendu l'âme. Nul doute que le juge Blanchot décide de fermer le dossier et de classer l'affaire.

***

Fernand Raux était préfet de police de Paris depuis novembre 1917. C'était un homme autoritaire, prompt à la colère, doté d'idées solidement ancrées dans un esprit rationnel, peu enclin à l'indulgence, moins encore à la rêverie. Farouchement nationaliste et amoureux de l'ordre, il n'aimait guère les contrariétés et tout ce qui pouvait mettre en péril l'équilibre de sa « cité » était considéré comme une menace et une atteinte à la nation. Au quotidien, il fallait que rien n'en vienne troubler l'ordre urbain. Au sein de la préfecture, il faisait régner une discipline de fer que l'on ne transgressait qu'en cachette, avec mille précautions. Il entretenait avec Michel Fournier, directeur du personnel au ministère de l'Intérieur, beaucoup plus souple et débonnaire, des relations tendues, mais qui restaient courtoises. Michel Fournier laissait passer la tempête d'explosions impromptues et revenait à la charge, une fois la colère tombée. En bons fonctionnaires dévoués à leur charge ils finissaient toujours par s'entendre. Ce samedi 24 janvier, Fernand Raux reçut, assisté de Michel Fournier, le commissaire Blandin et l'inspecteur Dessange dans son bureau. Cette démarche exceptionnelle leur avait paru nécessaire à tous les deux. Le dossier était sensible. Il fallait absolument le boucler et obtenir de la Criminelle son adhésion, ou tout au moins son acquiescement aux modalités décidées à la suite de l'enquête interne rondement menée par le chef de la Sûreté, en accord avec le ministre de l'Intérieur et le directeur général des services de la Brigade Criminelle, qui n'avait pas souhaité être présent.

Le Préfet Raux était un homme qui approchait de la soixantaine. Austère mais bedonnant, il arborait la mise grise d'un haut fonctionnaire de son temps. Des sourcils bruns et épais surmontaient des binocles qui pinçaient l'arête d'un nez long et fin, élargi à la base par deux rides profondes qui venaient mourir dans une moustache fournie et grisonnante, tandis que la barbe virait au blanc et cachait le cou en frôlant le col de la veste. Le front haut et large témoignait d'une intelligence sans cesse en alerte et le regard las et fixe laissait supposer une certaine usure dans l'exercice de fonctions pesantes. À l'inverse, Michel Fournier, plus jeune, plus souriant, plus fringant, offrait aux visiteurs un visage ouvert et conciliant. « L'eau et le feu », se dit Victor en s'asseyant dans le fauteuil qu'on lui indiquait.

Une fois les civilités d'usage accomplies, ce fut Michel Fournier qui fit un rapide compte rendu de l'enquête interne :

– L'enquête a été menée par notre chef de la Sûreté, en qui nous avons toute confiance. Albert Singer a été entendu et nous a donné les noms de deux fonctionnaires subalternes peu fiables dont il reconnaît avoir couvert les agissements délictueux par solidarité et pour préserver la réputation des services. Vous savez ce que c'est... Un silence répréhensible bien sûr, mais compréhensible, n'est-ce pas ? Dans l'exercice de nos métiers, nous vivons des situations si complexes, nous sommes confrontés à de tels dilemmes… Il s'agit d'Eugène Crapot, chargé au ministère de l'Intérieur de travaux de secrétariat divers et de la tenue des registres, et d'André Boulanger, chargé, rue des Saussaies, de la mise à jour des fichiers des étrangers et des militants politiques immigrés à Paris. Les renseignements fournis par Albert Singer ont été confirmés par la découverte de la disparition d'une somme de 1500 francs dans la caisse de la Sûreté, à laquelle André Boulanger pouvait avoir accès dans certains cas. Ces deux fonctionnaires vont être limogés et sommés de restituer l'argent qu'ils ont détourné. Ils n'auront, bien sûr, plus leur place dans aucun secteur de la fonction publique. À leur charge de retrouver du travail pour nourrir leur famille. Quant à Albert Singer, nous avons décidé de le muter à Toulouse. Nous avons besoin là-bas d'un agent expérimenté pour surveiller les activistes espagnols, et Singer est un excellent agent de renseignements.

Victor se taisait, l'air sombre. Ce fut Blandin qui prit la parole :

– La Brigade Criminelle vous remercie de lui transmettre ces informations. Puis-je exprimer cependant l'opinion très personnelle selon laquelle ces sanctions sont bien légères en regard des faits incriminés ?

Le préfet Raux se leva, signifiant ainsi sa volonté d'imposer une parole de poids qui avait pour mission de faire cesser toute contestation et toute interrogation :

– Cette question, qui est plus une objection qu'une question, commissaire, ne me semble pas opportune. L'affaire n'est pas de votre ressort.

En ce qui concerne la sûreté de l'État, et donc la sécurité des citoyens, la situation à Paris est particulièrement délicate. Vous avez brillamment travaillé sur un dossier sensible et complexe, et mis un dangereux assassin hors d'état de nuire. Vous avez accompli votre mission. Laissez la Sûreté accomplir la sienne, qui est moins gratifiante et dont les apparences peuvent sembler parfois douteuses, mais qui n'en est pas moins fondamentale. Elle repose sur certaines pratiques classées secret-défense dont nous n'avons pas à vous rendre compte. Étant donné qu'il existe des groupements occultes d'extrémistes dont les agissements peuvent compromettre la sûreté de l'État, il est tout naturel que la police suive et entrave les faits et gestes de tels personnages rejetant le pacte social et agissant avec l'aide d'idéalistes chevelus et d'agitateurs cosmopolites réfractaires à toute identité nationale. Il est normal qu'une institution comme la CGT, qui peut parfois paralyser d'un mot les services publics les plus indispensables, condamner à l'inaction des centaines de milliers de travailleurs et dresser ainsi en face de l'État une autorité tyrannique qui compromet la sécurité des citoyens, soit l'objet d'une surveillance active et permanente[1]. Pour finir, je citerai les Mémoires de Fouché[2] : « Tout gouvernement a besoin pour premier garant de sa sûreté d'une police vigilante dont les chefs soient fermes et éclairés. La tâche de la haute police est immense. » C'est là la seule vraie réponse que je puisse donner

---

1. Propos adaptés d'un extrait de l'ouvrage de Léon Ameline, commissaire aux délégations judiciaires, *Ce qu'il faut connaître de la police et de ses mystères*, Paris, éd. Boivin, 1926.
2. Joseph Fouché : ministre de la Police sous le Directoire, le Consulat et l'Empire.

à votre fausse question, commissaire. Et, sur ces évidences, je vous souhaite une bonne journée.

La messe était dite. Le commissaire Blandin et l'inspecteur Dessange se levèrent dans un même mouvement, saluèrent et sortirent du bureau préfectoral sans prononcer un seul mot. Sur le chemin qui les ramenait au 36, Blandin s'exclama :

– Eh bien, inspecteur, nous venons d'entendre un superbe plaidoyer pour une police politique républicaine ! Qu'en pensez-vous ?

– Je dirais en tout premier lieu que l'honorable Fouché était tout sauf républicain. Ensuite, je ne vois pas en quoi le fait de considérer nécessaire une police politique implique de fermer les yeux sur les crimes qu'elle peut commettre. Surveiller, d'accord, mais éliminer, ça pose problème, non ?

– Bien sûr, Victor. La difficulté réside sur le terrain, dans la frontière parfois très étanche, trop étanche, qu'il peut y avoir entre la prévention et l'empêchement. Nous connaissons cela aussi, n'est-ce pas ? Lorsqu'un criminel nous échappe, vaut-il mieux le laisser filer, quitte à ce qu'il tue à nouveau, ou vaut-il mieux lui tirer dessus ?

– On peut lui tirer dans les pattes, il s'écroule et ne meurt pas. Mais je reconnais que nous sommes parfois confrontés à ce « dilemme », comme dirait le préfet. Là, c'est différent : éliminer un criminel c'est une chose, mais un adversaire politique, c'en est une autre !

– Même lorsque cet adversaire a le projet de tuer ? Les armes destinées aux Africains n'avaient pas vocation décorative. Et c'est bien le problème avec le terrorisme, de quelque nature qu'il soit et quelle que soit sa cause. Face à lui, toute décision est mauvaise, et toute action est aveugle et contestable.

Et c'est bien là sa force. Croyez-moi, Victor, nous n'en avons pas fini avec cette forme de combat et de violence. Et nous ne sommes pas du tout prêts à l'affronter. Le pire qui pourrait se produire serait de voir naître un terrorisme d'État, en France, en Italie, en Espagne ou en Allemagne. Et selon moi, c'est vraiment un danger qui nous guette.

– Vous me faites froid dans le dos, commissaire. J'espère que vous vous trompez. Mais il est vrai que cette guerre interminable dont nous avons tant de mal à nous relever et qui a occasionné tant de deuils et de blessures nous a enlevé toute clair-voyance politique. Nous nous fourvoyons dans des débats stériles, dans une logique obsessionnelle du profit et une débauche de plaisirs et de divertisse-ments qui ne font qu'étourdir et cachent le malaise. Et c'est pire en Allemagne.

– Restons positifs, inspecteur ! N'oubliez pas que nous avons tout de même réussi à boucler notre affaire. Zelinguen ne fera plus de mal à personne... Et ce n'est même pas nous qui l'avons éliminé !

– Il reste encore bien des zones d'ombre, commis-saire. Qu'est devenue Violette ? Pourquoi Zelinguen a-t-il tué Apolline ? Où est passé Daubier ? Où est passé l'or ? A-t-il seulement existé ? Et je crains fort que nous n'ayons jamais de réponse à ces questions.

– Pour ce qui est de Violette et Apolline, je suis certain que Zelinguen avait comme principe de sup-primer ses complices et de ne laisser aucune trace derrière lui. Violette était clairement sa complice, et Apolline l'avait démasqué au moment du crime, elle ne s'était pas endormie. Il était cependant trop sûr de lui. Il a commis une grave erreur en nous envoyant cette lettre anonyme pour se débarrasser de Du Boïs. Il pensait avoir le temps de disparaître,

mais il n'a pas envisagé que nous puissions innocenter Daubier, en partie à tort, d'ailleurs. Nous
aussi, nous avons commis une erreur, nous n'aurions jamais dû le libérer.

– Oui, c'est certain, et j'en porte l'entière responsabilité. J'ai bien l'intention de rester à l'affût. À
un moment ou à un autre, il refera surface, et je
serai là pour le cueillir. Soyez-en sûr, commissaire.

– Je n'en doute pas, inspecteur. Mais ce sera une
autre affaire, et je ne serai plus là. Je coulerai des
jours tranquilles dans ma campagne angevine.

Quand ils arrivèrent au 36, Victor retrouva Max
en plein rangement, prêt à monter aux archives
le dossier n° 731 La Moujol 6.01.20 / rue des
Moulins 8.01.20.

– Où est Chassaing ? demanda Victor.

– Il est rentré chez lui. Je crois qu'il ne décolère
pas d'avoir cru Daubier blanc comme neige. Ces
faux lingots d'or lui restent en travers de la gorge.

– Je suis bien d'accord avec lui, mais nous ne
pouvons rien y faire, dans l'immédiat en tout cas.

– Absolument, Victor, c'est la raison pour laquelle
j'ai pour seul objectif immédiat de me détendre et
de me changer les idées.

– Excellente initiative, je te suis à cent pour cent !
Et je suis convaincu que tu as une faim de loup !

Max rugit comme un lion prêt à dévorer sa
gazelle et fit mine de mordre à pleines dents l'épais
dossier Moujol/des Moulins qu'il s'empressa de
remettre à Louis, la gueule cassée des sommiers
et des archives.

Victor et Max se retrouvèrent à la brasserie des
Deux Palais, devant une bière et une entrecôte
entourée d'une farandole de petites pommes de

terre grenaille joliment rissolées. Le beurre à l'ail
et au persil fondait sur la viande cuite à point.

– Hum ! s'écria-t-il entre deux bouchées, ces
petites pommes de terre sont à se damner !

– C'est incroyable le plaisir que tu prends à manger, Max. Te regarder redonnerait le moral au plus
désespéré des neurasthéniques !

– Mais, répliqua Max, la bouche pleine, c'est la
vie ! Je ne comprends pas que vous n'y attachiez
pas plus d'importance.

– Oh ! Souvent manger est pour moi une corvée.
Je sais que c'est nécessaire, mais, même lorsque la
nourriture est excellente, ça me laisse indifférent.
Je ne sais pas pourquoi. C'est comme un devoir,
une obligation contraignante. Marie est comme toi,
un peu moins vorace sans doute, mais tout aussi
gourmande. Lorsqu'elle me prépare un petit plat,
elle est souvent déçue que je ne m'en délecte pas.
Je fais des efforts, mais c'est plus fort que moi, ça
me pèse dès la deuxième bouchée.

– Vous avez toujours été comme ça ou c'est venu
d'un coup ?

– Je ne sais pas… Je ne me souviens pas…

– J'avoue que cela m'intrigue. Vous êtes sûr que
vous n'avez pas attrapé cette perte du goût dans les
tranchées ? Parce que là, c'était vraiment immonde,
ce qu'on avait à manger !

– Peut-être, oui, en tout cas cela n'a rien dû
arranger. Mais je n'ai pas le souvenir d'avoir vraiment souffert de la faim. Non, ce qui m'a terrassé,
ce n'est pas la faim, c'est la peur, la peur des autres
et surtout la mienne, hideuse et ignoble. La faim,
c'était presque un soulagement, une sensation douloureuse qui rappelait qu'on était encore en vie. Tu
comprends ce que je veux dire ?

– Oui... Je crois que oui, mais la peur, on ne peut pas expliquer, elle ne se transmet pas, en tout cas pas cette peur-là. Chacun la vit comme il peut... ou la meurt... comme il doit... La faim, c'est autre chose, tout le monde peut comprendre.

– Sans doute as-tu raison, mais je peux rester très longtemps sans manger, ça ne me dérange pas. Je me rappelle que je scandalisais mes hommes en leur soutenant que les biscuits de l'armée étaient excellents.

– Quoi ? s'écria Max, ces buvards infâmes, insipides et tellement imprégnés d'humidité qu'ils se transformaient en pâte immonde dès qu'on les sortait de leur emballage !

– Oui, ces biscuits-là, répondit Victor en éclatant de rire.

– Oh non ! Ce n'est pas possible d'être aussi inculte ! Il y a toute une éducation à refaire, là !

– Oui, c'est ce que dit Marie, mais, à mon âge, ce n'est pas gagné ! Dis-moi, à propos de Marie, je lui ai promis de l'emmener à l'Apollo de Montmartre ce soir. Les Jazz Kings doivent y jouer. Il paraît que c'est une musique incroyable et totalement nouvelle. Marie tient beaucoup à aller les entendre. Elle me dit que ça me changera de mes cantates de Bach, comme si je n'écoutais que ça ! Tu veux venir avec nous ?

– Ah oui, je suis partant ! Les Jazz Kings ! Formidable ! Ils ont un batteur excellent, Benny Peyton, et un saxophoniste inouï qui vient de La Nouvelle-Orléans, Sidney Bechet. Je crois que c'est la première fois qu'il se produit à Paris. Je suis sûr qu'on n'a pas fini d'en entendre parler. Oh oui ! Je viens avec plaisir.

– Avant cela, il faut que je repasse au 36. J'ai un mot à écrire au Pierrot. Je tiens à l'informer des suites données à l'affaire Singer. Je veux aussi lui expliquer comment est morte Gabie. Et puis, il faut que je rappelle l'Assistance publique. Je dois accompagner le petit Léon en Vendée pour le remettre à une famille d'accueil. J'ai mené enquête sur cette famille. Je crois qu'on peut lui faire confiance. Il sera bien là-bas.

– Mais vous avez fait ça quand ? demanda Max en avalant sa dernière bouchée avec tristesse et en lorgnant l'assiette de Victor qui avait reposé ses couverts et semblait renoncer à une bonne partie de ses pommes de terre.

Victor surprit son coup d'œil concupiscent et s'empressa :

– Tu veux finir mes pommes de terre ?

– Ça, c'est pas de refus !

Victor et Max échangèrent leur assiette, et Max revint à sa question :

– Expliquez-moi quand vous avez trouvé le temps de faire cette enquête.

– Non, c'est Chassaing qui s'en est chargé. Par ailleurs, avec Chassaing, nous avons fait en sorte que Léon soit déclaré pupille de la nation. Cela reste confidentiel, Max. On a dû tricher un peu sur les fiches de renseignements, mais le dossier est passé. Irma n'aura pas à payer la famille d'accueil. Évidemment, on prend le risque, si l'intégration ne se passe pas bien, qu'il soit envoyé à l'orphelinat. Avec un peu de chance, tout se passera bien.

– Vous et Chassaing, vous êtes quand même de sacrés numéros ! Et vous êtes sûr que ça ne risque pas de vous retomber dessus ?

– Je ne suis sûr de rien ! Mais, même si mon petit arrangement était découvert, je suis prêt à assumer la sanction. J'ose espérer que si on se contente de muter un officier de police qui commandite un meurtre pour récupérer des armes dans un but foncièrement douteux, on se contentera de m'infliger un blâme et de me sermonner gentiment.

– Je préférerais que cet arrangement reste secret, Victor. Ça me semble plus sûr, conclut Max en achevant sa dernière pomme de terre.

– Dis-moi, j'ai bien remarqué avec grande satisfaction que tu m'appelais désormais par mon prénom. Ne pourrait-on pas passer à l'étape suivante ?

– C'est-à-dire ?

– Eh bien, je trouverai logique que tu me dises « tu ». Cela scellerait notre proximité… notre amitié.

Max regarda Victor avec attention et avala une longue gorgée de bière. Puis il s'essuya les lèvres avec sa serviette.

– N'allez pas trop vite, Victor. C'est trop tôt. Je ne suis encore qu'un petit inspecteur sans expérience. Laissez-moi grandir à vos côtés. Faites en sorte qu'on nous laisse travailler ensemble le plus longtemps possible. Et puis…

– Et puis ?

– J'attends nos premiers différends. Jusqu'à présent nous avons toujours été d'accord, n'est-ce pas ? Arrivera bien un moment où nous aurons des avis opposés. Comment serons-nous capables de régler cela ?

– Je ne vois pas quelles ombres pourraient obscurcir l'horizon de notre relation !

– Oh ! Que c'est bien dit ! Eh bien moi, si ! Je sais que vous êtes décidé à traquer Daubier, et Chassaing partage assurément cette volonté.

Je ne suis pas certain de vous suivre sur ce terrain. Daubier nous a bien eus, mais c'est surtout Zelinguen qu'il a berné, et, rien que pour cela, je lui suis reconnaissant.

— D'accord, mais il n'en reste pas moins un délinquant, un voleur, un criminel, et l'or qu'il va probablement récupérer est un trésor volé.

— Depuis la guerre, des criminels, nous le sommes tous, Victor. D'autre part, la provenance de cet or est pour le moins douteuse et si l'usage qu'il en fait est conforme à celui qu'il a déjà mis en œuvre pour ses parents et pour son frère, j'ai l'outrecuidance de considérer que cet or est entre de bonnes mains.

— Alors, là, je ne peux pas être d'accord avec toi !

— Je sais bien. C'est la raison pour laquelle j'attends de voir comment nous allons dépasser ce différend. Je ne doute pas que nous finirons bien par retrouver Daubier sur notre chemin. Et là, c'est la vie qui nous apprendra comment réagir.

— Tu es un curieux garçon, Max. Tu me fais des embarras pour avoir falsifié une fiche de renseignements sur le bébé d'une prostituée afin de lui garantir un point de chute sécurisé, et tu serais prêt à garantir l'impunité à un bandit de grand chemin sous prétexte qu'il a tué l'assassin après lequel tu courais depuis trois semaines !

— Ah ! Mais chacun ses contradictions. Elles sont parfois déroutantes, mais elles sont aussi le sel de l'existence. Je ne suis pas quelqu'un d'aussi lisse que vous semblez le penser. Mais pour ce soir, sus à Sidney Bechet et aux Jazz Kings. Ce soir, on se saoule de musique et on oublie tout le reste !

Et Victor et Max trinquèrent et finirent en riant leur pinte de bière.

***

Le mardi 27 janvier, en fin de matinée, au Père-Lachaise, se déroulaient simultanément deux cérémonies de funérailles. Amedeo Modigliani avait rendu son dernier soupir le samedi 24 à l'hôpital de la Charité. Une foule d'artistes de Montparnasse et de Montmartre se pressait en demi-cercle autour de la tombe encore vide et devant le cercueil recouvert de fleurs. Pablo Picasso, Chaïm Soutine, Maurice de Vlaminck, Blaise Cendrars pleuraient sur le sort infortuné d'un des leurs. Quelques allées plus loin, devant le caveau familial, Fulgence Dupuis, aux côtés d'un prêtre en grande soutane recouverte d'un surplis de dentelles blanc, pleurait, seul, son frère dont la dépouille lui avait été enfin rendue. Le prêtre balançait l'encensoir autour du cercueil sur lequel quelques roses blanches s'étiraient tristement. Devant était posée une couronne de fleurs d'hiver agrémentée d'un bandeau aux lettres dorées : « À mon frère bien aimé ».

Tandis que le prêtre marmonnait ses prières, Fulgence laissait aller ses larmes, incapable de cerner ce qui lui faisait le plus de peine : la mort de son frère ou la lugubre nouvelle du suicide de Jeanne, qui n'avait pas supporté la mort d'Amedeo malgré son imminent accouchement. Tout le chagrin du monde semblait peser sur les épaules voûtées de Fulgence, dont l'esprit, incapable de se fixer dans la prière, dérivait sur les gouffres de la misère humaine. La mélodie sourde et caverneuse d'un chanteur de blues sollicité par Soutine pour accompagner la mise en terre de Modigliani parvenait à ses oreilles et déchirait ses tympans. Fulgence en voulait à ce peintre fantasque, torturé et tourmenté au point de laisser

l'alcool et l'opium dévaster sa vie et ses proches. Il
ne pardonnait pas la mort de Jeanne, dont il lui
attribuait toute la responsabilité. Il ne pardonnait
pas non plus à son frère ses manœuvres financières,
qu'il considérait comme la cause de son assassinat.
Le prêtre invoquait le pardon pour les fautes commises et purifiait l'ombre de Marcel avec ses formules obscures et les fragrances de son encens, mais
lui, Fulgence, n'absolvait rien ni personne.

La pluie recommençait à tomber, glaçante.
Fulgence ne sentait pas le froid. La froidure était
tout intérieure. Elle glaçait son cœur, ses veines. Le
prêtre, aidé de deux acolytes des pompes funèbres,
déposa le cercueil dans le caveau, acheva une dernière prière et referma la pierre qui calfeutrait les
morts dans leur univers minéral. Dans l'allée principale, une mer de parapluies s'étirait vers la sortie.
Les fleurs qui recouvraient la tombe de Modigliani,
écrasées par l'averse et gorgées d'eau, entouraient
la modeste sépulture d'un collier sinistre de pétales
flétris. Sur la pierre était gravé en italien :

AMEDEO MODIGLIANI
PITTORE
NATO A LINORNO IL 12 LUGLIO 1884
MORTO A PARIGI IL 24 GENNAIO 1920
QUANDO
MORTE LA COLSE
GIUNSE ALLA GLORIA

Des mots éternels, mais finalement si ordinaires
que le passant indifférent n'y verrait rien d'autre
qu'une tombe d'étranger de plus. Et le peintre y
séjournait enfin apaisé, mais injustement séparé
de sa compagne, Jeanne, qui avait voulu le suivre

dans la mort et que ses parents inhumaient misérablement et à la dérobée au cimetière de Bagneux parce que le rejet d'un artiste pauvre, dépravé et juif de surcroît, se manifestait jusque dans le monde des morts.

Lorsqu'il fut certain que la foule s'était entièrement dissipée et que plus personne ne se lamentait aux abords du tombeau, Fulgence s'approcha et contempla fixement la pierre brute en forme de cercueil et les fleurs fanées qui l'étouffaient. Il avisa une couronne de fleurs qui traînait à ses pieds et se mit à la piétiner avec rage.

En quittant le cimetière, il extirpa de l'intérieur de sa veste une lettre qu'il relut. C'était une convocation en bonne et due forme : samedi 24 janvier 1920, 14 h 36, quai des Orfèvres, objet : société DU BOÏS & DUPUIS, commissaire Dubovski, en charge des enquêtes financières. La pluie rendait flous et liquides les caractères de la lettre. Fulgence Dupuis la froissa en boule et la lança dans le caniveau. Il n'irait pas. Il ne voulait plus entendre parler de la société DU BOÏS & DUPUIS. Il allait partir, quitter Paris, la maison, les bains-douches des Deux-Ponts. Il emporterait avec lui quelques portraits de Modigliani, cela vaudrait peut-être un jour quelque chose… et il allait disparaître, se diluer, se désintégrer, changer de peau, de vie, d'air. Et cela lui parut limpide et clair comme une évidence.

***

Comme tous les mardis soir désormais, Pierrot avait retrouvé Samuel Schwartzbard rue Charlot pour sa leçon de lecture. Dans l'atelier, assis sur un tabouret, les coudes sur l'établi et les joues dans ses

mains, le livre grand ouvert sous les yeux, il ânon-
nait par syllabes les phrases du *Livre de la jungle* :
« En bas, dans la vallée qui descendait vers une
petite rivière, il entendit la plainte dure, irritée, hargneuse et chantante d'un tigre qui n'a rien pris... »
Pierrot buta sur « hargneuse », ne sachant que faire
du « h » et récalcitrant à l'articulation du « gneu »,
qui se bloquait douloureusement contre son palais.
Ses yeux étaient écarquillés sous l'effort, non pas
tant de la lecture que de la fabrication des images
que suscitaient tous ces mots agencés ensemble, tri-
butaires les uns des autres, clés magiques d'entrée
dans un univers inconnu et fabuleux où le chacal
Tabaqui asticote Père Loup et fait surgir l'ombre
menaçante du tigre Shere Khan sur les rives de la
Waingunga. Pierrot acheva la lecture de la page et
Samuel le félicita :

– Bravo, Pierrot ! Tu vois, nous attaquons déjà la
lecture d'un vrai livre. Tu dois être fier. C'est encore
laborieux, mais, tu vas voir, ça va venir très vite.
Dans deux semaines, tu liras couramment, sans
difficulté. J'en suis sûr.

Pierrot, rose de plaisir, souriait. Il avait compris
l'enjeu : l'évasion, la connaissance, la rencontre
d'autres mondes. Et il était impatient. Le livre
représentait pour lui cette liberté à laquelle il aspi-
rait tant. Le livre était un monde à soi tout seul,
avec ses personnages, ses paysages, ses souffrances
et ses joies. Le livre aidait à fabriquer des rêves et
Pierrot se rêvait explorateur, navigateur, dompteur,
inventeur... Les richesses du monde s'offraient à
sa conscience et il avait l'intuition qu'elles étaient
inépuisables, enfouies dans les pays les plus loin-
tains des passés les plus reculés, projetées dans des
avenirs toujours inquiétants, mais si fascinants, ou

hors du temps, hors de toute normalité, hors de
toute convention. « Le livre, lui avait dit Samuel,
est le témoin, le rempart et le phare de toute humanité. » Et Pierrot s'accrochait à cette idée tout
au long du jour en enfonçant ses clous dans les
semelles des chaussures de ses exigeants clients. Et
dès que le soir tombait, il s'enfermait dans sa petite
chambre ou dans n'importe quel cagibi, allumait sa
chandelle et reprenait sa lecture, s'entraînait des
heures durant, convaincu que, sans ce pouvoir-là,
il n'y avait pas de destin possible, il n'y avait pas
de vie digne possible.

Fernand Jack entra dans l'atelier au moment où
s'achevait la leçon. Il s'exclama :

– Pierrot, j'ai appris par la bande qu'Albert Singer
partait à Toulouse. Ton inspecteur a dû agir !

– Une mutation n'est pas une sanction ! s'indigna
Samuel. Il s'en tire bien !

– C'est vrai, mais nous, on en est débarrassés, et
cela me soulage. J'étais inquiet pour Pierrot. C'est
quand même lui qui l'a reconnu et qui a découvert
son infiltration !

– Il va falloir que vous soyez très prudents,
Fernand. J'ai l'impression que nous, les étrangers,
nous sommes de plus en plus surveillés. J'ai souvent
la sensation, dès que je fais un pas dans Paris, que
quelqu'un me suit.

– Ils ne peuvent tout de même pas mettre un
agent de surveillance derrière chaque étranger !

– Sans doute pas, mais depuis l'armistice leurs
effectifs ne cessent de croître. Nous devons être
très prudents.

– J'ai été sollicité par deux camarades italiens qui
demandent à être cachés quelque temps à Paris. Tu
n'as pas une idée, Pierrot ? J'ai bien pensé à la zone,

mais je sais qu'en ce moment ce n'est pas l'idéal. La démolition des fortifs progresse à grande vitesse, et la zone sera bientôt menacée.

– Oui ! s'écria Pierrot. J'ai une cachette sûre. Celle que j'utilisais avant de vous connaître, là où j'ai emmené Felipe, une station inachevée ; c'est pas très confortable, mais je peux vous assurer que personne les trouvera là !

– Parfait, répondit Fernand. Je te préviendrai dès qu'ils arriveront. Tu pourras les emmener ?

– Bien sûr, mais après l'boulot.

– Attention, intervint Samuel, prenez garde à ne pas être suivis.

– T'inquiète, la filoche, ça m'connaît, et j'connais Belleville comme ma poche !

Samuel frictionna la tête du gamin en riant.

– Ah ! Mon Pierrot ! Y en a qu'un comme toi !

– Concernant les grèves, reprit Fernand, je crois qu'il va falloir attendre le mois de février. L'ultimatum est fixé au 10. Le syndicat attendra cette date pour prendre une décision.

– Oui, mais la situation n'est guère engageante. Certains secteurs se sont lancés dans des grèves qu'ils ne parviendront jamais à tenir jusque-là. Même si la CGT lance un mot d'ordre de grève générale, il y aura des défections et le mouvement pourrira bien plus vite qu'il ne se sera mis en branle. Si un mouvement de grève démarre en février, il y a de fortes chances pour qu'il ne touche que les chemins de fer.

– Peut-être, mais il faudra bien être là pour les aider. Je dois aussi t'annoncer, Pierrot, qu'Amédéo va certainement repartir en Afrique. Il est allé soutenir les dockers du Havre, et il s'est fait huer. Du coup, il a décidé de rejoindre Pointe-Noire. Il dit qu'il sera plus utile là-bas parmi les siens. Même si le chantier de la voie ferrée est pour l'instant suspendu, il veut préparer les hostilités afin d'être prêt dès que les autorités décideront de le lancer.

– Ça, c'est triste. Il est drôlement chouette, Amédéo. Et y m'fait tellement rire. Et pourquoi il s'est fait huer ?

– En fait, la principale revendication des dockers du Havre, c'est le respect et la diminution des quotas de travailleurs étrangers, en particulier coloniaux, sur le port.

– Tu vois c'que j'te dis, Fernand. Les objectifs des grévistes sont trop différents et trop liés à leurs propres petits privilèges. Cela n'a rien à voir avec une volonté révolutionnaire !

– Oui, je sais, mais il n'empêche que cela peut être une base de déclenchement d'un mouvement révolutionnaire !

– Une mauvaise base, Fernand, et on ne construit rien de solide et de cohérent sur des fondations fragiles et incertaines.

– C'est vraiment décourageant, vos discussions, explosa Pierrot, j'y comprends rien ! J'vous laisse, j'vais écouter Maud répéter.

Et Pierrot quitta l'atelier, son livre en poche, pour entrer dans la petite salle de travail où Maud Géor et le pianiste mettaient au point une nouvelle partition qu'elle n'avait encore jamais travaillée. En voyant le garçon entrer, le visage concentré de Maud s'éclaircit :

– Ah ! Pierrot, entre, tiens, écoute ça, je ne l'ai encore jamais chanté.

Le pianiste lança la phrase mélodique d'introduction et la voix chaude et grave de Maud retentit dans la pièce et fit vibrer le cœur de Pierrot.

***

Pierrot éprouvait le besoin de voir Louison. Un besoin impératif. Il avait des choses importantes à lui dire. Alors, il se rendit à la Moujol, très tôt, le mercredi 28 janvier, avant de prendre son embauche à l'atelier ; il savait bien qu'il fallait qu'il arrive avant cinq heures s'il voulait pouvoir parler quelques minutes avec elle.

Louison la Pierreuse était attablée devant un bol de lait qu'elle buvait lentement, avec difficulté. Elle supportait de plus en plus mal le lait. Mais, aux 56 Marches, ce matin-là, il n'y avait ni thé, ni café, ni même chicorée. Elle avait relevé ses cheveux, qui commençaient à grisonner, de façon à masquer certains endroits chauves sur son crâne. Cela faisait quelque temps qu'elle perdait ses cheveux par poignées, et rien n'y faisait, ni les crèmes d'Angèle, ni les frictions d'ortie, ni les incantations de Léa. Son épaisse et longue chevelure, qui avait été autrefois un de ses principaux atouts, n'était plus qu'un souvenir.

Louison prenait conscience qu'elle vieillissait à grande vitesse. Elle se faisait du souci pour ses filles et pour Pierrot. Albertine allait mieux, mais elle en avait encore pour plusieurs semaines de traitement éprouvant à Saint-Lazare. Monsieur Michaux, le propriétaire, lui avait annoncé froidement, en venant relever le loyer et son pourcentage sur les passes, que tout le quartier du fort de la Moujol, trop mal famé et trop insalubre, allait être rasé. Qu'allaient-elles devenir ? Nicette, la plus jeune, trouverait facilement à se caser dans une maison des boulevards. Mais Léa et Angèle n'étaient plus de la première jeunesse. Et Félicie, la cuisinière, où irait-elle ? Combien de temps leur restait-il ? Et Louison s'étonnait de regretter ainsi la Moujol, qu'elle avait pourtant toujours considérée comme un lieu infâme dans lequel elle s'était laissé piéger, par manque de clairvoyance peut-être, par l'urgence, par la volonté de survivre coûte que coûte. Elle aurait dû partir avec Pierrot à la mort de sa mère. Partir à la campagne travailler dans une ferme, mettre les mains dans la terre, brasser le foin et la fougère, mais elle ne l'avait pas fait...

Elle en était là de ses réflexions lorsque Pierrot surgit, une grosse miche de pain sous le bras, le visage encore imprégné de sommeil avec un pli sur la joue droite pour témoigner de la marque du drap.

— J'suis v'nu, Louison. Fallait que j'te voie.

— Qu'est-ce qui t'arrive, l'minot ? T'as am'né une miche, t'es un bon gars, mon Pierrot ! Elle s'ra pas d'trop, en c'moment, c'est raide ici. J'suis sûre qu'tu veux un bol de lait. Tiens, v'là l'mien, moi, ça n'passe pas c'matin.

Pierrot prit Louison dans ses bras et la serra contre lui.

— Tu vas m'estouffer ! Dis-moi, y a que'qu'chose qui va pas ?

— Non, mais j'voulais t'dire : la patronne, Jeannette, elle m'a inscrit pour valider mon apprentissage, au mois d'septembre. Après, si j'réussis, j's'rai OQ, tu piges ? J'aurai un vrai métier et un vrai salaire.

— C'est quoi, ça, OQ ?

— Ouvrier qualifié ! On trouvera un p'tit gourbi pas trop cher pour nous deux, et tu pourras t'tirer d'ici, Louison. Pa'c'qu'ici, tu vas finir par crever !

Louison sentit les larmes lui monter aux yeux.

– Mais les filles ! J'peux pas les plaquer comme de vieilles savates !

– T'en fais pas, on trouvera une solution. Samuel, y dit : « Là où il y a une volonté, il y a un chemin. »

– J'aime bien comme tu jaspines maint'nant, ça fait chic !

– Et puis, j'voulais t'dire aussi qu'hier, y a eu une visite à l'atelier. Même que l'Gros Jacques, il était tout émoustillé.

– Ah bon ! C'était quoi, c'te visite ?

– Une dame, Louison, une dame tellement belle, on aurait dit une fée, avec un drôle de p'tit chapeau sur la tête, posé tout d'travers, et des cheveux bouclés de la couleur du soleil, tu vois, quand il est pas encore couché, mais qu'il est déjà plus très haut dans l'ciel, et avec un p'tit nez tout retroussé et une bouche toute rose...

– Oh là là, mon Pierrot, mais t'es amoureux pardi !

Le garçon rougit et s'insurgea mollement :

– Non ! Enfin... j'sais pas... Mais la dame, elle avait des yeux qui brillaient comme des étoiles, et elle riait... On aurait dit un oiseau qui roucoule... Mazette ! Elle est couturière aux ateliers Pachkine, rue d'Aboukir. En fait, y montent une nouvelle collection et y cherchent un chausseur pour créer des modèles qu'iront avec leurs créations à eux, tu vois ? Y z'ont entendu parler d'Jacques, et elle est v'nue nous trouver.

Louison acquiesça en souriant.

– Alors le Gros Jacques, reprit Pierrot, il est heureux comme un roi et fier comme Artaban. Et même la Jeannette qu'est pourtant pas rigolboche, elle sautait d'joie comme un cabri ! Et c'est comme

ça qu'elle m'a inscrit pour septembre, pa'c'que,
l'Gros Jacques, y va avoir besoin d'un OQ, et moi,
j'suis l'OQ idéal. L'Gros Jacques y dit que j'travaille
rud'ment bien. Et puis la dame, elle va rev'nir et
on va travailler avec elle. Alors moi, j'suis heureux
et j'voulais te l'dire.

Louison regardait Pierrot avec tendresse.

– Tu as grandi, Pierrot. T'es comme un homme
maint'nant. Et tu peux r'garder droit d'vant toi, tu
peux r'garder ton av'nir en face, droit dans les yeux.
Ta mère, elle doit être fière de toi là-haut !

Pierrot lui tendit le bol de lait encore à moitié
plein.

– Finis ton lait, Louison, faut qu'tu t'mettes
que'qu'chose dans l'ventre l'matin. Tu dois prendre
soin d'toi, pa'c'que j'vois bien ta place dans mon
av'nir !

Et Pierrot quitta la Moujol, redescendant les
marches de la rue Asselin en se remémorant ce
triste mardi où il avait trouvé le corps de Gabie.
Lorsqu'il arriva rue du Faubourg-du-Temple, il était
encore très tôt. Ni Jacques ni Jeannette n'étaient
levés. La rue commençait à peine à s'animer. Il
salua en passant les quelques commerçants qui
balayaient le trottoir le long de leur devanture. Il
entra dans l'atelier et mit son tablier de cordonnier
et un bandeau rouge dans ses cheveux pour ren-
voyer ses boucles en arrière. Il allait prendre un
peu d'avance, et ce n'était pas inutile, car la pile
de chaussures à ressemeler était si haute qu'elle
menaçait de s'écrouler. Il prit une paire de brodequins sur le haut de la pile, s'installa à son établi
et ajusta la lampe juste au-dessus de lui. Ce fut
à ce moment-là qu'il vit l'enveloppe, une grande
enveloppe blanche avec un timbre, le tampon de

la poste à la date de la veille, et son nom écrit en belles anglaises avec l'adresse en dessous :

Monsieur Pierre Marcande
Atelier de Jacques Parmentier
28, rue du Faubourg-du-Temple, Paris 11ᵉ

Pierrot était sidéré. Une lettre pour lui avec son nom et son adresse. Il osait à peine la toucher. Il lui fallut du temps pour l'ouvrir tellement ses doigts tremblaient. Il sortit maladroitement le feuillet, le déplia et s'évertua à le déchiffrer une première fois, syllabe après syllabe, à voix haute. Puis, il fit une seconde lecture, silencieuse et continue.

Pierrot,
Je tenais à t'informer des suites données aux renseignements que tu m'as fournis : Albert Singer a été muté à Toulouse, et les deux fonctionnaires qui ont pris contact avec l'assassin de Gabie ont été renvoyés et sanctionnés par une amende. Cet assassin se nommait Hector Pasquier et portait le surnom de Zelinguen. C'était un tueur à gages qui a commis de nombreux crimes. Il est mort au Havre d'une balle dans la tête tirée par un complice alors qu'il s'enfuyait sur un paquebot en partance pour l'Indochine. L'enquête est à présent terminée et le dossier classé. Ces informations ne répondent peut-être pas à tes attentes. Sache cependant que Gabie peut reposer en paix.
Victor Dessange
Inspecteur à la Brigade Criminelle de Paris

Pierrot relut plusieurs fois la lettre, puis la replia et la rangea soigneusement dans une poche de sa

chemise. Il la montrerait dès ce soir à Fernand Jack
et à Samuel. Ils lui expliqueraient les mots qu'il ne
comprenait pas. Mais l'important, c'était la dernière
phrase : « Gabie peut reposer en paix. » Le Gros
Jacques entra soudain dans l'atelier en s'écriant :

— Eh bien, Pierrot, déjà au boulot ! Tu vas t'épui-
ser, mon garçon !

— Non, t'en fais pas. J'viens seulement d'arriver.
J'suis allé voir Louison à la Moujol. Tu sais, j'me
fais du mouron. J'trouve qu'elle a l'air de plus en
plus crevée. Elle a les yeux dans l'menton tellement
qu'y sont cernés. Et puis, elle a beau l'cacher, elle
perd ses ch'veux, ça commence à s'voir.

— Je pense à ça, tu sais. Tout'façon, va êtr' temps
qu'tu décampes d'ici. C'est pas qu'tu gênes, mon
gars, mais la Jeannette, t'as dû voir, il lui faut ses
aises. Y a un logement qui s'libère rue d'Belleville.
C'est pas très grand, mais c'est pas cher. C'est l'syndicat qu'est propriétaire de l'immeuble. Pour les
ouvriers d'la profession, le loyer, c'est chouia. T'es
encore apprenti, mais je m'porte garant pour toi,
ça s'ra pas un problème. Qu'est-ce t'en dis ?

— Ce s'rait formidable, Jacques. J'te r'mercie pour
tout c'que tu fais pour moi.

— Ça m'coûte pas grand-chose de faire ça pour
toi. Et puis, la Louison, tu pourras la prendre avec
toi. Elle a bien mérité ça. Tu sais, mon gars, c'qui
compte, c'est d'lutter contr' la misère. Faut pas la
laisser gagner, et quand on s'serre les coudes, elle
s'écrase, la charogne !

— T'as raison. Se battre contre la misère, en fait,
on passe sa vie à ça, 'pas ? Des fois on gagne, des
fois on perd, mais on renonce jamais au combat…
J'suis prêt, moi ! J'va t'la saisir au collet et lui régler
son compte !

Et Pierrot saisit sur son établi un des brodequins d'une main et sa pince de l'autre : la semelle, trop usée, n'avait aucune chance de survie. Jacques sourit, il irait loin, le p'tit gars, il irait loin.

Et cela aussi, c'était une belle évidence

Avertissement

Il est sans doute un peu osé de mélanger la fiction et l'Histoire. L'exploitation de la matière historique dans un roman opère inévitablement des déformations, des simplifications, des raccourcis, des altérations de la réalité. Le romancier a toujours tendance à s'arranger avec le réel pour mieux servir sa fiction. La romancière que je suis en reconnaît l'entière responsabilité. Cependant, cette fiction se fait aussi vecteur de l'Histoire : elle évoque et donne vie à des pratiques, des langages et des modes de pensée inscrits dans un passé dont la compréhension me semble indispensable pour enrichir notre présent et mieux envisager l'avenir. C'est en tout cas ma conviction. Dans *La Muse rouge*, de nombreux personnages sont fictifs. D'autres ont véritablement existé. Leur rencontre relève, bien sûr, de la fiction. Elle permet de donner aux premiers une épaisseur romanesque accrue et de raviver la mémoire des seconds.

Remerciements

Cette rencontre n'aurait pas été possible sans le précieux concours des historiens de cette période d'après-guerre qui m'ont permis de réunir de nombreuses informations et analyses indispensables à mon projet d'écriture. Je les remercie de ce travail de transmission dont on ne rappellera jamais assez combien il est inestimable.

Merci aux jurés du Prix du Quai des Orfèvres ainsi qu'à toute l'équipe des Éditions Fayard.

Merci à Éléonore Delair pour l'aide précieuse qu'elle m'a apportée dans la relecture et la mise au point de la version finale.

Merci à mes enfants pour leur patience et leur soutien constant et indispensable.

Merci à Mathilde pour sa lecture si importante des premiers jets.

PAPIER À BASE DE FIBRES CERTIFIÉES

Fayard s'engage pour l'environnement en réduisant l'empreinte carbone de ses livres. Celle de cet exemplaire est de :

250 g éq. CO_2
Rendez-vous sur www.fayard-durable.fr

Achevé d'imprimer en novembre 2021 en France sur Presse Offset par Maury Imprimeur - 45330 Malesherbes
N° d'imprimeur : 257964
77.5930.2/01
Dépôt légal : novembre 2021
Imprimé en France